JN072787

エリア・スタディーズ
83
現代カナダを知るための
60章
【第2版】
飯野正子、竹中 豊（総監修）
日本カナダ学会（編）
明石書店

はじめに

本書『現代カナダを知るための60章【第2版】』は、2010年に刊行された飯野正子・竹中豊編著『現代カナダを知るための57章』をほぼ全面的に改訂したものです。初版から10年間のカナダと世界の変動を踏まえ、まさに現代カナダを知るために必須の事項をまとめた1冊と自負していますが、実際にお読みいただく前に、本書の成り立ちや使い方について、若干の説明をしておきたく存じます。

第1に、本書は「飯野正子・竹中豊総監修、日本カナダ学会編」になるものですが、その経緯についてご紹介します。2010年刊行の初版は、日本を代表するカナダ地域研究学会である日本カナダ学会の創立メンバーであり、現在は名誉会員と顧問でおられる飯野・竹中両先生の編著によるもので、現代カナダ社会の全体像を把握するものとして広い支持を得ました。しかし、出版から10年を経て、変化のスピードが速いカナダの今を知るために、改訂を求める声が多く届くようになってきました。そこで、両先生の後進からなる日本カナダ学会から、両先生と版元である明石書店に対して、両先生を総監修として学会編で改訂を行うことをご提案したところ、快諾をいただき完成したのが本書です。今版の各章とコラムは、日本カナダ学会の会員他がその専門性を活かして執筆し、両先生の総監修のもと、学会の正副会長を加えた編集委員会で全体の調整を行いました。

第2に、本書は、1冊で現代カナダを鳥瞰し、もう一歩進んだ学びのガイドとなることを目指しています。現代という時代は、もちろん歴史の上に成り立つものですから、現代カナダを知るためには、歴史にも目を向ける必要がありますが、上の目標から、本書では歴史的な記述は最小限としています。

また、鳥瞰という点から、1章をコンパクトに、多くのテーマを扱うようにしました。他方で、本書には、参考文献を整理した形で数多く掲げています。興味を感じた個別テーマでも、カナダ地域全体のことでも、巻末の文献・情報ガイドを活用して、是非、もう一歩進んだ学びに繋げてください。

第3に、本書には多分野の専門家が関わっていますが、分野で異なる用語等については、読者の混乱を避けるために、可能な限り統一をしました。地名・人名等の固有名詞は、連邦公用語のうち英語の原音に近いカタカナ表記を原則としつつ、日本で定着した表記があるものは、そちらを優先しました。たとえば、都市名Montréalは、フランス語の「モンレアル」ではなく「モントリオール」、Vancouverは「ヴァンクーヴァー」とする一方で、カナダの国獣beaverは、「ビーヴァー」ではなく「ビーバー」と表記します。国・州・地域名の表記については、それが政治・法主体としての国・州名か、地域名かを文脈上明らかにすることを原則に、国名The United States of Americaについては、各章の初出で「アメリカ合衆国」と表記し、次からは「アメリカ」と省略しています。また、重要な概念や用語はできる限りカタカナを避け意味を踏まえて訳語表示し、原語付記も最小限にとどめました。参考文献中では全く違う表現がされている場合もありますが、もし、そうした別表現に出会った時は、是非その理由を考えてみてください。それもまた、一歩進んだ学びの形かと思います。

最後になりますが、少しばかり異例な形での改訂をお認めいただき、精力的な編集作業をしてくださった明石書店の長島遥さんと新天地に進まれた兼子千亜紀さんに、心から感謝申し上げます。

2021年1月

日本カナダ学会会長　佐藤信行

現代カナダを知るための60章【第2版】

目次

Ⅲ　“最初のカナダ人”――先住民

Ⅳ　日系カナダ人と日本文化のひろがり

V　社会・ジェンダー

Ⅵ 政治・外交

Ⅶ 経済・社会保障

Ⅷ　教育・言語

Ⅸ　文学・文化

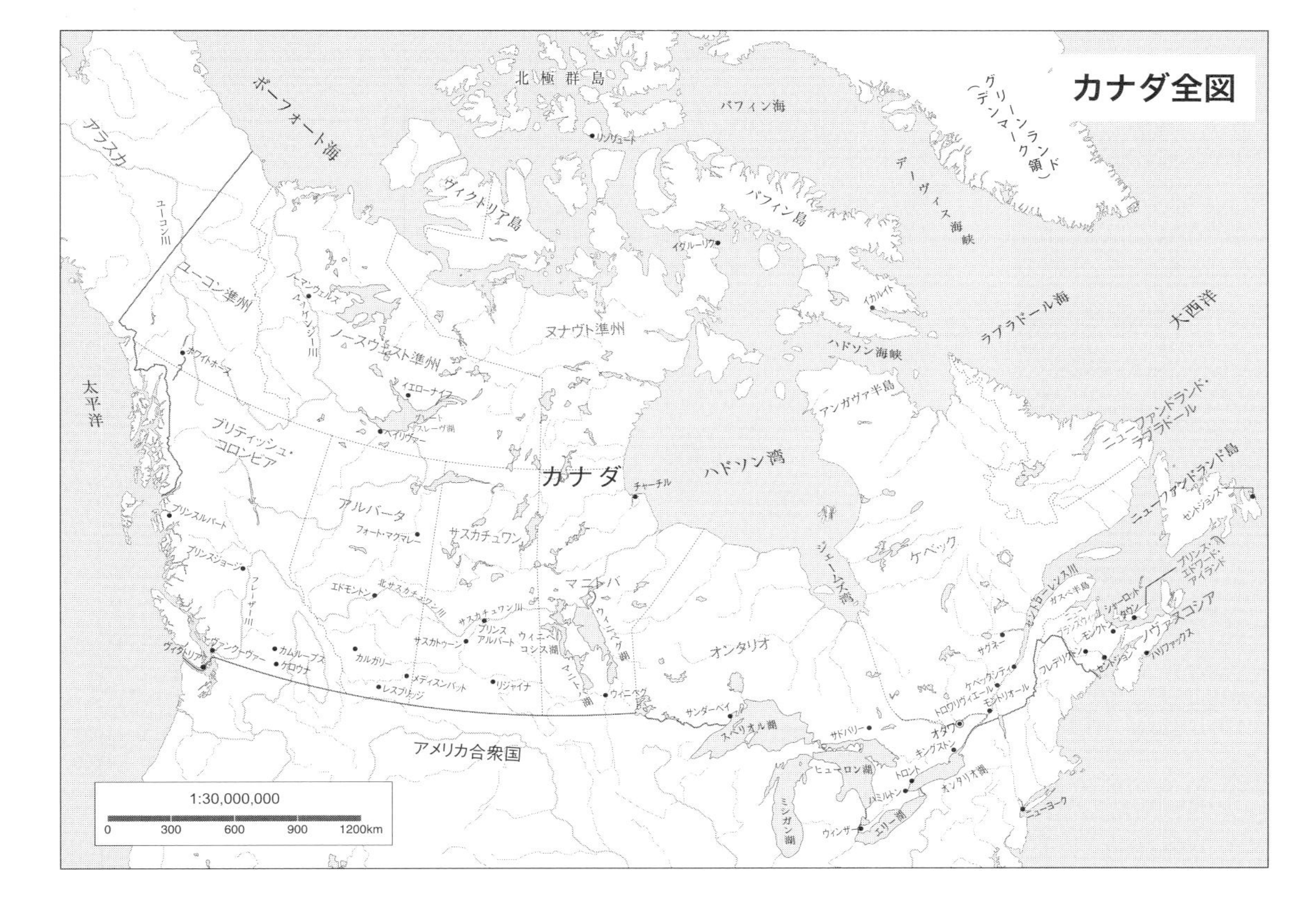
カナダ全図
北極群島
ボーフォート海
アラスカ
ユーコン川
ユーコン準州
ノーマンウェルズ
マッケンジー川
ノースウェスト準州
ホワイトホース
イエローナイフ
グレートスレーヴ湖
ヘイリヴァー
ヴィクトリア島
リゾリュート
バフィン海
グリーンランド（デンマーク領）
デーヴィス海峡
バフィン島
イグルーリク
イカルイト
ヌナヴト準州
ラブラドール海
大西洋
ハドソン海峡
アンガヴァ半島
ニューファンドランド・ラブラドール
ニューファンドランド島
セントジョンズ
太平洋
ブリティッシュ・コロンビア
カナダ
ハドソン湾
チャーチル
アルバータ
フォート・マクマレー
サスカチュワン
プリンスルパート
プリンスジョージ
フレーザー川
エドモントン
北サスカチュワン川
サスカチュワン川
プリンスアルバート
サスカトゥーン
マニトバ
ウィニペゴシス湖
ウィニペグ湖
マニトバ湖
ケベック
ジェームズ湾
セントローレンス川
ガスペ半島
プリンス・エドワード・アイランド
シャーロットタウン
ニューブランズウィック
モンクトン
ノヴァスコシア
ハリファックス
フレデリクトン
セントジョン
サグネー
ケベックシティ
トロワリヴィエール
モントリオール
オンタリオ
ヴィクトリア
ヴァンクーヴァー
カムループス
ケロウナ
カルガリー
メディスンハット
レスブリッジ
リジャイナ
ウィニペグ
サンダーベイ
スペリオル湖
サドバリー
オタワ
キングストン
トロント
ハミルトン
オンタリオ湖
ヒューロン湖
ミシガン湖
エリー湖
ウィンザー
ニューヨーク
アメリカ合衆国
1:30,000,000
0
300
600
900
1200km

● カナダの基礎データ ●

首　都	オタワ（Ottawa）
最大都市	トロント（Toronto）
面　積	998万4670km^2（世界第二の国土面積／日本の約26.4倍）
人口密度	3.8人/km^2（2020年）
公用語	英語・フランス語（1969年「公用語法」）
人　口	3801万人（2021年1月推計）
政治制度	立憲君主制・連邦国家（10州および3準州）
国　歌	「オー・カナダ」（O Canada / Ô Canada）
国の標語	「海から海へ」（"A Mari Usque Ad Mare." ラテン語）
平均寿命	82.1歳（男性80.0歳、女性84.1歳）（2015〜2017年）
建国記念日	7月1日 （Canada Day / Fête du Canada: 1867年7月1日カナダ連邦誕生）
国内総生産	1兆7360億米ドル（2019年）、1人当たり4万6400米ドル
通　貨	カナダドル（1ドル＝約80.77円、2021年1月5日）
ナショナル・アニマル	ビーバー
国章のシンボル	かえでの葉
在日カナダ大使館	〒107-8503 東京都港区赤坂7-3-38 電話：03-5412-6200
在カナダ日本国大使館 The Embassy of Japan	255 Sussex Drive, Ottawa, Ontario K1N 9E6 Canada 電話：613-241-8541

● カナダの国旗 ●

● カナダの紋章 ●

I

国土・環境

1

カナダの国土と自然環境

★人間の活動を規定する自然的基盤★

カナダは北アメリカの北部に位置する巨大な国であり、998万平方キロメートルに及ぶ国土面積はロシアに次ぐ世界第2位である。東を大西洋、西を太平洋、北を北極海に面し、世界第5位の面積をもつバフィン島を筆頭に5万を超える島を有することもあって、海岸線は世界最長である。気候変動によって夏季に北極海の航行が可能になり、北極圏の主権問題が世界的にクローズアップされるなかで、最近では三方を海に面していることが強調されている。最も離れた地点間の距離は、東西が約5500キロメートル、南北が約4600キロメートルに及び、国内には6つの時間帯が設定されている。たとえば、最も東に位置するニューファンドランド・ラブラドール州の州都セントジョンズと、最も西に位置するブリティッシュ・コロンビア州の州都ヴィクトリアとの間には4時間半の時差がある。時間帯の境界線は一般に、州境や海上などのように日常的な人の往来が限られる地域に設定されている（写真）。

カナダはその国土のすべてが北緯40度以北に位置している。すなわち、すべての国土が日本の秋田県よりも北にあり、全体として気候は寒冷である。たとえば、東部の大都市モントリ

中部標準時時間帯に入ることを示す標識（オンタリオ州）（筆者撮影）

オールは北緯45度付近にあり、年平均気温は摂氏6・8度で、1年で最も寒い1月の月平均気温はほぼマイナス10度である。最も寒い時期にはマイナス20度を下回る日が何日も続き、屋外で30分も過ごせば体の芯まで冷え切ってあたたかい飲み物がほしくなる。寒さの厳しい東部に居住する高齢者のなかには、冬の間だけアメリカ合衆国フロリダ州などの温暖な地域で過ごす人がみられ、スノーバードと呼ばれている。一方、最も暖かい7月と8月の月平均気温は20度を超え、日中は30度を超える日もある。近年は暑い日が多くなり、一般家庭にもエアコンが普及し始めているが、日本の一般的な夏に比べれば過ごしやすく、モントリオールをはじめカナダ各地では野外コンサートが頻繁に開催されている。

　もちろん、国土の大きいカナダでは立地によって気候は大きく異なる。太平洋に面するヴァンクーヴァーは北緯49度付近にあり、モントリオールよりも北に位置するが、年平均気温は10・4度で、1年で最も寒い12月でも月平均気温は氷点下にならない。一方、最も暖かい7月と8月でも月平均気温は20度を下回り、カナダのなかでは温暖な冬と涼しい夏が特徴的である。

また、カナダの国土の一部は北極圏に含まれる。北緯75度付近に位置するリゾリュートは、月平均気温が氷点下にならないのは6月から8月までの3カ月のみであり、1年で最も暖かい7月でも月平均気温は5度を下回る。年平均気温はマイナス15・7度、年降水量は２００ミリメートルを下回り、コケしか生えないツンドラ気候である。カナダでは国土の４分の1以上が森林限界以北にあり、農業に適さない地域が多い。

こうした寒冷な気候は農業を中心に人間の生活を制約し、居住分布に影響を与えるが、カナダを理解するために欠かせない自然的条件として地形も重要である。図はカナダの地形区分を示したものである。まず目をひくのがハドソン湾を囲むように広い範囲に広がるカナダ楯状地であり、国土面積のほぼ半分を占めている。そして、その南の非常に限られた範囲が五大湖・セントローレンス低地、東がアパラチア地域、西が内陸平原およびコルディレラ地域に区分される。カナダ楯状地の北側にはかつて毛皮交易の拠点が置かれたハドソン湾低地がオンタリオ州北部を中心にケベック州やマニトバ州の一部に広がる。北極地域は、ユーコン準州やノースウェスト準州の北極海沿岸部とヌナヴト準州に属する無数の島々からなり、永久凍土が広がる非常に寒冷で乾燥した地域である。

生成年代が35億年以上前にさかのぼるカナダ楯状地は北アメリカ大陸の安定した基盤であり、森林資源や鉱産資源に富んでいる。その反面、過去の氷河による侵食で土壌が非常にやせており、農業生

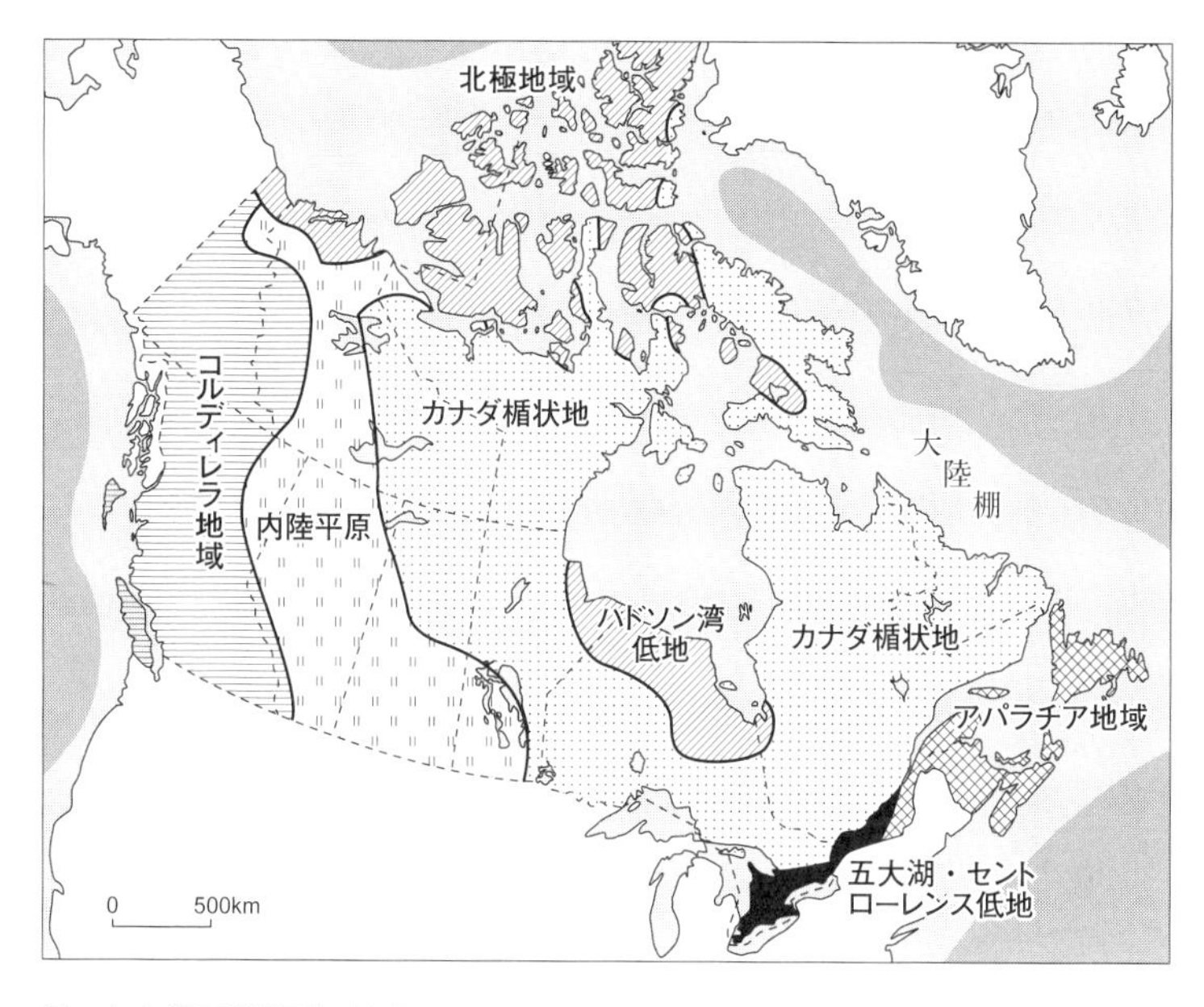

図　カナダの地形区分（出典：Bone, R. M. *The Regional Geography of Canada*, 6th ed. Oxford University Press Canada, 2014.）

産が可能な場所が限られる。したがって、林業や鉱業の拠点となる小都市は点在するものの、人口集中地域が形成されることはなかった。カナダ楯状地には氷河の名残である湖が無数に存在し、森と湖の国というカナダのイメージはカナダ楯状地の風景そのものといえる。

それに対して、国土面積の2％に満たない五大湖・セントローレンス低地は、ヨーロッパ人の入植初期から人口や産業が集積する中核地域として発展してきた。氷河の侵食作用やその後の海進に伴う堆積物が肥沃な土壌をもたらし、しかも夏は温暖湿潤で十分な農業生産が可能であるうえに、五大湖からセントローレンス湾に注ぐセントローレンス川が重要な交通路として機能したからである。人口規模でカナダ最大の都市トロントや第2の都市モントリオール、連邦首都オタワはいずれも五大湖・セントローレンス低地に位置している。

アパラチア地域はアメリカ合衆国東部を南西から北東に走るアパラチア山脈の延長であり、なだらかな高原と比較的小規模な河谷がモザイク状に広がっている。湾や入り江が発達し、特にファンディ湾は世界で最も干満の激しいことで知られる。カナダ楯状地の西に目を向けると、内陸平原は巨大な堆積平野であり、その形成にも氷河が重要な役割を果たした。内陸平原は全体として平坦であるが、標高は西に向かうにつれて高くなり、アルバータ州では約900メートルである。内陸平原のさらに西に広がるコルディレラ地域は4000〜8000年前に形成され、3000〜4000メートル級の山々が連なるロッキー山脈をはじめ、けわしい山地が連続する。ブリティッシュ・コロンビア州の沿岸部やハイダ・グワイ（クイーン・シャーロット諸島）では火山活動が活発で地震も頻発する。なお、カナダ最高峰は標高5959メートルのローガン山であり、ユーコン準州南西部のセントエライアス山脈に位置する。

10の州と3つの準州から構成されるカナダは、こうした地形的な特徴や歴史的経緯、産業構造などを考慮していくつかの地域に区分できる。以下の章では東から、ニューファンドランド・ラブラドール州、プリンス・エドワード・アイランド州、ノヴァスコシア州、ニューブランズウィック州を大西洋カナダ、ケベック州とオンタリオ州を中央カナダ、マニトバ州、サスカチュワン州、アルバータ州、ブリティッシュ・コロンビア州を西部カナダ、北緯60度以北に位置する3つの準州の大部分を占める地域を極北地域に区分し、その地域的特色を概観する。

（大石太郎）

2

大西洋カナダ

★海とともに生きる個性豊かな縁辺地域★

大西洋やセントローレンス湾に面した東部の4つの州は、まとめて大西洋沿岸諸州あるいは大西洋カナダと称されることが多い。ただ、見逃せないのは、このうちニューファンドランド・ラブラドール州は最後にカナダに加入した州であるという事実である。ニューファンドランドは1867年の連邦結成には加わらず、1949年になって住民投票によってカナダに加入した。すなわち、地形的特徴や産業構造という点で同州は他の3州と共通するものの、セントローレンス湾をはさんでやや離れて位置しており、歴史的経緯も大きく異なる。本土側の領域名であるラブラドールを州名に加えたのは2001年のことである。

一方、プリンス・エドワード・アイランド、ノヴァスコシア、ニューブランズウィックの3州は、18世紀後半にはすでに別々のイギリス植民地としての歩みを始めているものの、歴史的経緯を含めて共通点が多く、沿海諸州と呼ばれている。これらの州は相対的に面積が小さく、カナダ全土を示した地図ではかなり小さく見えてしまう。とはいえ、このうち最も大きいニューブランズウィック州の面積は北海道よりやや小さい程度であり、最も小さいプリンス・エドワード・アイランド州でも愛媛県とほぼ同じくらいである。

沿海諸州は、植民地時代の19世紀前半には豊富な森林資源を背景にイギリスに木材を供給する役割を果たし、不凍港を持つハリファックスやセントジョンでは造船業が発展した。カナダの五大銀行のうち、現在は中枢機能をトロントに置くロイヤル銀行とノヴァスコシア銀行（スコシアバンク）はハリファックスが発祥の地である。しかし、19世紀半ばにイギリスが自由貿易に転換し、さらにそれまでほとんど交流のなかった連合カナダ（現在のケベック州とオンタリオ州）と連邦を結成すると、規模で劣る沿海諸州の周辺化が急速に進行した。

大西洋カナダは現在も周辺地域の地位に甘んじている。２０１６年国勢調査によると、人口規模は最も大きいノヴァスコシア州でも１００万に満たず、最も人口の少ないプリンス・エドワード・アイランド州では15万弱である。第一次産業に従事する人口の割合が相対的に高く、特に水産業は大西洋カナダを代表する産業である。なかでもロブスターは沿海諸州の特産として知られ、観光客向けのレストランで供されるのはもとより、一部の空港では土産として販売されている。一方、ヨーロッパ人がカナダに関心をもつきっかけとなったタラは１９９２年から一時禁漁を余儀なくされ、タラ漁に極度に依存してきたニューファンドランドではその後も経済不振が続き、遠く離れたアルバータ州などに出稼ぎに行く人もみられる。ニューファンドランド・ラブラドール州では海底油田の開発が進められているが、停滞する経済を立ち直らせるまでには至っていない。農業は、土壌に恵まれたプリンス・エドワード・アイランド州やニューブランズウィック州内陸部でジャガイモの生産が盛んであり、冷凍食品大手マケインフーズ社は現在でも創業の地であるニューブランズウィック州フロレンス

ニューブランズウィック州フロレンスヴィル＝ブリストルにあるジャガイモ博物館「ポテト・ワールド」（筆者撮影）

ヴィル＝ブリストルにカナダ本社を置く。

また、カナダでは比較的気候条件に恵まれているノヴァスコシア州西部のファンディ湾岸では果樹栽培が盛んであり、最近ではワイナリーも目立つ。この地域は現在のカナダの領域でヨーロッパ人が最初に入植したところであり、17世紀にフランス人入植者がファンディ湾の干満の差を利用して農地の開発を進めたことで知られる。その後の入植者の貢献も含め、ヨーロッパ人の北アメリカの環境への適応の好例とされ、2012年に「グランプレの景観」としてユネスコ世界遺産に登録された。

大西洋カナダは、比較的都市化が進んでいない地域である。カナダ統計局が設定するセンサス都市圏は、ニューファンドランド・ラブラドール州の州都セントジョンズ、ノヴァスコシア州の州都ハリファックス、ニューブランズウィック州のセントジョンとモンクトンのみである。人口規模が最大なのはハリファックスであり、イギリスの軍事拠点として1749年に建設されて以来、カナダを代表する軍港であるとともに、大西洋カナダの中心都市としても機能し、1995年には主要国首脳会議が開催された。同様に、植民地時代以来の主要都市であるセントジョンは石油化学工業や造船を中心に発展したが、産業構造の変化を背景に停滞傾向にある。代わって発展が著しいのが、沿海諸州の交通の要衝であるモンクトンである。ハリファックスから自動車で3時間程度の距離にあるモンクトンにはフランス語を教授言語とする大学が立地し、英語とフランス語を使いこなす二言語話者を中心に良質な労働力に恵まれている。現在ではハリファックスとモンクトンとを結ぶ地域が大西洋カナダの経済発展の軸となり、周辺に製紙・パルプ工業や水産業といった地域の資源を活かした産業を擁する小都市が点在する。大西洋カナダには、ラブラドール地方ハッピーヴァレー＝グースベイの空軍基地をはじめ、軍関連施設も多く立地する。

大西洋カナダでは、小都市に特色ある小規模大学が立地し、大学町になっているのも特徴的である。たとえば、協同組合運動で知られるノヴァスコシア州アンティゴニシュにはカトリック系の聖フランシスコ・ザビエル大学があり、ケベック州ベ・コモー出身の元連邦首相ブライアン・マルルーニーの母校として有名である。ニューブランズウィック州サクヴィルにはカナダ初の女性学士を輩出したマウントアリソン大学がある。

大西洋カナダは新しい移民が比較的少ないものの、民族的・文化的多様性はみられる。沿海諸州各地には17世紀のフランス人入植者の末裔で主にフランス語を話すアカディアンが居住し、ニューブ

ラブラドール・ケベック州境にはためくラブラドール地方の旗（右端）（筆者撮影）

ランズウィック州は連邦と同様に英語とフランス語を公用語とするカナダで唯一の州となっている。また、ノヴァスコシア州には古くから黒人コミュニティが存在し、近年新たに10ドル紙幣の肖像に採用された同州出身の女性実業家ヴァイオラ・デズモンドは20世紀半ばに黒人差別に抗議した活動で知られる。

ニューファンドランド・ラブラドール州のラブラドール地方には先住民も多く、最近では自治の範囲が拡大している。ニューファンドランド島北端部やラブラドール地方は、ユネスコ世界遺産となっているヴァイキングやバスク人捕鯨者の遺跡がみられる一方、隔絶地域として長く発展から取り残されていたが、1892年から40年以上にわたって同地で活動したイギリス人医療宣教師ウィルフレッド・グレンフェルが衛生水準の向上や近代化に大きく貢献した。

（大石太郎）

3

中央カナダ

★カナダの発展を支える中核地域★

ケベック州とオンタリオ州を指す中央カナダという表現は、大西洋カナダや西部カナダに比べると、耳にする頻度はそれほど高くないかもしれない。そもそも、地理的に国土の東西の中間点にあたるのはマニトバ州ウィニペグの東を走る西経96度付近であり、この2州は国土の中央よりだいぶ東側に位置する。しかし、政治的・経済的にはこの2州が早くからカナダの中核地域として機能してきたので、ここではそうした機能的側面も考慮してこの2州を中央カナダとしている。

この2州がカナダの中核地域に発展した要因として真っ先に挙げなければならないのが、セントローレンス川の存在である。アメリカ合衆国ではアパラチア山脈によって内陸部への人の移動が阻害されたのと対照的に、カナダでは大西洋からセントローレンス川をさかのぼることによって、ヨーロッパ人の探検家とそれに続く入植者は内陸部へと進出することができた。17世紀にフランス人が入植した地域では、川へのアクセスを重視した、ロングロットと呼ばれる細長い地割りが発達した。

発展が先行したのはセントローレンス川の下流にあたるケベック州である。18世紀半ばにイギリスの支配下に入ると、モ

モントリオールのダウンタウン（筆者撮影）

ントリオールにイギリスの商人が拠点を置くようになった。モントリオールはセントローレンス川とオタワ川が合流する地点の川中島に位置し、かつ大きな船がさかのぼることのできる最終地点でもあった。このように都市が発達する要素に恵まれたモントリオールには産業が集積し、カナダを代表する大都市に発展した。

一方、現在のオンタリオ州にあたる地域への入植が本格化するのは18世紀後半以降のことである。特にナポレオン戦争の終結以降、イギリス諸島を中心にヨーロッパからの移民が急増し、彼らはオンタリオ湖、エリー湖、ヒューロン湖に囲まれた南オンタリオと呼ばれる地域に入植した。南オンタリオは、カナダで最も緯度の低い地域であるうえに、肥沃な土壌に恵まれている。また、ナイアガラフォールズからヒューロン湖北西岸にかけて走るナイアガラ・エスカープメント（断崖）に形成された60を超える滝を動力源として利用できたことも、農業や関連産業の発展を促した。こうして南オンタリオには多くの都市が発達し、なかでも金融や商業の中心地となったトロントが大都市に成長した。

中央カナダは、現在でも人口規模で大西洋カナダや西部カナダを圧倒している。2016年国勢調査によると、オンタリオ州の人口は1300万を超えて1州のみでカナダ全人口のほぼ4割に迫り、ケベック州も800万を超え、2州合わせて全人口の約6割を占めている。産業別就業人口では、第二次産業に従事する人口の割合が相対的に高い点に特徴がある。つまり製造業が強く、たとえば、自動車の完成車工場はオンタリオ州、それも南オンタリオに集中している。ケベック州では、スノーモービルの発明から小型飛行機や鉄道車両で世界的に一定のシェアをもつまでに成長したボンバルディアが特筆されるが、近年では経営不振に陥り、事業の売却を進めている。一方、第一次産業に従事する人口の割合は相対的に低いものの、農業は盛んであり、特に南オンタリオは現在でもカナダ有数の農業地域である。なかでもナイアガラ地方では果樹栽培が盛んで、ワインの産地として知られる。

中央カナダは非常に都市化の進んだ地域である。2016年国勢調査に基づいてカナダ統計局が設定したセンサス都市圏は、オンタリオ州に15、ケベック州に5つ存在し、そのほかに両州にまたがる都市圏が1つある。中央カナダのセンサス都市圏のほとんどは五大湖・セントローレンス低地に集中し、特に都市が連なる地域は東西の両端に位置する都市名をとってケベック・ウィンザー回廊と呼ばれる。また、トロントからナイアガラ地方に至るオンタリオ湖岸の都市地域は、馬の蹄鉄に形が似ていることからゴールデンホースシューと呼ばれる。それに対して、カナダ楯状地に位置するのは鉱山で栄えた北オンタリオの交通の要衝グレーター・サドバリーとスペリオル湖岸の工業都市サンダーベイ、ケベック州中央部のサンジャン湖に面した工業都市サグネーのみである。これらの都市圏の規模

トロント証券取引所（筆者撮影）

はいずれも小さく、かつ近年は人口が停滞している。

　中央カナダ最大の都市は、カナダ最大の都市でもあるトロントである。２０１６年の都市圏人口は６００万に迫り、北アメリカ屈指の大都市圏に成長した。アジア系のように外見で少数派の人と判断できるヴィジブル・マイノリティが過半数を超えて多民族化が進み、中国系や南アジア系の人々が集住するコミュニティが郊外にも形成されている。カナダを代表する研究大学の１つであるトロント大学は深層学習（ディープ・ラーニング）を中心とするＡＩ（人工知能）研究の拠点として知られ、トロント周辺には多くのスタートアップ企業が立地し、最近は「北のシリコンヴァレー」と呼ばれるようになりつつある。

　トロントに次ぐのが、１９７０年代までカナダ最大の都市であったモントリオールである。２０１６年の都市圏人口は４００万を超え、トロントやヴァンクーヴァーと比較するとヴィジブル・マイノリティの人口の割合は相対的に低いものの、フランス語のみを公用語とするケベック州の中心都市であり、カナダの2つの公用語を両方話せる人口の割合はセンサス都市圏で群を抜いて高い。人口規模や経済的地位でトロントに逆転を許した要因として、1970年代はちょうどケベック州の分離・独立運動が強まった時代であり、大企業や英語話者人口の他州への流出が目立ったことがモントリオールの地位を低下させたようにみえるかもしれない。しかし実際には、カナダとアメリカとの経済的な結びつきが強まるなかで、五大湖沿岸に発達したアメリカの工業地域と近接するトロントとの差は1920年代から徐々に縮まっており、1959年のセントローレンス海路の完成によってモントリオールの優位性が最終的に失われたとする説が有力である。

ケベック州とオンタリオ州の境界をなすオタワ川沿岸に位置する連邦首都オタワは、対岸のケベック州ガティノーと一体化した都市圏を形成しており、一部の連邦官庁はガティノー側に立地している。2016年の都市圏人口は約130万であり、アルバータ州のカルガリーやエドモントンとともに、三大都市圏に次ぐ4位グループを形成している。オタワには、英語とフランス語の両方を教授言語とするオタワ大学が立地し、ケベック州側から通学する学生も多い。カナダの州境では例外的に、通勤や通学などで州境を越える移動が一般的になっている。

その他の都市ではケベック州の州都ケベックシティに触れておきたい。2016年の都市圏人口は約80万で、鉄鋼業で栄えた南オンタリオのハミルトン、マニトバ州の州都ウィニペグと並ぶ7位グループである。行政都市であるとともに、北アメリカで唯一城壁に囲まれた旧市街がユネスコ世界遺産に登録され、世界各地から観光客を集める観光都市でもある。

（大石太郎）

4

西部カナダ

★急速な発展を遂げる資源豊かな地域★

マニトバ州以西は一般に西部と認識される。地形的特徴や歴史的経緯を考慮すると、イギリス植民地としての歴史を持たないマニトバ、サスカチュワン、アルバータの3州は平原諸州とまとめることができる。一方、ロッキー山脈の西に位置し、1858年にイギリス植民地として発足して1871年にカナダ連邦に加入したブリティッシュ・コロンビア州は、それら3州とやや性格が異なる。

現在の平原諸州は1867年の連邦結成以前、毛皮交易を目的に1670年にロンドンで創業したハドソン湾会社の領土とされ、創業時に重役を務めていたルパート王子にちなんでルパーツランドと呼ばれていた。連邦結成の頃には毛皮交易は下火になりつつあり、一方で人口の希薄なルパーツランドは、先行して西部開拓の進んだアメリカ合衆国による合併の脅威にさらされていた。そうした状況のなかで、連邦結成まもない1869年にカナダ政府はルパーツランドを購入し、そのうち現在のウィニペグ付近に形成されていたヨーロッパ人入植地を中心に、1870年にマニトバ州を創設した。マニトバ州の創設は、この地に多く居住し、フランス語とカトリック信仰を継承していた先住民メイティ（メティス）の反発を招いた。カナダ政府はメイティに譲歩し、マニトバ州は当初、英語とフランス語の二言語を用いる州として発足した。しかしその後、マニトバ州政府はフランス語に対する態度を変え、それを契機にオンタリオ州以西におけるフランス語の地位は大きく低下していくことになる。

西部開拓が進む過程で、メイティはマニトバ州からさらに西に拠点を移しつつあったが、1885年に現在のサスカチュワン州バトーシュで騎馬警察（第31章参照）や連邦政府軍と戦火を交えるに至り、これが先住民の最後の武力蜂起となった。メイティの指導者ルイ・リエルは死刑に処せられたが、歴史観の変化を反映して、リエルは古戦場を含めて国指定史跡となったバトーシュの展示の主役の一人であるのはもとより、マニトバ州議会議事堂前にも彼の像がある。

平原諸州の開拓に際しては、1870年に制定されたドミニオン土地調査法によってアメリカと同様の測量が実施され、一定の登録料を支払って開墾に従事し、定住した者には160エーカー（約65ヘクタール）の土地が無償で与えられた。ただし、気候条件が厳しく、19世紀末までは新たな入植者よりも転出していく人が多かった。そうしたなかで、1896年に連邦政府の内相に就任して積極的な移民誘致策を推進したクリフォード・シフトンは、出身地にかかわらず、移民が農民としての役割を果たすことを重視した。その結果、平原諸州ではウクライナをはじめとする東ヨーロッパからの移民が増加して早くから多民族化が進行し、1970年代の多文化主義導入の遠因となった。

1905年にノースウェスト準州から分離してサスカチュワン州とアルバータ州が創設されたが、1930年代に大恐慌に加えて干ばつやダスト・ストームといった災害に見舞われて平原諸州の人口

第４章

西部カナダ

アルバータ州東部の農村地域にあるウクライナ・カトリック教会（筆者撮影）

は停滞した。第二次世界大戦後は地域内で明暗が分かれており、原油や天然ガスを豊富に産出するアルバータ州で人口が順調に増加し、２０１６年時点で４００万を超えてブリティッシュ・コロンビア州に迫っている。それに対して、農業への依存度が比較的高いマニトバ州やサスカチュワン州の人口増加は緩慢であり、マニトバ州は約１３０万、サスカチュワン州は約１１０万にとどまっている。アルバータ州はカナディアン・ロッキーの東に位置し、カナダで最初に国立公園に指定されたバンフをはじめ、世界的観光地を抱えているのも強みといえる。

都市人口の動向をみてみよう。20世紀初頭は、平原諸州の産物の集散地として機能したウィニペグが西部最大の都市であった。しかし、１９１４年にパナマ運河が開通すると、ロッキー山脈を越えてヴァンクーヴァーから船を利用できるようになってウィニペグとヴァンクーヴァーが機能的に競合するようになり、それ以降ウィニペグの人口は伸び悩むことになった。一方、20世紀後半には資源に恵まれたアルバータ州の経済成長を背景に、州都エドモントンと1988年冬季オリンピックを開催した南部の主要都市カルガリーが急激な人口増加を経験した。2016年国勢調査によれば両都市ともセンサス都市圏人口が130万を超え、連邦首都オタワと並んで三大都市に次ぐ4位グループとなっている。その他のセンサス都市圏では、小規模ではあるものの、サスカチュワン州の州都リジャイナと北部の主要都市サスカトゥーンが近年高い人口増加率を示している。

標高3000〜4000メートル級のロッキー山脈を越えて、ブリティッシュ・コロンビア州に目を転じよう。ロッキー山脈の西側にも2000メートル級のけわしい山脈が南北に走っており、アルバータ州から州境を越え、ブリティッシュ・コロンビア州に入ってヴァンクーヴァーを目指すと、ひたすら山を下っていくような感覚になって、ヴァンクーヴァーの発展が必然であることが理解できる。同州南部の主要河川はフレーザー川に合流し、ようやく平地に至るとフレーザー川はアメリカとの国境近くを西へ流れてヴァンクーヴァーで太平洋に注ぐ。すなわち、山地が領域のかなりの部分を占めるブリティッシュ・コロンビア州では、南部で産出される木材は必然的にヴァンクーヴァーに集められるわけで、太平洋の水産物とともにヴァンクーヴァーが大都市に発展する原動力となった。1887年に大陸横断鉄道の延伸に加えて太平洋横断汽船の運航が開始されると、ヴァンクーヴァーは陸と海の接点として大きく発展し、さらにパナマ運河の開通以降は西部最大の都市に成長した。2016年国勢調査によると、約250万の人口を擁するヴァンクーヴァー都市圏はトロントに次いで多文化・多言語的であり、ヴィジブル・マイノリティや非公用語を母語とする人口が半数近くを占めるに

アジア料理店の並ぶヴァンクーヴァーのダウンタウン（筆者撮影）

至っている。非公用語話者のうち最も多いのは中国語話者であり、ヴァンクーヴァー都市圏では広い範囲で漢字表記が普通にみられる。

ブリティッシュ・コロンビア州の州都は、本土からジョージア海峡で隔てられたヴァンクーヴァー島南端のヴィクトリアである。行政都市としての機能に加え、カナダでは相対的に温暖な気候に恵まれていることから、退職した高齢者の移住先として人気があり、２０１６年時点の65歳以上人口の割合は20％を超えてカナダの都市圏では比較的高い水準にある。ブリティッシュ・コロンビア州のその他の主要都市には、内陸部にワイン生産で知られるオカナガン地方の中心都市ケロウナがある。

（大石太郎）

5

カナダの極北地域

★極寒のツンドラ地帯★

北極圏と極北地域

約10万年前に最終氷期が始まり、北アメリカ大陸では雪氷圏が拡大した。そしてその終末にあたる約1万7000年前にはカナダ全域が氷床に覆われていた。その後、おだやかな寒暖を繰り返し、約5000年前にカナダ中南部の氷床はほぼ消滅し、現在のような自然環境になった。その環境区分の1つとして、冬になると雪氷に覆われる北極圏や極北地域と呼ばれる地理的空間がある。

北極圏とは、地球物理学的には北緯66度33分以北の地域を指す。一方、極北地域とは、ツンドラ地帯の南限・北方森林限界の以北にある地域を指す。カナダの極北地域は、東はラブラドール半島北部あたりから西に向かいハドソン湾を経由して、さらにそこから北西方向にカナダ・アラスカ国境へと向かう東西に広がるツンドラ地帯であり、イヌイットの分布域とほぼ重なる。

ツンドラ地帯と森林限界

極北地域はツンドラ地帯と呼ばれ、夏に表面の氷が融ける活動層の下には分厚い永久凍土が広がっている。永久凍土とは、2年以上にわたり摂氏0度以下の状態にある土地のことである。北緯61度のヘイリヴァーでは永久凍土の厚さは十数メートルであるが、北緯65度のノーマン・ウェルズでは45メートル程度となり、北緯74度のリゾリュートでは400メートルにもなる。このようにカナダの極北地域は永久凍土で覆われた状態にある。

このツンドラ地帯の南限は森林限界でもある。カナダではほぼ北緯55度より北のツンドラ地帯には森林が見られなくなる。カナダの極北地域では、1メートルを超すような樹木はほとんど育たない。

高緯度世界の気象

極北地域は高緯度地域であるが、そこでの1年は、長い冬と短い夏が交互にやってくる。季節の変わり目である春や秋は数週間以下と極端に短く、冬から夏に、夏から冬へと急激に変化する。冬は、雪氷が大地を覆う10月頃から翌年の5月頃までである。

高緯度になればなるほど、日照時間は季節によって大きく変動する。北緯66度33分以北では、完全な白夜と極夜が1年のうち1日以上出現する。たとえば、ヌナヴト準州のイグルーリク（北緯69度37分）では、6月の夏至の前後は太陽が沈まないし、12月の冬至の前後は太陽がまったく昇らない。高緯度地域では夜空に輝くオーロラ現象が見られる。

カナダ極北地域では最暖月（7月）の月平均気温が摂氏10度以下である。一方、最寒月（2月）の月平均気温はマイナス20度以下である。たとえば、イグルーリクの7月の平均気温は約7度、2月の平均気温はマイナス30度前後である。すなわち、同地域の気候は、冷涼な短い夏と極寒の長い冬によって特徴づけられる。また、イグルーリクでの年降水量は268ミリメートルと少なく、砂漠のそれに近い（東京は1529ミリメートル）。

9月を過ぎると内陸の湖沼が凍結し、10月を過ぎると沿岸の海域が凍結し始める。そして12月頃には海岸線から広がる海氷原が形成される。また、内陸は氷雪で覆われる。翌年の5月末頃には、海氷原は融け去り、海面が姿を現し、内陸を覆っていた雪氷もほぼ融けてなくなる。

極北地域の動物

永久凍土が広がり、高緯度特有の気象条件を有するカナダ極北地域には、多種類の動物、魚類、鳥類がいる。カナダ極北地域の沿岸海域には大型の海獣が回遊している。カナダの西部極北地域や東部極北地域の海域には、夏になるとホッキョククジラが回遊してくる。また、小型鯨類のシロイルカも生息し、東部・中部極北地域ではイッカクも見られる。バフィン島北東部やハドソン海峡の島々にはセイウチが、ほぼすべての沿岸海域にはワモンアザラシとアゴヒゲアザラシが生息している。

海岸から内陸にかけては、カリブー（野生トナカイ）、ホッキョクウサギ、ジャコウウシ、ホッキョクオオカミ、ホッキョクウサギ、ホッキョクギツネ、ジネズミなどが生息している。

カナダの極北地域沿岸海域には回遊性のホッキョクイワナや、タラ、カジカ、ウニ、ヒトデ、二枚貝などが、湖沼には陸封性ホッキョクイワナやホワイトフィッシュなどが生息している。

海岸部や内陸部には多種の鳥が住み着いていたり、夏に渡ったりしてくる。渡り鳥にはキョクアジサシ、ハクガン、カナダガンがいる。また、沿岸部や島嶼部を中心にカモ、ライチョウ、カモメ、カ

雪氷に覆われたツンドラ地帯 （筆者撮影）

ラスなどが生息している。

高緯度地域の動物は、中緯度地域や低緯度地域の動物と比べると種類の多様性に乏しいが、同種の動物ならば体はより大きいという特徴がある。

極北地域の植物

カナダ極北地域のツンドラ地帯は土地の栄養分が乏しいうえに、気温が低く、風が強いので、植物の生育にとっては条件が良くない。このため林どころか1本の高木もない。しかし、植物がまったくないわけではなく、夏にはイネ科植物、背の低い灌木、コケ類、地衣類が姿を現す。

夏の湿地帯にはイネ科植物が広がる。所々、ホッキョクヤナギが風を避け、地をはうように生育している。また、岩には地衣類が張り付くように広がり、コケ類も見られる。ブルーベリーやブラックベリー、ガンコウランのようなベリー類やワタスゲも見られる。また、ムラサキユキノシタやタカネキンポウゲ、ホッキョクミミナグサのような顕花植物が夏の限られた間だけ咲き誇る。極北地域の植物は、夏には直射日光から得た温度を保ち、冬には雪の下で低温や強風から身を守ることができるように、放射線状に広がったり、絨毯状や丸いクッション状に広がったりする特徴がある。

極北地域と人類

北極地域は、独特な寒冷ツンドラ環境のもとで、植物と微生物を基盤として、第一次消費者である草食動物、それを食べる第二次消費者である肉食動物へと至る食物連鎖網を形成している。その食物連鎖網に人間も４５００年ぐらい前から加わった。この地域に住む人々は、そこで生きる動植物を最大限に利用して、自然環境に適応してきた。

人類がこの地域に最初に進出したのは今から約４５００年前である。彼らはパレオ・エスキモーと呼ばれている。その後、約３０００年前に別のパレオ・エスキモー・グループ（ドーセット文化の担い手）がアラスカから入ってきて、取って代わった。そして今から約１０００年前にアラスカの新たなエスキモー・グループ（チューレ文化の担い手）が彼らに取って代わり、現在に至るイヌイット文化の基礎を築いた。このカナダ極北地域における人類の交代劇は、地球の気候変動（寒冷化・温暖化）と密接に関係している。

（岸上伸啓）

6

気候変動とカナダ

★地球温暖化の影響★

気候変動と地球温暖化

約1万7000年前に最終氷期が終わるとカナダ全域を覆っていた氷床は徐々に後退し始め、約5000年前には現在のカナダとほぼ同じ自然環境が出現した。その後も地球は温暖化期（10～12世紀）や小氷期（16～19世紀）を繰り返してきたが、1920年以降の温暖化期に入ると、人為的な要因も加わり、地球温暖化は全人類が直面する深刻な問題となった。

近年の気温上昇の速さは、自然変動のみでは考えられず、二酸化炭素などの温室効果ガスの増加がその大きな要因であると考えられている。温暖化は高緯度にある地域ほどその影響が大きい。1980年以降の年平均気温の上昇温度は、北極圏では世界の他の地域の2倍以上である。

本章では、北半球の中緯度以北に位置しているカナダで起こっている温暖化の傾向について述べた後、その諸影響を極北地域に焦点を当てて説明するとともに、カナダ連邦政府による対策について紹介する。

カナダ全体における温暖化の傾向

カナダでは、1948年から国内各地の気象・天候に関する記録が体系的に残されている。カナダ環境・気候変動省の『カナダの気候変動報告書』（2019年）によると、1948年から2016年までの気象・気候上の変化は次の通りである。

カナダの年平均気温は、1・7度上昇した。特にカナダ北方地域、平原地域、ブリティッシュ・コロンビア州北部地域では、他地域よりも顕著な気温上昇が見られた。

降水量は全国的に増加傾向にあり、1948年から2012年までに約20％増加した。特にマニトバ州、オンタリオ州、ケベック州北部地域、大西洋沿岸地域で降水量が増加している。ハーブ・カットフォースらの研究によると、年降水量は1956年から1995年までの40年間の間に約50ミリメートル増加しているという。全体的な傾向として降雨量が増加する一方で、降雪量は減少している。特にカナダの南部地域では降雪量が減っている。たとえば、トロントの1956年1月の降雪量は約152センチであったが、1995年1月の降雪量は約110センチであった。

カナダでは雪氷に覆われる面積が減少し、永久凍土の温度は上昇している。カナダ本土に接する北極海と大西洋、特にボーフォート海やバフィン海では海氷がない期間が長くなり、その海域も広がりつつある。

カナダのなかで温暖化の影響を最も強く受けるのは、より高緯度に位置する極北地域である。

第6章
気候変動とカナダ

11月になっても凍結しない極北地域沿岸の海（筆者撮影）

カナダ極北地域における温暖化による自然環境と動物への諸影響

温暖化は極北地域の自然環境や、そこに生息する動植物に多大な影響を与えている。主な自然環境の変化は、⑴海氷の減少、⑵海氷融解時期の早期化と結氷時期の遅れ、⑶海水温の上昇、⑷海水の酸性化、⑸内陸部を雪氷が覆う期間の短期化と範囲の狭小化、⑹内陸部の沼沢・湖の消失などである。

北極海の大半は1年を通して海氷に覆われていたが、近年、夏季に海氷が融解し、海面が現れる範囲が広くなった。⑴〜⑷は極北地域の海棲動物に、⑸と⑹は同地域の陸獣に大きな影響を及ぼしている。

⑴と⑵が原因で、セイウチ、ワモンアザラシ、タテゴトアザラシらは出産と子育ての場である海氷を喪失した結果、それらの個体数が減少した。その影響で、アザラシ類を主食とするホッキョクグマの生息数も激減し、かつ食べ物を探して人間の生活圏に頻繁に出没するようになった。⑶が原因で、冷たい

海水を好むアザラシ類は北上し、生息域に変化が生じた。大気中の二酸化炭素量の増加による(4)が原因で、プランクトンや貝類が死滅するような事態が発生し、食物連鎖を通して海獣や魚類に負の影響をもたらした。(5)と(6)は野生トナカイなど陸獣の採餌、出産、季節移動に負の影響を与えた。また、温暖化によってこれまで極北地域にいなかったハイイログマなどが侵出するようになった。

さらに温暖化によって内陸部を覆いつくす雪氷が減少し、直射日光が地面にあたる時間が増加し、永久凍土の融解を招いている。永久凍土は大量のメタンや二酸化炭素など温室効果ガスを閉じ込めてきたが、それが一挙に放出されると、さらに地球の温暖化が進展するのではないかと懸念されている。

カナダ極北地域における温暖化の人間活動への諸影響

温暖化によって海氷や陸上の雪氷が減少した結果、人間の活動に様々な影響が出た。

これまでカナダの北極海沿岸海域は1年中海氷に覆われていたが、夏に海氷が減少した結果、大西洋と北太平洋の間を結ぶ北西航路を輸送船や観光船が通過できるようになった。欧米人の一部から見ると地球温暖化は、副産物としてビジネスチャンスの拡大を意味した。一方、多数の船舶が極北地域の近海を航行することは、自然環境を損ない、そこに生息する海獣やイヌイットの狩猟漁労活動に悪影響を及ぼす可能性が高くなる。

また、カナダ極北地域は天然ガスや石油、銅や錫(すず)を豊富に埋蔵している。地球温暖化は海底油田の開発や内陸部での鉱山開発をより容易にし、促進している。この資源開発は、イヌイットにも経済的な恩恵をもたらすが、環境破壊や環境汚染と隣り合わせである。

温暖化によって海氷原や陸上の雪氷がなくなる期間が長くなると、イヌイットらがスノーモービルを利用することができる期間が短くなり、かつ移動の範囲が狭まっている。このため、イヌイットによる冬季の狩猟漁労活動に負の影響を及ぼしている。

カナダにおける温暖化政策

カナダ政府は、2016年のパリ協定の発効を受け、温暖化ガス排出を規制する温暖化防止対策を講じてきた。2016年3月には「環境に優しい成長と気候変動に関するヴァンクーヴァー宣言」を出し、連邦政府と州政府の首相が気候変動対策について連携する意思を表明した。そして同年12月にはカナダ全体としての気候変動政策について「環境に優しい成長と気候変動に関する汎カナダ枠組み」を発表した。

カナダ政府は温暖化ガスを規制するために炭素税を考案し、2018年に「温暖化ガス汚染価格法」を制定した。この法律には2つの目的がある。第1は、炭素税によって化石燃料の価格を高め、一般消費者の化石燃料への需要を削減させることである。第2は、一定の排出枠を超える企業に対し、課税することによって、温暖化ガス削減を図ることである。

カナダでは国際条約の締結は連邦政府が、具体的な対策は各州が担う体制をとっているので、気候変動の具体的な取り組みの実施は各州に委ねられる。このため、炭素税の導入については連邦政府と一部の州（オンタリオ州、アルバータ州、サスカチュワン州）の間で軋轢が生じた。いかにすれば効果的な温暖化ガス排出規制をカナダ全土で実施できるかが、今後の大きな課題である。

（岸上伸啓）

コラム1

変化する加米国境

山田　亨

日本からカナダの空港に到着すると、飛行機を降りて入国審査への移動の最中に「国際線およびアメリカ合衆国線乗継ぎ」と記されてある標識を目にする。カナダ経由でアメリカに乗継ぎをする場合は、一般的な国際線の乗継プロセスである保安検査場での検査に加え、アメリカへの入国審査が待っている。旅行者は、地理空間的にはカナダにいるのに、なぜかアメリカ政府による審査を受けるのである。実は、アメリカ国外にあるアメリカの入国審査場は、2021年の時点で6カ国に設置されており、そのうちの半数以上がカナダの空港、鉄道駅、そして、港に設置されている。これは、カナダ─アメリカ間の往来が多いだけでなく、二国間に強い信頼関係が維持されていることを示している。

カナダとアメリカの国境は8891キロに及び、二国間の国境としては世界最長である。この二国間の国境は、アメリカ独立戦争の終結となる1783年のパリ条約がイギリスとアメリカとの間で調印された時に制定されて以来、徐々に形づくられてきた。というのも、パリ条約には両国の国境に関する条項が記されたものの、文言自体に曖昧さや不正確さがあったこと、そして、条約締結後も両国が西方へ領土を拡大したこともあり、国境の線引きに関しては20世紀初頭に至るまで度重なる対立と交渉があった。このプロセスのなかで、現在の国境の特徴ともいえる両国の文民組織を主軸とした国境管理、マニトバ州の南東から太平洋まで北緯49度線に沿って西にまっすぐに長く続く国境線、そして、入り組んでいるアラスカとの国境などが取り決められていった。

ここで、着目すべきなのはカナダとアメリカの国境画定に関する交渉が、当時のカナダの

コラム1
変化する加米国境

アメリカからカナダに陸路で入国する際のサウザンドアイランド入国審査場（筆者撮影）

宗主国であったイギリスにより行われたことである。一般的にカナダの建国はドミニオン・オブ・カナダの成立である1867年とされるが、バルフォア宣言（1926年）とそれに続くウェストミンスター憲章（1931年）が制定されるまで、カナダの外交権はイギリスが有していた。また、1903年に行われたアラスカとの国境紛争に関する調停においても、カナダの代表はアメリカとイギリスの代表とともに交渉に出席はしていたものの、条約の内容に関してイギリスがアメリカに譲歩を示したことで、カナダ側の主張は通らず、アメリカに有利な形で最終的な国境が画定されてしまった。

　しかし、カナダとアメリカとの直接交渉により1952年よりカナダ国内の空港や駅、そして、港にアメリカの入国審査場が設置されたことは、二国間移動の利便性を向上させたものの、同時にアメリカの国境がカナダ国内にある意味「侵食」しているという独特な状況も生じさせている（それに対して、アメリカ国内にカナダの入国審査場は設置されていない）。

また、北緯49度線をはじめとして地理的形状を考慮に入れずに直線的に引かれた国境周辺には、両国の住民が通学や日常品の購入といった基本的な移動に関しても毎日国境を越えないといけない飛地的な地域が点在している。そのために、2001年の同時多発テロ事件や2020年の新型コロナウイルスの拡散に伴う二国間の国境封鎖の際など、住民の移動が大幅に制限される問題が時折発生している。

壁や有刺鉄線などの柵が大々的に設置されてはおらず「世界最長の平和的な国境」とも呼ばれているカナダとアメリカの国境ではあるが、両国の関係や変化する国際関係を反映しながら、日々管理されている。

II

多様性のなかの統一

7

統計にみる民族的・言語的多様性

──★大都市圏ではヴィジブル・マイノリティが多数派に！？★──

移民としてトロントで育った私は１９６９年に市内の公立小学校に入学した。20数名のクラスで、アジア人は私と中国系の女子児童のみで、あとは全員白人だった。その後、同じ学校に入った私の妹のクラスでも、白人ではない生徒は妹とメキシコ系の女子児童だけだった。１９６０年代から１９７０年代にかけてのカナダは圧倒的な白人社会だったのである。約50年経た今日、トロントやヴァンクーヴァーの街中を歩けば、中国系やインド系などのアジア系が非常に目立ち、白人の方が少ないのではないか、と思える光景がある。また、若いカナダ人に民族的出自を聞くと、２つ以上挙げる人がかなりいる。これはどういうことなのか。

まず、歴史からみよう。カナダ連邦が結成された１８６７年頃は、カナダの人口のほとんどをイギリス系、フランス系および先住民が占めていた。19世紀末から20世紀初頭にかけて、イギリスから多くの移民が到来し、アメリカ合衆国、ドイツ、イタリア、スカンジナヴィア（スウェーデン、ノルウェー、デンマーク）、ロシア、ウクライナ、ポーランド、ポルトガル、ギリシャなどからも移民が流入した。１９６７年の「ポイント制」

による移民法（第8章参照）が制定されるまでは、移民のほとんどが白人であり、アジア系などの非白人の移民は少なかった。

では、現在どのような民族集団がどのくらいカナダにいるのか。2016年の国勢調査では、カナダの総人口は3500万人を超え、250以上の「民族的・文化的出自」に分類されている。「民族的出自」の上位を示す表1をみれば、最も多いのは、カナダ建国民族のイギリス系（イングランド系、スコットランド系、アイルランド系、ウェールズ系など）とフランス系であり、ドイツ系、中国系、イタリア系、そして先住民のファースト・ネーションズがこれに続く。現在、移民としてカナダに渡った人たちはカナダ人口の21・9％を占めている。近年ではアジアからの移民が過半数を超え、中国とインドからの移民が最も多い傾向があった。最新の統計では2011〜16年の5年間に120万人以上の移民が受け入れられ、そのうちフィリピンからの移民が最も多く、インド、中国、イラン、パキスタン、

表1　カナダ人の民族的出自の上位（2016年）

順位	民族的出自
1	イングランド
2	スコットランド
3	フランス
4	アイルランド
5	ドイツ
6	中国
7	イタリア
8	ファースト・ネーションズ
9	東インド*
10	ウクライナ
11	オランダ
12	ポーランド
13	フィリピン
14	ロシア
15	メイティ
16	ポルトガル
17	ウェールズ
18	ノルウェー

*東インドは、カナダの先住民の「北米インディアン」（ファースト・ネーションズ）と区別し、アジア出身のインド系を指す。

出典：*Ethnic and cultural origins of Canadians: Portrait of a rich heritage, Chart 1, Census of Population 2016*, Statistics Canada, 2017に基づき筆者作成

アメリカ、シリア、イギリス、フランス、韓国がこれに続いた。

また、近年の傾向として、カナダでは異民族間結婚による混血が増加している。民族集団別に混血率をみれば、イギリス系とフランス系の他、移民した時期が早かったドイツ系とウクライナ系も高く、ノルウェー系、ファースト・ネーションズも高い。今後も混血は増加するとみられる。

カナダでは白人ではない人々のことをヴィジブル・マイノリティという。しかし、カナダ政府の方針により、カナダ先住民は白人ではないが、これに該当しない。ヴィジブル・マイノリティがカナダの総人口に占める比率は、2006年に16・2%、2011年に19・1%であったが、2016年に22・3%に上昇し、2036年には34・4%、つまりカナダ人口の3分の1以上を占めると推測されている。移民が集中するカナダの英語圏の二大都市に焦点を当てれば、2016年、トロントはついに51・5%、ヴァンクーヴァーは51・6%、つまり過半数がヴィジブル・マイノリティによって占められ、もはや彼らは少数派とはいえない。

移民たちは200以上もの言語をカナダにもたらした。図1は20世紀初頭から現在までの母語（「幼少期に家庭で最初に身につけた言語で、今でも理解できる言語」）の人口の推移を示す。カナダの公用語である英語とフランス語を母語としない移民は年々増加している。移民たちの母語だけではなく、先住民の言語を母語とする人々も含む「その他」は、2016年、ついにフランス語を上回った。ちなみに2016年の国勢調査では、先住民の言語を母語とする人々はカナダ総人口の0・6%のみであったことから、「その他」のほとんどが移民であるといえる。その内訳について、表2は2016年の上位10言語を示し、1971年の状況と対比させている。2016年の統計をみると、中国語、パン

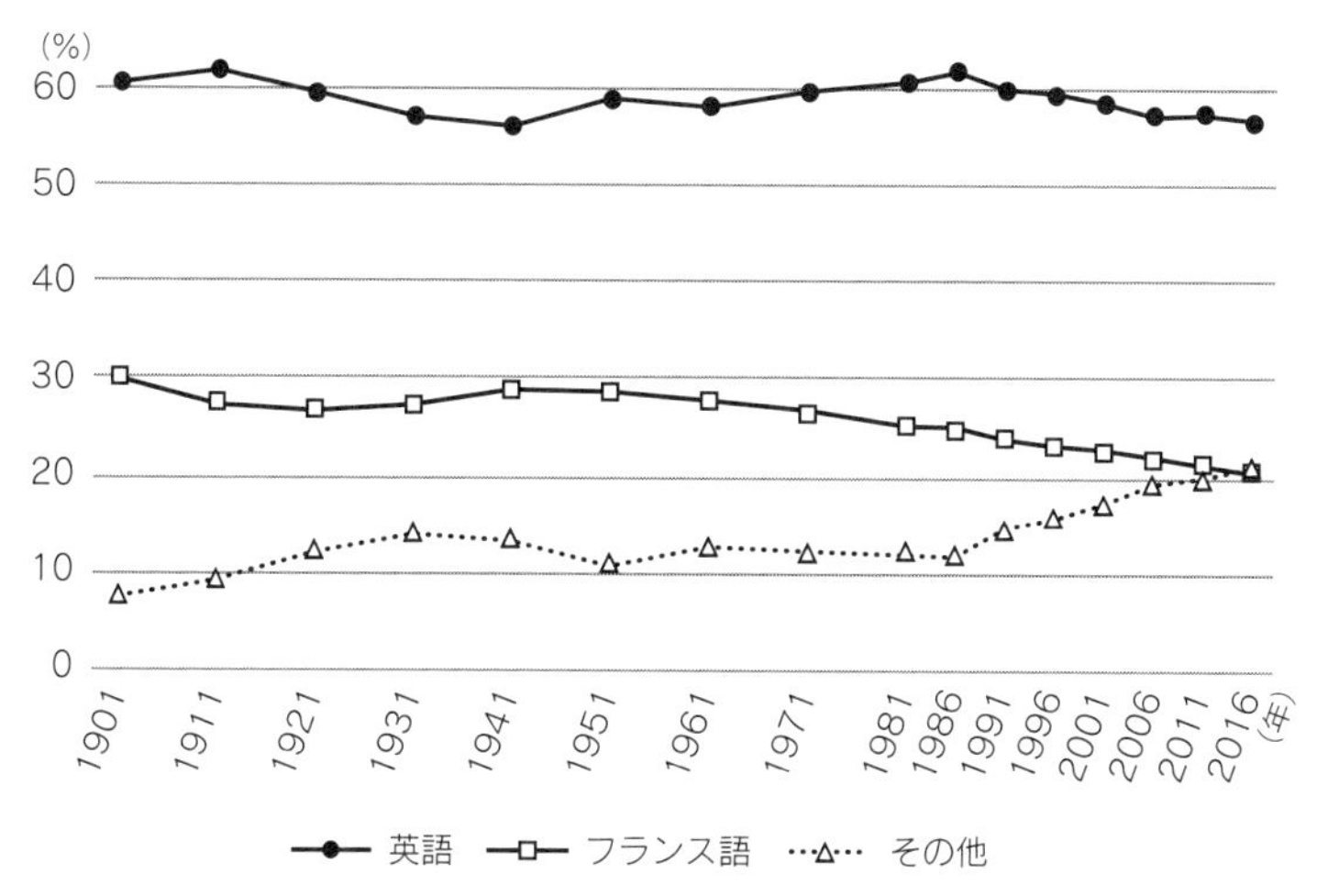

図１　母語人口の変遷（1901-2016 年）

出典：*The evolution of language populations in Canada, by mother tongue, from 1901 to 2016*, Statistics Canada, 2018 より筆者作成

表２　英語とフランス語以外の母語人口の変遷（2016 年、1971 年）

	2016 年		1971 年	
	母語人口（人）	両公用語以外の母語人口に占める割合（%）	母語人口（人）	両公用語以外の母語人口に占める割合（%）
中国語 *	1,204,865	15.5	95,915	3.4
パンジャビ語	543,495	7.0	– **	–
タガログ語	510,420	6.6	–	–
スペイン語	495,090	6.4	23,950	0.9
アラビア語	486,525	6.3	28,520	1.0
イタリア語	407,455	5.3	538,765	19.2
ドイツ語	404,745	5.2	558,965	19.9
ウルドゥー語	243,090	3.1	–	–
ポルトガル語	237,000	3.1	85,845	3.1
ペルシャ語	225,155	2.9	–	–

* 中国語は、主に広東語と北京語。 ** –はデータがないことを示す。

出典：*Linguistic diversity and multilingualism in Canadian homes*, Statistics Canada, 2017; *Censuses of population*, Statistics Canada, 1971 より筆者作成

表３　州・準州別にみた「家庭言語」人口比（2016年）（単位：%）

	英語	フランス語	非公用語	両公用語	英語と非公用語	フランス語と非公用語	両公用語と非公用語
カナダ全国	63.7	20.0	11.5	0.5	3.7	0.4	0.2
ニューファンドランド・ラブラドール	98.0	0.2	1.3	0.1	0.4	0.0	0.0
プリンス・エドワード・アイランド	94.1	1.6	3.2	0.2	0.8	0.0	0.0
ノヴァスコシア	94.7	1.6	2.5	0.2	1.0	0.0	0.0
ニューブランズウィック	68.7	28.0	1.7	1.0	0.5	0.0	0.0
ケベック	9.7	79.0	7.3	1.1	0.7	1.7	0.5
オンタリオ	77.6	2.1	14.4	0.3	5.4	0.1	0.1
マニトバ	82.1	1.3	11.5	0.2	4.8	0.0	0.1
サスカチュワン	89.1	0.4	7.4	0.1	3.0	0.0	0.0
アルバータ	82.6	0.7	12.0	0.2	4.4	0.0	0.1
ブリティッシュ・コロンビア	79.0	0.4	15.6	0.1	4.8	0.0	0.1
ユーコン	90.7	2.4	4.5	0.3	1.9	0.0	0.1
ノースウェスト	87.7	1.5	8.2	0.3	2.2	0.0	0.1
ヌナヴト	46.7	1.0	50.6	0.1	1.6	0.0	0.0

出典：*Language spoken most often at home*, Statistics Canada, 2016 Census より筆者作成

ジャビ語、タガログ語、ウルドゥー語の4つがアジア言語、アラビア語とペルシャ語が中東の言語、つまり上位10言語のうち6言語がヴィジブル・マイノリティの言語である。1971年の国勢調査では、パンジャビ語、タガログ語、ウルドゥー語、ペルシャ語についてはデータすらなかった。

母語が何であれ、職場や学校などでは移民たちはたいてい公用語である英語あるいはフランス語を使う。家庭では、公用語以外を母語とする移民一世は母語を使う場合が多いが、その子どもたちの世代では家庭のなかでも英語圏では英語を、フランス語圏ではフランス語を主に使う傾向がある。「家で最も話す言語」を示す表3（「家庭言語」）をみれば、英語を最も話しているカナダ人は63・7％であり、その他の言語との同程度の併用を合わせると68％を超える。家庭でフランス語を最も話すカナダ人は20％であり、カナダ全体でみれば少数派である。州別にみれば、ケベック州はフランス語を最も家庭で話す人々が多数派（79％）で、その他の言語との同程度の併用を合わせると82％を超え、カナダ唯一のフランス語圏である。また、ニューブランズウィック州は家庭で英語を最も話す人々が多数派であるが、フランス語を最も話す人々が28％存在する。ケベック州、ニューブランズウィック州、そしてイヌイットの言語が過半数によって話されるヌナヴト準州以外は、カナダは圧倒的に英語圏だといえる。なお、カナダでは、普段の生活で主に英語を話す人々のことを「アングロフォン」、フランス語を話す人々のことを「フランコフォン」と呼んでいる。また、家庭で英語とフランス語以外の言語を話す人々のことを「アロフォン」と呼ぶことがある。

（矢頭典枝）

8

移民政策と社会統合

★積極的移民受入れ、これがカナダの生きる道★

カナダは世界有数の移民受入れ国である。1年ごとに年間移民受入れ目標数を設定し、経済移民、家族呼び寄せ移民、難民に分けて受入れている。たとえば、2019年度の移民受入れ目標数は33万人であった。「移民レベルプラン2021－2023」では、2021年に約40万、2022年には約41万、そして2023年に約42万人に拡大して移民受入れを進める方針が示されている。欧州やオーストラリアなどの主要移民受入れ国が1990年代後半以降、移民や難民に門戸を閉じつつあるなか、カナダは積極的な移民受入れを継続する。

これには主に2つの要因がある。第1に人口政策である。2016年度国勢調査によると、カナダの高齢化率は約17％に達する。出生率の低下から移民受入れを継続しないと高齢化のスピードが上がる。そこで冒頭に述べたような、計画的年間受入れを継続しているのである。第2に、労働人口確保の観点からである。カナダは広大な国土と豊かな自然から、第一次産業が盛んな資源国、農業国のイメージが強い。しかし実際にはAI・情報産業などの第三次産業も盛んである。こうした産業を支える人材の多くは移民から補充している。移民・難民・市民権省（以下、ＩＲＣＣ）によると、カナダの労働力拡大のほぼ１００％が移民によるものであり、特に「高度人材」として優秀な移民の獲得が必要とされている。

ところでカナダの移民政策の転換点は、１９６７年のポイント制導入にある。ポイント制とは読んで字のごとく、移民申請者の年齢、学歴、職歴、公用語能力などを数値化し、その合計ポイントで移民申請の可否を判定するシステムである。ポイント制以前のカナダでは、宗主国であった英国とのつながり、歴史的に多くの移民を送り出していたヨーロッパ諸国とのつながりを重視する民族主義的かつ人種差別的な移民政策を展開していた。しかしポイント制導入を契機に、人種・民族・出身地にとらわれない業績主義的な移民政策へと転換し、カナダは現在の多文化・多言語のモザイク国家へとさらなる変容を遂げることになるのである（第７章参照）。近年の移民出身国上位も、フィリピン、インド、中国などが占めている。

ポイント制の改革は近年さらに進み、経済移民選別において、単に高学歴・高技能ではなく、「移住後のカナダ社会への適応性」を評価するシステムとなった。改革前の永住権申請では申請日順に、すべての申請が審査されていた。しかし２０１５年にオンラインで移民申請ができるエクスプレスエントリーが導入され、本審査に進む前に１２００点満点のスクリーニングが実施されている。移民は、年齢、語学力、学歴、職歴をはじめとするプロフィールを事前登録し、高得点申請者にのみ本審査へと進む招待状が送られることになった。その際、カナダ国内での就労経験、移住後の雇用の確保など、スムーズな労働市場への参加可能性が高い労働者に追加ポイントが与えられるシステム設計となった。また「カナダ経験移民クラス」など、出身国の学歴を問わず、カナダ国内での職務経験自体が高く評価されるカテゴリーも導入された。

カナダでは永住権申請方法には頻繁に変更が加えられる。オンライン申請導入に加え、変更情報はIRCCのフェイスブック、ツイッター、インスタグラムなどを通じて発信され、メディアリテラシーの高い潜在的移民の獲得に力を入れている。このようにカナダでは移民政策の管理を通して、カナダの未来を支える経済貢献と対話によるコミュニティ構築が可能な人々を選別的に受入れているのである。

しかし実際に人々がカナダを魅力ある移住先として選ぶには、移民審査に通りやすいかどうかが重要なだけではない。ホスト社会の人々の反移民感情が弱く、移住後に自らが歓迎され、参加できる多文化社会だということも非常に大切である（第9章参照）。この点に関しても、カナダ市民は非常に寛容である。カナダでは「移民の受入れが多すぎる」とする世論圧力は比較的弱いまま推移してきた。移民受入れの恩恵が一般市民にも共有され、受入れへの理解が浸透している。

実際、私もかつて学生ビザでトロント大学の博士課程に在学していた折には、「いつ日本に帰国するのか」という質問ではなく、「いつカナダに移民申請して、永住権を取る予定か」と、複数の人から何度となく尋ねられた。留学生はカナダの大学では倍近い学費を納めなければならないこともあり、「学費がもったいないから、カナダに移民申請するように」と、教授からも、友人からも誘われるのである。つまり一般市民がカナダ移民の「リクルーター」の役割を果たしているのだ。

インド人学生の姿が目立つトロント郊外の大学のキャンパス（矢頭典枝撮影）

トロントのように人口の半数を外国生まれが占める都市はカナダでも特別かもしれない。しかし、毎年人口の1%の移民受入れを継続することを目標として掲げるカナダでは、生活のあらゆる場面で、外国なまりの強い公用語を話す移民が当たり前の存在として受入れられている。日常レベルでの社会的交流は移民とカナダ生まれの市民という境界をほとんど意味のないものにし、移住先としてのカナダをいっそう魅力的にしている。

とはいえ、もちろんカナダ社会も人種差別や宗教対立とは無縁ではない（第10章参照）。2019年の世論調査では近年の移民受入れ拡大政策に懸念が示されており、コロナ禍のパニック状況下の2020年には、カナダ各地でアジア系カナダ人に対する憎悪犯罪が起きたことも報告されている。私自身もカナダ在住時に道端でいきなり「自分の国に帰れ」という暴言を吐かれ、カナダ社会でアジア人の容貌をもつことで経験する理不尽さを突き付けられもした。

しかし、同時にマイノリティの経験を共有し、悩みに寄り添い、怒りを共有してくれるのもカナダの友人たちであった。自分自身が移民ではなくても、幼い頃から様々な人種・民族的・宗教的背景を持つ友人たちと交流し、異民族、異人種のパートナーをもつことにより、カナダの人々は差別的言動に対する敏感なアンテナをもっている。こうした人権意識や社会的正義や公正に対する高い感度も、カナダにおいて移民の社会参加や社会交流が進んでいる一要因だろう。

カナダは、移民に選ばれる魅力的な社会づくりを進めると同時に、積極的移民政策を継続することで、国の経済成長を後押しし、グローバルな競争力を維持するユニークな道を選んでいこうとしているのである。

（大岡栄美）

9

多文化主義の今

★成功は「カナダ的例外」か★

2020年6月27日、「カナダ多文化主義の日」を祝福するスピーチにおいてジャスティン・トルドー首相は次のように多文化主義への支持を力強く表明した。

私は全国のカナダ人と共に多様性を祝い、公平性、包摂性、相互尊重にコミットしていくことを再確認します。（略）多文化主義はカナダの最大の強みの1つであり、私たちの国を構成する重要な要素です。民族性、宗教、文化、言語に関係なく、すべてのカナダ人は、自分自身に忠実であり、友人、隣人、同僚として平和的に暮らす権利をもっています。

「カナダ多文化主義の日」はカナダの多様性を認識し、様々な文化的背景をもつ人々のカナダへの貢献を称揚することを目的に、2002年にジャン・クレティエン首相によって提案された。毎年6月27日に全国各地で種々の多文化イベントが開催されるが、2020年は新型コロナウイルスの感染流行の影響により、多くがヴァーチャルで行われた（写真参照）。

約半世紀前の1971年10月、カナダ連邦議会において「多文化主義」を国是として宣言した首相は、トルドー現首相の父、ピエール・E・トルドーである。より正確には「二言語・多文化主義」と称され、英語とフランス語という2つの公用語のもとで、カナダを構成する様々な民族集団の文化を尊重しながら、出自や文化による不平等を克服し、多様性の中から社会統合を図っていく理念、政策を指す。これは当初、ケベックのナショナリズムを沈静化するために提唱されていた「二言語・二文化主義」から、イギリス系でもフランス系でもない多くの移民の反発を受け、彼（女）らの文化にも配慮して生まれた発展形と言える。以降、世界に先駆けた多文化主義政策の試みは他国から注目され、「多文化主義」はカナダの代名詞ともなっていった（ただし、ケベック州では多文化主義に代わって「インターカルチュラリズム〈間文化主義〉」の名のもとに独自の政策が模索されていく）。

2020年のカナダ多文化主義の日を告知するカナダ上院のツイート。新型コロナウイルス感染症の影響で、オンラインミーティングをイメージしたものとなっている。
（出典：https://twitter.com/SenateCA/status/1276855335479885826）

一方、他国においては多文化主義的な考えや政策が必ずしも歓迎されているわけではない。たとえば欧州では「多文化主義は失敗した」との発言が、2010年にドイツのアンゲラ・メルケル首相、翌年にはイギリスのデーヴィッド・キャメロン首相より相次いでなされ、話題となった（実際に多文化主義に関する政策をどの程度実践してきたかについては大きな疑問であるが、ここでは触れない）。加えて欧州の一部では、シリア等からの大量難民が流入した2015年のいわゆる「難民危機」を機に、移民・難民の排斥を声高に主張する極右政党が台頭していった。

それに対してカナダでは、2015年10月の連邦選挙で「カナダの多様性はカナダの力」をスローガンに掲げたトルドー率いるカナダ自由党が勝利し、その後も極右によるバックラッシュもなく、多文化主義は国民からの一定の支持を維持している。そして隣国アメリカ合衆国では、2017年に移民・難民に対して排外主義的で、かつ国内の分断をも招来しかねない言動を繰り返すドナルド・トランプ大統領（当時）が登場したことで、カナダの多様性への寛容さがより際立った。

このように、欧米諸国と比べて多文化主義が成功していると言える状況を、「カナダ的例外」と捉える論者は少なくない。では、この「カナダ的例外」は何によってもたらされているのだろうか。

第1に、多くの論者が認めるのは、多文化主義が法制度化されていることだ。1988年、「カナダ多文化主義法」が制定され、国家レベルで多文化主義法を持つ最初の国となった。同法がきちんと遵守されているかという観点から政府機関の活動状況がモニターされ、その評価は報告書として毎年公表されている。また、「1982年カナダ憲法」に導入された「カナダ権利自由憲章（Canadian Charter of Rights and Freedoms）」の27条では、同憲章がカナダ国民の多文化的伝統の維持および発展と一致する方法によって解釈されるべきと規定されている。このように憲法上に多文化主義の理念を明示したことは画期的であり、マイノリティの承認や保護を促進するうえで推進力となってきた。他方で特筆に値するのは、同憲章が同時に、多様性の承認に一定の限界を設け、いわば多文化主義が暴走しないための歯止めにもなっているという見方もあることだ。つまり、同憲章は、微妙な均衡を担保する役割を果たしていると言えようか。

第2に、論者たちが注目するのは、経済的観点からの移民選別の特徴である。2017年の経済協力開発機構（OECD）の調査によると、カナダはOECD諸国のなかで高学歴の技能移民の割合が最も高く、たとえばドイツやフランスの2倍近くとなっている。また、移民と現地生まれの失業率の差も比較的小さい。これらは欧州諸国と大きく異なる点であり、ポイント制（第8章参照）と労働市場のニーズに即した移民選別の成果であろう。2019年に実施された調査では、移民の自国への経済的影響について肯定的に捉えているカナダ人は全体の約8割にも達している。

そして第3に、選挙制度を挙げる論者もいる。カナダでは小選挙区制を採用しているため、反多文化主義や移民・難民の排斥を主張するような極右の小政党が議席を伸ばす可能性は低いといわれる。より重要であるのは、すでに選挙区のほとんどに移民かその子孫の有権者がおり、欧州の極右のように反移民や排外主義的主張をあからさまにアピールするやり方では通用しないということだ。

以上に加えて特に強調しておきたいのは、多文化主義政策そのものが時代の要請や批判に応えつつ見直され、変化してきたという点である。1970年代は「民族性の多文化主義」と呼ばれるように、移民の文化の保護を目的としたエスニック組織への公的支援が重視された。これに対して、移民の社会統合を損なうとか、真の狙いは選挙での移民票ではないかとの批判がなされた。80年代に入ると、非ヨーロッパ系移民の増加を背景に、人種間ないしは民族間の関係改善が新たな課題として加わるようになる。「平等・権利に基づく多文化主義」の時代である。90年代は「反人種主義・反差別の多文化主義」と称されるように、移民の経済的、社会的な参画を阻む障壁の解消に政策の重点が置かれるとともに、特にヴィジブル・マイノリティ（アジア系をはじめとする有色人）への差別が問題視された。一方で、多文化主義への批判がなくなったわけではなく、非西洋文化圏からの移民が増えるなかで社会統合への不安感が高まっていった。

こうした懸念に応えるように、近年は「統合重視の多文化主義」とも言うべき段階に入り、文化の違いを超えた相互理解や「カナダ的価値」の共有などが重視されるようになっている。連邦政府による多文化主義プログラムの助成対象も、単一のエスニック組織よりも、多様な出自の人々から構成される多文化組織が優先されるなど、変化している。なお、先述したケベックのインターカルチュラリズムで強調されるのは文化間の交流と相互理解であり、この点において連邦政府の多文化主義もケベックのインターカルチュラリズムも同じ方向性を共有していると言えよう。

（飯笹佐代子）

10

宗教的多様性とケベック

★ムスリム女性のヴェールをめぐる論争★

モントリオールの街を歩いていると、スカーフを被ったムスリム女性、ターバンを巻いたシク教徒の男性、キッパを頭に載せたユダヤ教徒の男性たちを見かけることは珍しくない。多文化都市ならではの宗教の多様性を実感する日常的な風景だ。ところが、こうした宗教的シンボルをめぐって、ケベックではしばしば政治論争が白熱してきた。

ケベック州の宗教別人口割合をみると（次ページ表）、移民が多様化しているとはいえ、依然としてキリスト教系と答えた人が8割以上を占め（カナダ全体では7割弱）、その圧倒的多数がカトリックである。キリスト教の次に多いのはイスラム教で約3％、ユダヤ教、シク教はさらに少ない。ただし、ムスリム人口は10年間で2倍となり、増加傾向にある。そして、宗教的シンボルのなかでも特に論争の的となってきたのが、ムスリムのヴェールだ。

ムスリムのヴェールには、頭髪だけを覆うスカーフ（ヒジャブ）や、目元を除いて全身を覆うニカブ、加えて目まで覆うブルカ（目元の部分は網状の布となっている）などがある。フランスは政教分離の観点から厳格にヴェール規制を行っていること

表 ケベック州とカナダの宗教別人口（2011 年）

	ケベック州		カナダ全体	
宗教	人数（人）	%	人数（人）	%
キリスト教	6,356,880	82.2	22,102,745	67.3
イスラーム教	243,430	3.1	1,053,945	3.2
ユダヤ教	85,105	1.1	329,500	1.0
仏教	52,385	0.7	366,830	1.1
ヒンドゥー教	33,540	0.4	497,960	1.5
シク教	9,275	0.1	454,965	1.4
その他	14,365	0.2	195,775	0.6
無宗教	937,545	12.1	7,850,605	23.9
計	7,732,520	100.0	32,852,320	100.0

出典：2011 年 National Household Survey より筆者作成（宗教に関する調査は本データが最新である）

で知られ、2000年代以降、公立学校でのスカーフの着用が、続いて公共の場でのブルカ、ニカブの着用が禁止された。ブルカ、ニカブを禁止する動きはベルギーはじめ他の欧州諸国でも続いている。

オンタリオ州でも、カナダ国籍取得の宣誓式におけるニカブ着用の是非が裁判沙汰となり、2015年のカナダ連邦総選挙で争点の1つとなったことは記憶に新しい。当時、スティーヴン・ハーパー首相は宣誓式でのニカブ着用を「カナダ的価値」に反する行為として禁止を要求した。それに対して当時、野党党首であったジャスティン・トルドーは、本人確認が可能であれば、マイノリティの権利や多様性の保護の観点から擁護されるべきと主張した。こうした姿勢は首相就任後も一貫している。

そのトルドー首相の選挙区があるケベック州は、カナダのなかでヴェール論争が最も先鋭化してきた地である。最初の論争は1994年に、モントリオールの公立中学校でスカーフを被ったムスリムの女子生徒が登校を拒否されたことに端を発した。ケベック人権委員会などがスカーフ禁止は宗教に基づく差別であり、女子生徒たちが放校処分になれば公教育を受ける権利が否定されるとして着用を擁護し、論争はまもなく収束した。

2006年にはマイノリティの様々な宗教的実践をどこまで受け入れるのかをめぐって、ケベック社会を揺るがすような騒動が起こる。翌年、当時のジャン・シャレ州政権の依頼を受け、社会学者ジェラール・ブシャールと政治哲学者チャールズ・テイラーという2人の世界的碩学の主導で調査が開始された。2008年に公表された、いわゆる『ブシャール＝テイラー報告』では、ケベックの「開かれた政教分離」のあり方として、宗教的シンボルの着用は裁判官、検察官、刑務官、警察官など、高度に中立性を体現すべき職務を除いた公務員には許されること、教員についてはブルカやニカブは生徒に顔を見せないので円滑なコミュニケーションを阻むことになるが、頭髪だけ覆うスカーフならば問題ないことが示された。また、公立校に通う生徒や公共サービスの利用者が宗教シンボルを着用することは何ら問題ないとされた。

図 「ケベック価値憲章」法案において禁止対象とされた目立つ宗教シンボルの例（出典：ケベック州政府）

しかしその後、ケベック州政府は、これらの提言を部分的に取り入れつつも、紆余曲折を経ながら提言とは異なるヴェール規制へと舵を切っていく。2013年、当時のケベック党政権は、公務員が勤務中に目立つ宗教的シンボル（図）を身につけることを禁止する、いわゆる「ケベック価値憲章」法案を発表した。禁止対象にはキリスト教の十字架も含まれたが、主なターゲットはムスリムのヴェールであると受け止められ、普段はスカーフすら被らない多くのムスリム女性たちもそれを被り、個人の権利を掲げて抗議デモに参加した。この法案は翌年の政権交代により日の目を見なかったが、2017年10月、ケベック自由党政権下で、公共サービス（交通機関の利用や医療、教育など）の提供者と利用者の双方に対して顔を覆う宗教的シンボルの着用を禁止する法案が可決された。禁止対象として想定されているのは明らかにニカブやブルカであり（州内の着用者は実際にはごくわずか）、事実上、北米初のヴェール禁止法となった。即座にトルドー首相は「カナダ人を守る」という言葉で、同法を批判した。

さらに2年後の2019年10月、前年に誕生したケベック未来連合政権は、特定の公務員に対して、勤務中にスカーフを含む宗教的シンボルの着用を禁止する法律を成立させる。そして、その対象に警察官、裁判官、刑務官、検察官、政府弁護士とともに、『ブシャール＝テイラー報告』で問題ないとされた公立学校の教師までを加えたのである。既得権益条項により現職は除外されたが、ムスリム女性の教職志望者は多く、とりわけ教育の現場で強い反対運動が起きている。

そもそもなぜ、ムスリムのヴェールは問題視されるのか。一般に西洋社会では、ヴェールは女性の抑圧の象徴とみなされ、男女平等の理念に挑戦するものと映る。だが、ヴェールを被る理由は人それぞれであり、強制された人もいる一方で、信仰心、もしくは自己表現のために自発的に着用する人も多い。イスラム文化において頭髪は性的な部分とみなされ、それを隠すことによってこそ職場で男性と対等に仕事ができると考える人もいる。しかし、こうした当事者側の思いは理解されることなく、さらにはムスリムとテロのイメージが結びつくことによって、ヴェールは嫌悪と脅威を喚起するシンボルとなっている。とりわけニカブやブルカのように身体全体をすっぽり覆うヴェールは、危険物を隠し持っている可能性があるとして治安の点からも懸念される。

ケベック州におけるムスリムのヴェールへの対応は、カナダの他州から差別的であると批判されることが多い。だが、むしろケベック社会の世俗化が進んでいるがゆえに、宗教的な要素に過敏に反応する傾向が強いということもできよう。かつてケベックのフランス系住民はカトリック教会の強い支配下に置かれていた。1960年代に入って近代化に向けた変革（「静かな革命」）が起こり、それは同時にカトリック支配からの解放を促した。この時代のカトリック修道院が経営する音楽学校を舞台としたケベック映画『天使にショパンの歌声を』（レア・プール監督、2015年）に、印象的なシーンがある。州政府により教育の世俗化が推し進められるなか、教師の修道女たちが苦悩に満ちた表情で涙ながらに着慣れた修道服と頭巾（修道女のヴェール）を脱ぎ捨てる演技は胸を打つ。彼女らのように信仰する宗教のシンボルを否定された経験を持つ人々も、また、それを推進した側も、ムスリムのヴェールから感じ取る違和感と複雑な思いは想像に難くない。実際にこの時代を知る世代は、若年層よりも反ムスリム感情が強いという。また、ケベック州でヴェールが問題化しやすい背景として、住民の多数派をフランス系が占めているため、ヴェール規制に厳格なフランスからの影響も看過できない。

最後に、ムスリムのヴェールへの理解を促す心温まるケベック映画『ぼくとわたしの聖なる秘密』（マリオ・モラン監督、2017年）を紹介したい。渋谷区が主催する短編映画を対象としたShibuya Diversity Award の2018年受賞作品でもある。

（飯笹佐代子）

11

カナダ人のアイデンティティ

★最近の調査報告から★

カナダ人とは誰か？　カナダ人は何をもって自分をカナダ人と定義づけるのか？　これらの問いに簡単に答えられるカナダ人は少ないといわれる。

2013年、カナダ政府が行ったカナダ人のアイデンティティを問うアンケート調査の結果が「総合的社会調査（GSS）」として公表された。この調査報告では、アイデンティティは、カナダ全土で画一的に測れるものではなく、地域により、社会的・人口動態的・経済的特色により異なること、また時間とともに変化することが指摘されている。それを前提にしつつ、この調査は、3つの要素について国民に質問し、カナダ人のカナダに対する感情——アイデンティティ——を全体的に捉えている。それ以前に行われたカナダ人の生活や意識についての調査は、カナダ人の社会関与に関する調査（2003年）、および社会的ネットワークに関する調査（2008年）があるが、アイデンティティに関する情報を総合的に集めたのはこれが最初だと、同報告は述べている。

3つの要素とは、①国家的なシンボル、②共有されている価値観、③誇り。カナダ人が国家的なシンボルをどれほど重視しているかを問う質問①に、回答者の90％が、人権憲章および国旗がシンボルとして重要と回答した。続いて国歌（88％）、カナダ連邦騎馬警察（87％）、アイスホッケー（77％）が上位5項目となったが、他に、ビーバー、楓（かえで）を挙げた人もいる。ただし、ケベック州の場合、これらのシンボルがアイデンティティを示す重要な要素と回答したのはケベック州民の約3分の1に過ぎなかったが。カナダ人は特別の価値観を共有しているかを問う質問②では、共有する価値観として、人権、法の遵守、男女平等、二言語、民族的多様性、先住民への敬意が挙げられている。回答者の92％が人権および法の遵守を重要とみており、男女平等は回答者の90％、続く3項目では60〜80％が、重要と回答している。

③の問い――カナダ人であることに、そしてカナダの達成してきたことに、誇りを持っているか――に対し、全回答者の87％が誇りを持つと回答している。なかでもカナダの歴史に誇りを持つとの回答が最も多い（70％）。ただし、ケベック州では言語集団によって割合が異なる。カナダの達成を誇りに思うとの回答はアングロフォン（英語話者）の90％に対し、フランコフォン（フランス語話者）の場合は66％である。興味深いことに、統計では、世界におけるカナダの政治的影響力を誇りに思うカナダ人の割合は、州による違いはなく、おしなべて低い。社会的・人口動態的な違いとしては、教育レベルと所得レベルが高いほど、カナダの達成に誇りを持つ傾向がある。また移民、ことに2000年以降にカナダに入国した移民は、カナダの経済的達成、社会のすべての集団を平等に扱う実態、民主主義の実践などに強い誇りを抱いていることが統計から読み取れる（非移民人口より16％高い）。また、この調査結果によると、ヴィジブル・マイノリティがカナダ人であることを誇りとする率は他のカナダ人より高い（86％に対し91％）。他にも、アイデンティティ認識の違いは、男女や年齢によっても異

なることが、この調査で明らかにされている。

この調査では問われていないが、カナダ人のアイデンティティ形成に重要と思われる要素として、アメリカ合衆国との関係がある。ピエール・E・トルドーは、首相時代にアメリカで講演した際、カナダは「アメリカという象の隣に寝ているようだ」と述べた。この象がいかに「友好的で冷静であろうとも、ほんのちょっと動いても、鼻を鳴らしても、隣に寝ている人は影響を受ける」のだと。それほど政治的、経済的、文化的にアメリカの強い影響を受けているからこそ、カナダ人のなかにはアメリカ人との違いを強調しようとする人が多いと言える。私の親しいカナダの友人は、外国への旅行では必ず、"I'm a Canadian." のバッジを胸につけるという。「アメリカ人と思われたくないから」と彼女は説明する。

歴史をたどると、カナダ人のアイデンティティを明確にする動きが顕著になったのは、カナダが経済的に繁栄し、国際関係において重要な国家として急成長した第二次世界大戦後のこと。当時、経済面でも文化面でもアメリカがカナダに及ぼす影響があまりに顕著であることが、政府および国民の懸念となっていた。カナダ独自の文化を奨励・発展させる方法を調査・研究し提出された『マッセイ報告書』（1951年）は、アメリカの文化面での影響がカナダ独自の文化の成長にとって最大の障害であると述べている。こうした調査が必要であったこと自体、当時はカナダが独自の文化ないし文化産業を育成し、国民としてアイデンティティを築く努力をしていたことを示している。

それから60年の間に、カナダは大きく変化し、2013年の調査（GSS）に示されたような結果を見せているのである。ただし、この間、アメリカとの対比でカナダ人のアイデンティティを明確にしよ

オタワにおけるカナダ・デーのイベントで披露された国旗制定50周年を記念するパフォーマンス（2015年）（大石太郎撮影）

うとする動きは続いていた。２０１３年の調査でも取り上げられている国旗を例にとると、白地に紅い楓をデザインしたカナダ国旗が正式に採用され、それまでの「ユニオン・ジャック」にとって代わった１９６５年当時は、ナショナリズムの波に乗ってカナダのアイデンティティの問題が真剣に論じられていた。中学時代、イギリスの歴代国王の名前を暗記させられ、イギリス国旗の絵を描いたという作家マーガレット・アトウッドが『サバイバル』を出版したのは、１９７２年。この著作のテーマはカナダ文学についての考察であるが、そこにはカナダ文学の独自性と同時にカナダ人のアイデンティティが示されている。アトウッドは、カナダのシンボルを、アメリカの「フロンティア精神」、イギリスの「島」と対比させて「生き残ること（サバイバル）」であるという。基本になる概念は「必死にしがみつきながら生存し続けること」なのである。

ビーバーがカナダの国家的シンボルであることとアメリカのシンボルがイーグルであることの対比もおもしろい。アメリカに比べて、カナダは、今も「より優しい、より親切な」社会だ――アメリカより犯罪率が低く、乳幼児死亡率が低く、失業保険の支払いが寛大で、健康保険制度や、貧しい州への地域開発支援が行き届いている――とジャーナリストのジェフリー・シンプソンは述べているが、こうしたアメリカとの違いが、２０１３年の調査報告ではカナダ人の「誇り」として示されていると言えよう。現在も、アメリカとの違いがカナダ人のアイデンティティを確固としたものにする傾向は変わっていない。

（飯野正子）

12

「オー・カナダ」

★2つの言語をもつ国歌★

カナダの国歌は「オー・カナダ」という。バイリンガルの国であるゆえに、当然、歌詞も英語・フランス語の二言語からなる。もともとこれは、詞・歌とともに19世紀に作られていたものである。詞の原作者は法律家で詩人のアドルフ・バジル・ルティエ（1839〜1920年）である。音楽はそれに合わせて作られた。作曲は当時、ピアニストや音楽教師など多彩な音楽活動家と知られていたカリクサ・ラヴァレ（1842〜1891年）である。1880年のことだった。「オー・カナダ」は、このように多数派のイギリス系からではなく、作詞家・作曲家ともにフランス系カナダ人によって誕生したのである。

新国歌として制定されたのは意外と遅く、公式セレモニーでの〝初演〟は、1980年7月1日、首都オタワでの建国記念日（正式には「カナダ・デー」〈英語〉・「フェト・デュ・カナダ」〈フランス語〉）の式典の際だった。以下、新国歌誕生の背景と経緯をながめてみよう。

まず、ケベックで「オー・カナダ」が生まれた直接の理由は何だったのか。フランス系ケベック州は、伝統的にはカトリック色の濃い社会だった。そして6月24日は、ケベックの守護聖人「洗礼者ヨハネ」の祝日「フェト・ナシオナール」にあたっている。今日でもこの日ばかりは、州民を挙げての大祝祭日だ。1880年、この祝典実施に際して、どうしても〝頌歌〟が必要となってきた。それを公募にかけたのだが、よい作品にめぐり会えず、結局ケベック州の副総督テオドール・ロビタ一イはルティエに作詞を依頼したのだった。そこで出来上がったのが「オー・カナダ」である。そしてこの〝愛国歌〟が初めて公的に歌われたのは、同年のこの大祝祭日においてであった。ただ、歌詞・メロディともにフランス系独自のための、いわば〝民族的賛歌〟として登場したわけではなく、あくまでフランス語版によるカナダ賛美の歌として作られたのだった。

このフランス語版「オー・カナダ」が人々の間でいっそう人気を博していくと、次第に英語版の歌詞もいくつか登場するようになる。その代表作が1908年作詞の、モントリオールの判事・詩人でもあったロバート・スタンリー・ウィア（1856〜1926年）の歌詞であった。それは1908年のケベック市創設300周年を記念して作られたものである。

やがて英語版は第一次世界大戦の頃までには、すでに多くのカナダ人の口ずさむ〝愛国歌〟となっていた。そしてカナダ連邦成立60周年記念にあたる1927年には、この「オー・カナダ」は公的行事に際しても歌われるようになる。もっとも、長らくイギリス系カナダ人の間で歌われていた〝愛国歌〟には1867年作曲の「ザ・メイプル・リーフ・フォーエヴァー」があった。ただその歌詞内容はイギリス色が強すぎ、最近ではほとんど愛唱されない。また、長らく公的に使用されていたイギリス国歌「ゴッド・セイヴ・ザ・クイーン」は、1966年、カナダ自由党のレスター・B・ピアソン首相時代に「カナダのロイヤル頌歌」とされ、今や「カナダ国歌」と明白に区別される。さらに19

National Anthem | Hymne National

O CANADA | Ô CANADA

Calixa Lavallée

Canadian Heritage　Patrimoine canadien　　Canada

カナダ国歌「オー・カナダ」楽譜

68年、ウィアの作詞版は多少の修正を経て、カナダ連邦議会の上下両院の特別共同委員会の推奨により、公式の英語版となる。

ここで、あくまで筆者による試訳だが、成立順にフランス語版および英語版の「オー・カナダ」を見てみよう。同じ国歌でありながら、歌詞の意味の微妙な違いが感じ取れるであろう。

カナダ国歌「オー・カナダ」（＊筆者による試訳、傍線は筆者による）

（フランス語版　アドルフ・バジル・ルティエ作詞）

〝オー・カナダ！　我らが祖先の地
汝の頭（こうべ）は栄光の花で輝き
汝の腕は剣を持ち
十字架を身につけ
汝の歴史は偉業にして
幾多の輝かしき功績なり
そして揺るぎなき信仰からなる　汝の勇気、
我らの家庭と我らの権利を守りたまえ〟

（英語版　ロバート・スタンリー・ウィア原作）

〝オー・カナダ！　我らの故郷　我らの祖国！
我らのすべての者のなかに流れる真の愛国心
熱き心を持ちて　我らは汝の興隆を見守らん
強固にして自由なる　真の北国よ！
遥か彼方より
オー・カナダ　我らは汝を守りぬく
神よ、光輝にして自由なる　我らの祖国を守り給え！
オー・カナダ　我らは汝を守りぬく
オー・カナダ　我らは汝を守りぬく〟

後発の英語版では、北方国家カナダの自然とその雄大さも賛美され、またフランス語版に比べて〝愛国心〟の度合いが強くなっている。歌詞はオリジナル版のフランス語と似ているのかと一瞬錯覚しかねないが、決してその英訳ではない。あくまで英語版の国歌である。こうしてオリジナルの「オー・カナダ」誕生からちょうど1世紀を経て、新しい「国の形」が、もう1つ誕生したのだった。それは、国家としてカナダの独自性を象徴する出来事でもあった。

後年、いかにもカナダらしいことが起こる。英語版の歌詞の一部が、2018年に修正されたのである。国歌成立時（1980年）の歌詞には、〝thy sons〟（汝の息子たち）という表現があったのだが、これがジェンダーの中立性を損なうとの批判を呼び起こしたのだった。結果として、その部分は〝of us〟（我らの）に変更された（英語版和訳の傍線部分を参照）。その先頭に立っていた1人が、カナダ自由党のモーリル・ベランジェ議員だった。2016年6月、彼の提出した議員立法「国歌修正法案」は下院を通過し、その後、上院での賛否両論の激しい議論を経ながら、ついに2018年1月31日、可決されたのだった。このベランジェ議員は2015年に筋委縮性側索硬化症（ALS）と診断されており、同法可決は彼の悲願であった。しかし同議員はその成立を見ることなく2016年8月に亡くなってしまう。61歳だった。なお、フランス語版では異なる歌詞内容ゆえ、こうした問題は起こっていない。

興味深いことに、カナダ国歌の公式の場での演奏スタイルに特別の規定はない。夏の夜、オタワ連邦議会前の広場では、華やかな光のショーが連日開かれるのだが、ある夏、そこで私が聴いた「オー・カナダ」が忘れられない。それは、見事なジャズとブルース調にアレンジされた国歌だった。

（竹中 豊）

“最初のカナダ人”
——先住民

13

様々なカナダ先住民

★新たな先住民社会の生成★

カナダ先住民

多民族が共生する現在のカナダには、先住民と呼ばれる人々がいる。カナダ先住民とは、ヨーロッパ人が現在のカナダにあたる地域に到来する以前から住んできた人々の総称である。その実態は、複数の民族集団から構成されている。

カナダ政府は、1982年憲法でカナダの先住民をインディアン、メイティ（メティス）、イヌイットであると規定した。インディアンは、イヌイットとメイティを除く、ヨーロッパ人が到来する以前から現在のカナダ各地で生活を営んできた人々の総称であり、現在ではファースト・ネーションズと呼ばれている。メイティは、主にフランス系毛皮交易者と先住民女性との間に生まれた人の子孫で、独自の文化を継承している人々である。イヌイットとは、かつて「エスキモー」と呼ばれた人々で、極北地域を故地（ホーム）とする人々を指す。

2016年の国勢調査によれば、総人口約3500万人のカナダには約167万人（約5％）の先住民がいる。カナダ先住民の母語は、12語族に属する70以上の多様な言語に分かれている。また、現在のカナダ先住民社会は、600以上の政治・社会集団（ネーションズやインディアン・バンド）から構成されている。本章では、カナダ先住民の歴史と現状について紹介する。なお、ここで示す統計値は、断りがない限り、2016年のカナダの国勢調査の結果である。

カナダ先住民の歴史

1万2000年ほど前の北アメリカ大陸には先端が鋭くとがった独特の打製石器の使用を特徴とするクローヴィス文化の担い手が、野牛や野生トナカイ、鹿、そして絶滅するまではマンモスやマストドンを狩猟し、植物を採集していた。その後、約5000年前から各地の自然環境の違いに応じて生業活動に地域差が出現し、多様な先住民文化が形成された。

紀元後1500年頃からヨーロッパ人がカナダ東海岸に到来し、漁業や毛皮交易、農業、探検、キリスト教の布教を行うようになる。主にイギリスとフランスからの移民による植民地化が西進するに従い、各地で先住民の土地を力ずくで奪うことがあった。

1867年にドミニオン・オブ・カナダが成立した後、1876年にインディアン法が施行された。そして同政府は1880年にインディアン省を創設し、ポトラッチなどの先住民儀礼の禁止や寄宿舎学校制度の導入など先住民を同化するための政策を実施した。また、カナダ政府は各地の先住民集団と土地譲渡条約を結び、多くの先住民を僻地の先住民居留地（リザーヴ）へと囲い込んでいった。

しかし、1960年代にアメリカ合衆国で黒人の公民権運動が盛んになると、その影響を受けたアメリカとカナダの先住民は権利獲得運動を展開した。1973年に最高裁判所は、「コルダー判決」

によって、先住民の諸権利が現在でも認められる可能性を示したため、カナダ政府は先住民政策を大きく転換し、条約を締結していない先住民集団と土地権などの問題について政治的な話し合いを通して解決することにした。一方、先住民側も権利獲得運動を繰り広げた結果、1975年の「ジェームズ湾および北ケベック協定」の締結を皮切りに土地権請求問題が処理され始め、1982年憲法の第25条と第35条には先住民の独自の権利を認めた規定が盛り込まれるに至った。

現代のファースト・ネーションズ

ファースト・ネーションズの総人口は、約97万7千人である。このうちの4分の3強にあたる約74万5千人が、政府が公認するインディアンであり、残りの4分の1弱にあたる約23万2千人が、政府が公認していないインディアンである。

ファースト・ネーションズの総人口の約44%が居留地に住み、約56%はウィニペグなどの都市部に住んでいる。ブリティッシュ・コロンビア州にはハイダやクワクワカワクゥらが、ノースウェスト準州にはデネらが、アルバータ州にはブラックフットらが、マニトバ州北部やオンタリオ州北部にはオジブエらが、ケベック州にはクリー、インヌ、モホークらが、ノヴァスコシア州にはミクマックらが住んでいる。大半の先住民はもともと狩猟や漁労を生業としていたが、モホークやミクマックのように農耕を行う人々もいた。

亜極北地域に住むクリーやオジブエ、デネのなかには伝統的な狩猟や漁労に従事する人もいるが、大半の人々は賃金労働に従事している。

現代のメイティ

メイティの総人口は約58万8千人である。そのうちの約80%がオンタリオ州と西部諸州に集中している。メイティの総人口の3分の2は都市部に住んでいる。メイティはもともとカナダの大平原地域で他の先住民と欧米人の毛皮交易者との間で仲介者として活躍していたが、現在では会社勤めなどの賃金労働、農業や牧畜業に従事する人が多い。

彼らは、サーシュと呼ばれる肩掛け・帯や楽器のフィドル（バイオリン）を民族的シンボルとみなしている。母語であるミチフ語（クリー語とフランス語の混合言語）の話者は約1200人と少ないが、クリー語など他の先住民言語を話せる人が多い。

北西海岸先住民のトライバル・ジャーニー2018式典の様子
（筆者撮影）

現代のイヌイット

イヌイットの総人口は約6万5千人である。その約4分の3が極北地域に住み、約4分の1がカナダ南部の都市地域に居住している。すなわち、約4万8千人がラブラドール地域、ケベック州極北部、ヌナヴト準州、ノースウェスト準州西部などの極北地域に住んでいる。そして約1万7千人が、オタワ地域やエドモントンなどのカナダ南部に居住している。

イヌイットは極北地域で狩猟や漁労を生業としてきたが、現在では賃金労働と狩猟・漁労を組み合わせて生活している。一方、都市部では賃金労働に従事する人や生活保護を受ける人が多い。イヌイットは、他の先住民と比較すると母語であるイヌイット語を話す人の比率が高く、地域差はあるものの、イヌイット全体の約64％の人が母語で会話ができる。

先住民社会のこれから

カナダ先住民を総体としてみると、他のカナダ国民と比べて、生活水準、収入、学歴、平均余命、健康状態が明らかに劣る状況に置かれており、乗り越えなければならない社会・経済的課題は多い。しかし、その一方で、１９７０年代以降、先住民はカナダ政府と土地権など彼らの諸権利について話し合いを進め、政治的自律化を進めてきた。人口や先住民言語の話者数も増加しつつある。

急激なグローバル化のもとで、それへの反動として先住民は各民族集団の伝統文化を強化・保持するようになった。文化的多様性が維持されるとともに、都市部では多様な先住民族の人々が交流するようになり、汎先住民運動を通して共通の先住民文化を創り出すという動きも見られる。彼らは、現代のカナダのなかで先住民アイデンティティを保持しつつ、新たな先住民文化を生み出し続けている。

（岸上伸啓）

14

カナダ先住民のアート

★先住民らしさの表象★

カナダ先住民のアート

カナダ西部の入り口の1つ、ヴァンクーヴァー空港に到着した人々の目を引くのは、先住民が制作した一風変わった仮面や木箱、小型のトーテムポール、イヌクシュクと呼ばれる石塚などである。また、市内のダウンタウンの観光スポットには、クワクワカワクゥやイヌイットの版画や彫刻品などを販売する専門店や土産物店が並んでいる。旅行者は知らぬうちにカナダの先住民アートに接していることになる。

カナダ各地の先住民がもともと儀礼具や生活用具として作っていたものの一部が観光土産品となり、20世紀後半には「先住民らしさ」を表象するアート作品となった。現在ではカナダ国内外の美術館や博物館において展示されたり、アート市場において高値で売買されたりしている。カナダの先住民アートは、北西海岸先住民アート、森林派アート、イヌイット・アートに大別することができる。

北西海岸先住民のアート

北西海岸先住民とはカナダの西海岸地域に住むハイダやティ

ムシアン、クワクワカワクゥらの人々である。北西海岸先住民アートを代表するのは、トーテムポールや丸木舟、木製仮面、木箱、ガラガラ、バスケット、版画などである。北西海岸先住民アートの顕著な特徴は、左右対称性、幾何学文様や分割文様を多用する点にある。また、ワタリガラスやシャチ、ワシなどの先住民にゆかりの深い動物やサンダーバードのような神話・伝説に出てくる空想上の生き物を好んで描く。さらに、動物と人間が相互に変身することをテーマとして取り上げることが多い。

北西海岸先住民アートを1970年代以降一躍世界に有名にしたのは、ハイダの血を引くビル・リード、クワクワカワクゥのダグ・クランマーやトニー・ハントらであった。特にリードは、トーテムポール、彫刻、銀細工品や版画などを制作した。彼の代表作には、ブリティッシュ・コロンビア大学人類学博物館に展示されている大型木彫品「ワタリガラスと最初の人々」やヴァンクーヴァー国際空港のロビーに展示されている大型ブロンズ彫刻品「ハイダ・グワイの精神」などがある。特に、後者は伝統的な丸木舟に乗るハイダ人や動物が生き生きと造形されている。この図案はカナダの現在の20ドル紙幣のデザインにも採用された。

現在では、ハイダのロバート・デーヴィッドソン、ヌーチャーヌヒのロン・ハミルトン、コースト・セイリッシュのスーザン・ポイントらが国際的に活躍している。

森林派の先住民アート

カナダの大平原から森林地域にかけてのファースト・ネーションズやメイティのアーティストは、絵画制作、土器・陶器制作、仮面制作、銀細工制作、パフォーミング・アート、ヴィジュアル・アー

2016年11月にカナダ国立美術館で開催されたアレックス・ジャンヴィエル展（筆者撮影）

トなど多種多様なアート活動を展開している。彼らは、先住民と大地や動物との関係、被植民地化体験の歴史、現代の社会・政治・環境問題などをテーマにする傾向がある。

１９５０年代以降、オジブェや平原クリー、イロコイ・ネーションズ、メイティのアーティストが属する森林派の制作活動が注目を浴びた。その森林派の創始者とみなされているノーバル・モリソーは、１９６２年にトロントで開催された展覧会に出品した作品がオジブェのシャーマニズム・アートを受け継いだものであるという賞賛を得て、カナダのアート界で認められた。モリソーらの作品の特徴は、大胆で鮮やかな色使い、レントゲン画のような描写、力強く波打つ線の使用にある。このグループのアーティストにはカール・レイやロイ・トーマスらがおり、口承伝承を題材としながら人間や動物の姿を色彩豊かに描き出した。

１９８６年にカナダ国立美術館が先住民アーティストであるカール・ビームの「北アメリカの氷山」（１９８５年）を現代芸術作品として購入した。その後、アレックス・ジャンヴィエルやダフィン・オジグ、アレン・サップらの作品が非先住民アーティストの作品とともに美術館で展示されるようになった。現在では、先住民アーティストとしてフェイ・ヘヴィーシールドやシェリー・ニーロ、ジェフリー・トマスらが国際的に活躍している。

イヌイット・アート

イヌイット・アートの中心は、極北地域の動物やイヌイットの狩猟生活や精神世界を描き出した石製彫刻品と版画である。イヌイット・アートの始まるきっかけは、1948年のカナダ人アーティストのジェームズ・ヒューストンとイヌイットとの出会いであった。ヒューストンは、イヌイットに石製彫刻品や版画の制作を指導し、奨励するとともに、アートとして販路を広めることに貢献した。カナダ政府もイヌイットの貴重な収入源となる産業として支援した。イヌイットのアート制作は1960年代に本格化し、1970年代には国際的に注目されるようになった。

イヌイットは、滑石や蛇紋岩の塊を用いて、踊るホッキョクグマや人間のようにふるまう野生トナカイ、アザラシを捕るイヌイットのハンター、母子像、精霊などの彫刻品を独自の視点から制作した。また、彼らは同様なモチーフの版画作品を作った。

版画制作は、ケープ・ドーセット（キンガイット）で始まり、その後、プヴィルニツック、ベイカー・レイク、ホルマンなどの村にも広がった。初期の版画としては、ケープ・ドーセットのケノジュアク・アシェヴァクの「魔法をかけられたフクロウ」（1960年）が有名である。時間が経つに従い、単色や2色の石板版画からエッチング技法やリトグラフ技法による色彩豊かな版画が生み出されていった。

１９８０年代になるとイヌイット・アートの制作は少数の売れっ子アーティストが担うようになった。また、美術学校で芸術を学ぶイヌイットが出現し、従来の石製彫刻や版画だけではなく、絵画や金属や木材を用いた立体作品も制作するようになった。さらに、若いアーティストのなかにはより抽象的な作品を好んで制作する者が出てきた。

先住民アートの変化と将来

イヌイットや北西海岸先住民のアーティストは、現在でもそれぞれの地域に生息する生き物や伝統的な精神世界を表象する傾向が強い。一方、ファースト・ネーションズやメイティのアーティストは、被植民地化体験や現在の政治・社会・環境問題などを作品のテーマとして取り上げる傾向が見られる。もともと先住民アートは、先住民らしさを売り物とするものであったが、若手のなかには「先住民アーティスト」ではなく「アーティスト」を目指す者が出現している。今後、作品の内容や作風はますます多様化していくと思われる。

（岸上伸啓）

15

カナダの都市先住民

★新たな先住民ネットワークと文化の生成★

カナダの都市先住民

現在のカナダには、約167万人（総人口の約5％）の先住民がいる。16世紀以降にヨーロッパ人との接触が頻繁になるにつれ、天然痘、はしか、インフルエンザ、肺結核などの海外由来の疫病が先住民社会で流行し、先住民人口は20世紀前半まで減少し続けた。しかし、20世紀前半を過ぎると人口が徐々に増加し始め、現在でもその傾向が続いている。そして20世紀半ば以降、都市に移住する先住民が急増し、現在では先住民全体のほぼ半数が都市部に住んでいる。本章では、都市に在住する先住民（以下、都市先住民）について紹介する

カナダの都市先住民の動向

20世紀半ば以降、都市に移住する先住民は増加の一途をたどっている。また、現在では都市を故地（ホーム）とみなす先住民も増加しつつある。カナダ先住民が都市に移動した主な理由は、①仕事を求めて、②教育のため、③パートナーの移動のため、④自由を求めてなどである。都市には様々な資源や魅力があり、先住民を引き寄せる力を持っていた。一方、先住民

表　2016年の都市先住民人口

先住民人口の多い都市	ファースト・ネーションズ	メイティ	イヌイット	総　計
ウィニペグ	38,700	52,130	315	91,145
エドモントン	33,880	39,435	1,115	74,430
ヴァンクーヴァー	35,770	23,425	405	59,600
トロント	27,805	15,245	690	43,740
カルガリー	17,955	22,220	440	40,615
オタワ＝ガティノー	17,790	17,155	1,280	36,225
モントリオール	16,130	15,455	975	32,560

出典：Aboriginal Peoples in Canada: Key Results from 2016 Census. https://www150.statcan.gc.ca/n1/daily-quotidien/171025/dq171025a-eng.htm

のなかにはコミュニティや先住民居留地（リザーヴ）内での家庭内暴力や社会問題、経済的貧困を理由に都市に移住した人も多い。グローバル化が進行する現代社会において、このような都市が人々を引き付ける要因と故地が人々を送り出す要因の相互作用が、都市の先住民人口の増加の原因だと考えられる。

２０１６年の国勢調査によれば、約86万7千人（約52％に相当）の先住民が人口3万人以上の都市部に住んでいる。特に、ウィニペグ、エドモントン、ヴァンクーヴァー、トロント、カルガリー、オタワ＝ガティノー、モントリオールなどには多数の先住民が住んでいる（表）。

都市先住民は、医師、弁護士、教員、ビジネスで成功した人、先住民の政治団体の役職員、一般の賃金労働者、学生、福祉金受給者やホームレスなど多様である。会社や商店の経営者や先住民アーティストとして活躍している人がいる一方で、都市に移住した先住民のなかには、相互扶助のネットワークから外れ、社会的に孤立し、ホームレス生活を余儀なくされている人も多い。特に若い女性が都市に

モントリオール先住民友好センターの中の様子
（筆者撮影）

出たまま、行方不明になったり、殺害されたりするケースが頻発し、先住民女性の行方不明・殺害問題として社会問題化している。また、都市の先住民のなかには飲酒や薬物使用の問題を抱え、貧困に直面している人も少なくない。

都市に住むファースト・ネーションズとメイティ

ファースト・ネーションズは人口の55％強が居留地を離れ、都市で生活している。このなかにはヴァンクーヴァーのマスクイアムやモントリオールのモホーク、ニューブランズウィック州の州都フレデリクトンのマリシートのように都市の中や近郊に居留地のある先住民族もある。

メイティの総人口の3分の2は、ウィニペグ、エドモントン、ヴァンクーヴァー、カルガリー、オタワ＝ガティノー、モントリオール、トロントやサスカトゥーン等の都市部に住んでいる。

都市在住のファースト・ネーションズやメイティの大半は、彼らはコミュニティ内や近隣の都市で賃金労働に従事している。各主要都市には先住民友好センターがあり、文化活動の拠点や社会ネットワークの結節点として機能している。そこでは、ファースト・ネーションズとメイティの間で新たな出会いや交流が生まれ、これまでにない民族を超えたネットワークや汎先住民文化が生成されつつある。

都市に住むイヌイット

イヌイットの都市在住の歴史は、ファースト・ネーションズやメイティの人々と比べれば短い。1980年代以降、都市に移り住むイヌイットが多くなった。進学や就職のために都市に移動したイヌイットもいるが、他の先住民と異なり、家庭内暴力や社会問題から逃れるために出身コミュニティから逃避する女性や、コミュニティで問題を起こしたために追い出された男性が多い。このため、多数の都市在住イヌイットは、都市においてうまく適応できず、ホームレス生活を送ったり、健康問題や薬物・アルコール問題を抱えたりしている。

かつて都市在住イヌイットは、故郷の家族や友人と連絡が取れず、都市において社会的に孤立することがあったが、現在では、携帯電話やフェイスブック、ラインなどSNSの利用によって故郷や他の都市に住む家族や友人と連絡を取り合い、社会関係を維持することができるようになった。その社会的ネットワークは困った時の金銭支援など扶助の機能を果たしている。

都市在住イヌイットは、主にファースト・ネーションズやメイティの人々が利用している先住民友好センターを利用することを好まない。社会的交流の場を持たないイヌイットは社会的に孤立することが多かったので、オタワのイヌイット団体が中心となって、モントリオールやウィニペグ、セントジョンズなどにイヌイット専用の交流センターの創設支援を開始した。これらのセンター開設活動を通して都市イヌイットの全国ネットワークが形成されつつある。

都市先住民の将来

現在ではファースト・ネーションズの約50%以上、メイティの約65%以上、イヌイットの約25%が都市に住んでいる。都市に2世代以上住んでいる先住民も増加し、都市で生まれ、育った人々にとっては都市が彼らの故地となりつつある。今後も都市の先住民人口は増加すると推定されている。

都市においては高等教育を受け、経済的に成功した先住民とそうでない先住民との間に経済格差が拡大しつつある。前者は他のカナダ人の中流階級と同じような生活を送っているが、後者の人々は健康や飲酒・薬物使用、失業の問題を抱え貧困に直面している。

以上のように都市先住民には社会経済問題を抱えた人も多いが、多様で多彩な先住民が都市に集まり、特定の民族や出身地域を超えた交流によって、新たな先住民のネットワークや文化が形成されつつある。

（岸上伸啓）

16

先住民教育の現在

★教育の自治を求めて★

ブリティッシュ・コロンビア州（以下、BC州）ヴィクトリア市近郊のサーニッチの先住民居留地（リザーヴ）には、先住民自治体が管理運営する保育所、学校（幼稚園・小学校・中等学校）、中等後教育機関がある。保育所ではサーニッチ語やサーニッチ語のイマージョン教育が行われ、学校ではサーニッチ語とサーニッチ文化が正規科目として教授されている。中等後教育機関は、コモスン・カレッジやヴィクトリア大学のサテライト・キャンパスとして機能し、高等教育を受けることができる。しかもこの機関には、サーニッチ語の教員養成課程もある。このような教育体制が、全国の先住民自治体に広がりつつある。

だが、先住民居留地に暮らす子どもたちの学修状況は、一般には、大変厳しいものがある。2016年の国勢調査によれば、カナダ市民（20〜24歳）の高卒未満率は8％であるが、同年齢の先住民の高卒未満率は28％である。このうち先住民自治体に籍を置くファースト・ネーションズ（いわゆるインディアン）の高卒未満率は37％にも上る。ヌナヴト準州のイヌイットの若者（20〜24歳）の場合、高卒未満率はさらに高く、およそ62％である。メイティの高卒未満率は16％であるが、非先住民市民との

サーニッチの民族学校（筆者撮影）

間に10％もの開きがある。

このような学修状況の背景には、先住民の暮らし自体の厳しさがある。２０１１年から２０１６年の先住民居留地に暮らす若者（15～24歳）の10万人当たりの自死率の平均は、男子で78・８人、女子で52・９人である。この数は、非先住民の男子の７倍、同女子の18倍に相当する。さらにイヌイットの若者10万人当たりの男子の自死率は３６３・２人、女子の自死率は１０８・９人にも上る。高卒率の低さの背景に、自死を考えねばならぬほどの絶望と隣り合わせの暮らしがある。

このような厳しい現実を克服し、現代社会を生き抜く力をつけさせるために、カナダの先住民は、教育自治の実現を追求してきた。先住民であることに誇りをもてるようになることが、現代社会を生き抜く鍵だと考えられてきた。先住民言語や文化の学習は、非先住民と渡り合える学力を培う基盤であり、前提なのである。だが、先住民自治体の学校教育は、インディアン法上、カナダ政府の管轄下にあり、教育予算や教育課程を編成する権限は連邦政府の国務大臣にある。先住民自治体が運営する学校であっても、十分な教育予算を与えられていない。また、教育課程については、連邦政府が先住民自治体の学校に対して、州政府管下の学校と同等の学力を保障するよう求めていることから、基本的に州政府のカリキュラムに従わなければならないという問題がある。

2016年、先住民自治体の全国組織であるファースト・ネーションズ議会（AFN）とカナダ政府は「合同作業チーム」を組織し、先住民教育政策の策定や予算の編成を行うようになった。この体制のもと、連邦政府、州政府、各地の先住民自治体の教育行政機構との間で「地域教育協定」を締結し、先住民による教育自治体制を構築する施策が進められている。これまでにBC州とマニトバ州で、先住民団体が州内の先住民自治体の学校を統括し、教育省の役割を担う制度が構築されている。この協定とは別に、土地権益請求協定等を通じて、教育政策に関する立法権能や州政府の予算編成権に介入する権限をもった先住民自治体もある。

先住民はまた、先住民言語や文化の学習を、州政府が定めるカリキュラムに位置づけようとしてきた。たとえばBC州では、先住民言語・文化に関する科目が「国際言語」科目の選択科目に、先住民の歴史や社会問題に関する科目が社会科の選択必修科目になっている。先住民居留地に学校がない場合には、居留地の外にある一般の公私立学校に通うことになる。このような子どもたちがいる学区では、BC州では、先住民自治体と教育委員会との間で「先住民教育向上協定」が結ばれ、先住民の子どもたちの学習を支援する体制がとられている。

大学入試制度においても、先住民言語が入学試験の考査対象となっている。先住民学生を対象とする教員養成課程がいくつもの州に設置されている。大学においても先住民言語等、先住民に関する科目が正規の科目として設置され、先住民研究を目的とする学科や専攻をもつ大学も数多く存在する。さらに、ＢＣ州には州立の先住民大学（ニコラ・ヴァレー職業訓練大学）が、サスカチュワン州にはリジャイナ大学等と連携して運営されるファースト・ネーションズ大学がある。カナダの大学は、先住民に配慮した入試制度を構築するとともに、先住民のニーズに応える学問領域を拓いてきた。

このような動向は、単に先住民の教育自治を支援するだけでなく、非先住民の児童生徒にも、先住民理解の場を生み出してもきた。ＢＣ州の「先住民教育向上協定」のもとでは、先住民生徒と非先住民生徒が、共に先住民言語を学んでいる。近年、ウィニペグ大学（マニトバ州）とレイクヘッド大学（オンタリオ州）では、全学部で先住民関連科目を卒業必修科目にした。ＢＣ州では、教員養成課程に先住民関連科目の設置を義務づけている。カナダの多様性を理解し、尊重する態度を育成するという点で、先住民教育は多文化教育の最先端であり、モデルでもある。

このような仕組みを支えるものとして、２００８年6月11日のスティーヴン・ハーパー首相（当時）による元インディアン寄宿舎学校生徒への公式謝罪は重要である。かつてカナダ政府は、先住民としてのアイデンティティを「子ども時代に抹殺すること」を目的に、子どもたちを親元から引き離し、強制的に寄宿舎学校に就学させた。ハーパー首相は、この学校制度が、先住民言語や文化の断絶、今に続く家庭内暴力や貧困などの原因となっていることを認めた。カナダ政府は、謝罪後、徹底した事実解明を行う「真実究明・和解委員会」を設置した。現在、この委員会の勧告に沿って、様々な施策が行われている。

以上のような動向が、カナダ政府の「寛容」な態度によって展開されてきたとみることは早計である。元インディアン寄宿舎学校生徒への謝罪は、先住民による損害賠償訴訟の結果であった。そもそもカナダ政府が先住民政策の非を認めることになった契機のひとつに、ケベック州オカで起きたモホークと州警察およびカナダ軍との武力衝突（1990年）がある。政治闘争、裁判闘争、時に武力による先住民の闘争が、先住民政策の前提として存在する。

カナダ政府の先住民教育政策の背景には、少子高齢化対策として、先住民の労働力への期待がある。先住民は、20代以下の人口比が、他の集団と比べてきわめて高いからである。政府にとって、先住民を労働力の資源とするにたる「学力」の保障、すなわち、高校卒業率の向上や中等後教育の充実が欠かせない。先住民に期待する労働力の内容によっては、先住民が、学校教育を通して、産業社会の底辺に位置づけられてしまう危険もあるのである。

（広瀬健一郎）

17

伝統と近代の狭間で

★先住民と近代産業の関係の歴史と将来★

植民化される以前、カナダ先住民のほぼすべては狩猟採集民であった。彼らは日々の食料を得るために小集団で活動し、狩猟・採集ないし漁労を営んだ。収穫物は物々交換や再分配などの方法で個々人に均等化されたので、概していえば、貧富の差は生まれにくく、その結果、平等な社会を形成した。

このような先住民社会に近代化の波が押し寄せたのは、19世紀のことであった。ここでいう「近代化」という語が何を指すかは人によって解釈が異なるだろうが、それでもこの語が経済面における資本主義化を含むことは明らかである。カナダ先住民の場合、近代化とは、まずもって社会に近代（資本主義）的産業やそれ特有の労働体制、さらにはそれに基づく生活スタイルが導入された事実を指すものと考えてよい。そして歴史社会学者のフォレスト・ラヴィオレットによると、先住民の生活様式をこうして近代化することは当時のカナダ政府の先住民政策においても最重要課題であった。

もともと狩猟採集を営み、交換や再分配など比較的単純な経済行為を行ってきた先住民にとって、近代化、つまり資本主義の流入は彼らの生活を激変させ、また多くの場合は困難な状況をもたらした。それ以前は日々の生活物資を得るために物々交換をしていればよかったのに、今では貨幣を媒介せねばならなくなり、さらにはその貨幣を得るために近代的な産業のもとで労働しなくてはならなくなった。しかし働きたくても職がない。こういった困難が重なり、先住民の多くはカナダという国家の周縁へと追いやられていき、一方では貧困にあえぎ、他方では生きがいを見つけられずアルコール依存や自殺などの問題を抱えることになった。

しかしカナダ先住民には、近代化がもたらした諸々の困難を乗り越え、それに適応することができた人々もいた。東部ではモホークが建設業で活躍した時期があったし、西部ではいわゆる北西海岸、つまり太平洋沿岸に住む先住諸民族が様々な近代産業、特に商業的なサケ漁業と加工業（主に缶詰工場労働）に積極的に参入し、大きな経済的成功を収めたことで知られている。

北西海岸の先住民の例をもう少し詳しく取り上げよう。他のカナダ先住民と同様、北西海岸の先住民も狩猟採集（主に漁労）を営んでいたが、平等主義的な社会が多い狩猟採集民には珍しく、明確な階層制度を保持していた。彼らの社会はいわゆる貴族と平民にわかれており、しかもクワクワカワクゥという先住民族集団などでは、貴族層の人々が1位、2位、3位……と1人1人ランク付けされていた。彼らはこのような位階制度に基づき、上層の者あるいはランキング上位者によるリーダーシップのもと、家族や親族集団ごとに狩猟採集活動を行っていた。この地域で最も重要な食料資源はサケであり、人々は河川にて川を遡上するサケを堰や簗で獲り、越冬用に燻煙保存して食べていたのである。

このように、もともとサケの漁労に従事していた彼らではあったが、だからといって近代化以後の

まき網でサケをとるクワクワカワクゥの漁師たち
(筆者撮影)

商業的なサケ漁業にすぐさま適応できたわけではない。伝統的なサケ漁と商業的なサケ漁では、漁をする場所と技術的な(漁法の)面で、まったく違っていたからである。近代的サケ漁が行われるのは彼らの伝統的テリトリーから離れた遠い水域であり、しかも川でやってくるサケを待つのではなく、海で魚群を追わなくてはならなかった。しかも、そのために利用される刺し網やまき網などの漁具も、先住民にはまったくなじみのないものであった。しかしこれらの経験不足は、彼らの試行錯誤に基づく創意工夫によって乗り越えられていく。たとえば先住民はまき網という漁法を習得するため、すでにこの漁法に精通していたスコットランド系漁師のもとで修業を重ねたし、またサケが水上に跳ね上がる習性(ジャンパーと呼ばれる)を魚群の指標として、広い海の水面下のどこにサケの魚群がいるかを把握しようとした。しかし何より特筆すべき点は、組織的な集団労働が求められるまき網に挑むために彼らが採用した労働の組織化であろう。先住民は、この組織的な集団労働を行うにあたり、親族集団を単位とした、位階制度に基づく従来からの伝統的な労働体制を商業的なまき網漁にもち込んだのである。この方法が功を奏し、多くの先住民漁師が漁獲の面でおおいに成功したことが、様々な先住民の自叙伝から明らかにされている。つまり彼らは、近代的な産業における組織労働に、伝統文化の要素を導入したのである。近代のなかに伝統をもち込むというこの行為によって、先住民は、彼らにとって本来的に異質な近代なるものを、彼らにすでになじみのある形に飼いならしたといえるだろう。

さて、20世紀後半になると、かつては近代化の波にのまれていたカナダのその他の先住民のなかにも自分たちなりに経済的な自立を模索する人々が現れている。近年しばしば話題になるカジノ経営や先住民アートの制作の例をのぞくと、たとえば北西海岸と同様に漁業や養殖業で生計を立てようとする大西洋側の先住民や、エコツーリズム業でツアーガイドとして活躍する内陸部の先住民の例などが該当するが、これらはいずれも自然環境と関わる産業に先住民が従事する点で共通している。この点をふまえるならば、環境破壊が近代産業と先住民の結びつきに決定的な打撃を与えることは、容易に想像できる。そして近年、この懸念が現実化し始めている。

環境破壊は今に始まった問題ではない。しかし現在地球規模で展開している（地球温暖化など）気候変動は、不可逆的なものといわれており、適切な環境保護を行ったとしてもかつての状況をとり戻せるというものではない。地球温暖化は各地の生態系を変え、北西海岸および大西洋側からサケをはじめとする様々な魚を減少させ、またエコツーリズムで観光客たちを魅惑する氷河を融かし、森の動物たちを減少させている。そうなれば、先住民が参入するこれら様々な産業を持続するのも難しい。先住民の近代産業への参加が自然環境と密接に関わるものである以上、その運命は、先住民および政府が、迫りくる気候変動に、いかに対処するかにかかっている。

（立川陽仁）

18

カナダ社会で活躍する先住民

★たいまつを高らかに掲げて★

我々は「活躍する先住民」というと、その人物を「アメリカの先住民」であると決めつけてはいないだろうか。しかし、そこにはカナダ出身、あるいはカナダで活躍する人物も多く含まれていることも知っておきたい。

長いキャリアのなかで100を優に超す作品に出演し、先住民が登場する（TV）映画でその姿を見かけることが非常に多いグラハム・グリーン（1952年〜）とタントー・カーディナル（1950年〜）も、カナダ出身の先住民である。

イギリスの著名な小説家と名前の綴りが同じグリーンは、有名な「イロコイ連合」の一員オナイダである。同じイロコイ連合だったカイユーガ出身の有名俳優ゲイリー・ファーマーとは、幼馴染である。肉体労働やバンドのローディーやマネージャーなどを経て30過ぎから俳優に転じたグリーンは、（TV）映画に端役として出演しながら下積み生活を送っていた。ヒット作『ダンス・ウィズ・ウルブズ』（1990年）でケビン・コスナー演じる主人公と親交を深めるラコタ（スー）を魅力的に演じ、アカデミー助演男優賞にノミネートされてから広く知られるようになり、その後は脇役ながら強い印象を残す先住民役を演じ続けている。

クリー／メイティのカーディナルは『ダンス・ウィズ・ウルブズ』でグリーンと、『レジェンド・オブ・フォール　果てしなき想い』（1994年）ではブラッド・ピットと共演した。日本でも放映されたTVドラマシリーズ『ドクタークイン　大西部の女医物語』（1993～98年）では、主人公の友人のシャイアン女性を演じた。2009年のカナダ勲章のほか数多くの賞を受け、現在最も尊敬されている先住民女優のひとりである。カーディナルは、環境保護運動にも積極的に関わっている。彼女にとって先住民を演じることと政治活動は、どちらも先住民に歴史的に不当に加えられてきた不正をただす「正義感」に基づく行為であり、同じ次元の活動なのだという。

サルトーのアダム・ビーチ（1972年～）は、100本近くの映画やテレビドラマに出演し、ハリウッド大作映画でも主役を演じ、現在最も活躍中の先住民俳優のひとりだ。アメリカ合衆国の先住民シャーマン・アレクシー（原作・脚本）、クリス・エア（監督）による、キャリア初期の代表作『スモーク・シグナルズ』（1998年）では、主役のひとりを演じた（母親役はカーディナル）。彼は日本と関係のある映画でも主役を演じている。『ウィンドトーカーズ』（2002年）では太平洋戦争で活躍したナバホ暗号兵役でニコラス・ケイジと共演し、クリント・イーストウッド監督『父親たちの星条旗』（2006年）では硫黄島で摺鉢山に星条旗を掲げ有名になった6人の海兵隊員のひとり、先住民（ピマ）アイラ・ヘイズを演じた。彼は通説的な歴史叙述に先住民が被った悲惨な体験を織り込むことが、役を演じる自分の使命であるとしている。2012年に設立した「アダム・ビーチ・フィルム・インスティテュート」では、若い先住民映画人の育成にも力を注ぐ。近年は先住民以外の役にも幅を広げ、ヒット作『スーサイド・スクワッド』（2016年）ではアメリカン・コミックの悪役を演じた。

60～70年代を代表するフォークシンガーであるクリーのバフィー・セントメリー（1941年～）は、先住民の抱える問題を含むプロテストソングを今も発表し続けている。国家に功績のあった人物に贈られるカナダ勲章を1997年に受章したほか数多くの受賞歴をもち、ジョー・コッカーとジェニファー・ウォーンズのデュエットで大ヒットしたリチャード・ギア主演の映画『愛と青春の旅だち』の同名主題歌では、作曲者3名のひとりとしてアカデミー歌曲賞を獲得した。

ロビー・ロバートソン（1943年～）は、メンバーの5名中彼を含む4名がカナダ人でありながらアメリカのカントリー、リズム・アンド・ブルース、フォークに根差した数々の名作を残した「ザ・バンド」の、リーダー兼リードギター・プレイヤーだった。『レイジング・ブル』『キング・オブ・コメディ』『ハスラー2』『カジノ』といった有名なアメリカ映画の、音楽プロデューサーも務めている。ロバートソンは長く先住民イロコイ連合モホークの出自を公にしていなかったが、1987年にそのことを明かしてからは先住民のドラムや詠唱（チャント）を現代的サウンドに取り入れ、自身の先住民ルーツを見つめ直す作品を世に送り続けている。2002年のソルトレイクシティ・オリンピック開会式では、オフィシャルテーマソング「ストンプ・ダンス（ユニティ）」を、チェロキー血統をもつ歌手リタ・クーリッジのグループ「ウァレー」と共に歌った。

トーマス・キング（1943年～）は、最も有名な先住民文学者のひとりである。チェロキーの血をひくキングはアメリカに生まれたが、カナダに移住し小説、批評、児童書、ノンフィクション、先住民作家の作品集の編纂、テレビやラジオの脚本や制作、講演と、加米両国で活躍している。デビュー作『メディスン・リヴァー』（1990年）は、カナダの架空の先住民居留地（リザーヴ）で暮らす人々をユーモアとペーソス豊かに描き高い評価を得て、93年にはグラハム・グリーン主演でTVドラマ化された。また先住民の悲劇的な歴史を軽妙洒脱な文章で辛辣に描いた『不都合なインディアン――北米先住民の興味深い物語』（2012年）は、カナダの優れたノンフィクションに贈られる複数の賞を得た。2004年には、カナダ勲章を授与されている。

カナダの現代先住民文学／芸術分野の先駆者で社会活動家のマリア・キャンベル（1940年〜）はクリー／メイティで、ルイ・リエルとともに「ノースウェストの抵抗」（1885年）を戦ったガブリエル・デュモンの縁者でもある。夫の暴力や子どもとの離別で心を病み、アルコールやドラッグへの

『不都合なインディアン――北米先住民の興味深い物語』のペーパーバック版表紙

マリア・キャンベル（サスカトゥーンの自宅にて、2017年）。キャンベル氏は最近、自分の先住民のアイデンティティをより明示するために顔にタトゥーを入れたという。（筆者撮影）

耽溺や自殺未遂を経て著述を始めた。19世紀後半のカナダ西部での一族の歴史から、自身の再起までの人生を描いた『混血者』（1973年）は、「今世紀で最も優れた書物」（『ナショナル・ポスト』紙）といわれるほどのベストセラーとなった。先住民文化にまつわる児童書や劇、自身の制作会社による先住民関連の（TV）映画の脚本執筆、監督、制作、先住民芸術のアートスクールやワークショップの主催、暴力を受けた先住民女性や子どもの社会復帰や権利擁護といった多様な活動を行い、世界各地で講演や講義を行うキャンベルは、2008年のカナダ勲章に加えカナダ各地の大学の名誉博士号を授与された。今も彼女はメイティ女性から大きな尊敬を受けるエルダー（長老）として、大学で先住民の歴史や伝承、小説や劇の創作方法を教えている。

以上みてきたように、本章で紹介した人物はそれぞれの分野でカナダのみならず世界的にも高い評価を得ながら、先住民の権利を奪い蔑視してきたカナダと世界に対し、先住民としての誇りのたいまつを高く掲げ続けているのである。

（岩﨑佳孝）

19

カナダの自然と先住民

★大地、水、そして動物とともにある私たち★

カナダといえば多くの人は北方の自然豊かな国、というイメージを抱くのではないだろうか？　ただしその自然は決して一様ではない。極北に広がるツンドラ地帯、北西海岸の豊かな海と巨木からなる森、内陸の亜極北針葉樹林の先には大平原が広がっている。ロッキー山脈をはじめとする山々がそびえ、大きな湖や河川も点在する。カナダ先住民は、そのすべての自然環境を生活の場として利用しながら独自の文化を育んできた。

北米大陸に人類が到達したのは、諸説あるものの約1万数千年前と言われている。その後カナダ全域に広がって今日の先住民となった人々に共通しているのは、西欧社会との接触以前は、東部の森林地帯において農耕も行われていたものの、基本的には狩猟採集を基盤とした社会であったということだろう。そして自然を開発したり管理したりするのでなく、自然の恵みを享受するという狩猟採集民的なライフスタイルのなかで、多様な自然に適応するための様々な様式が生み出された。

現在我々にも馴染み深いカナディアンカヌーやカヤックも、そうした自然のなかでの生活から生まれたものである。カヌーは森林地帯の先住民が川を移動する手段だったし、カヤックはイヌイットが海獣狩猟などに用いた皮製の船が原型になっている。道具だけではなく、先住民の古老による「大地、水、そして動物とともにある私たち」という言葉に表されるような自然や動物との一体感のなかで、アニミズム的な信仰も生まれた。たとえばカナダ北西部に暮らすアサバスカンの人々は、ビジョンクエストと呼ばれる成人儀礼において動物の守護霊を得ることによって、生涯その動物に守られて暮らした。

ユーコン先住民の古老が罠で捕獲したビーバーを運んでいる。（ユーコン準州、筆者撮影）

そうした生活にやがて大きな変化が訪れることになる。16世紀になると、まずはカナダ東部でヨーロッパからの入植者との間で毛皮交易が始まり、その範囲は徐々に広がっていった。交易は良いことも悪いことも含めて先住民社会を大きく変える要因となった。狩猟採集生活を支えてきた動物、特にビーバーのような毛皮が高く売れる動物たちが過剰に捕獲されて激減すると、立ち行かなくなった伝統的な生業をやめて、定住し賃金労働に従事する先住民が増えた。また、交易という、ある種対等な関係にあった先住民とヨーロッパ系カナダ人の関係は、寄宿舎学校における同化教育やキリスト教化を経由して次第に不均衡なものへと変化していった。

こうした先住民の状況をよく表す事例がある。1929年に開坑したノースウェスト準州のエルドラド鉱山は、世界で最も初期に稼働していたウラン鉱の1つである。そこで働く労働者として近隣に住む先住民が集められたが、この際危険性を知らされず、過酷な労働条件のもとで働いていたために多くの人が、肺癌などの疾病に倒れた。閉山された現在も、鉱山付近やウランを運び出したグレートベア湖の一部は汚染がひどく利用できない。しかし、そのことをしばらくの間知らされなかった先住民たちは狩猟採集によって汚染された動植物を口にし、さらなる健康被害を受けた。実はこの鉱山で掘り出されたウランが日本に落とされた原爆に使われていたことから、共通の被害者として広島の人々との交流が続けられている。放射性物質で汚染され、自分たちの土地が失われることの痛みは、ヒロシマ・ナガサキ、そしてフクシマを経験した私たちにとって決して他人事ではない。

しかしこうした状況においても、先住民のなかにあった自然とのつながりを希求する心は完全に失われることはなかった。カナダ社会では第二次世界大戦が終わり、市民運動が盛んになるにつれ、先住民の権利についても回復を求める運動が大きなうねりを見せるようになる。こうしたなかで「土地権益の請求」が行われるようになるのだが、そこには単に土地の返還を求めるだけでなく、その土地で生きるうえで重要な狩猟権などの諸権利を求めるという意味合いも含まれていた。

この「土地権益の請求」の流れを変えた重要な出来事とされる１９７３年のコルダー判決で、先住民の権限、すなわち先住権に付随する諸権利が失われていないことが確認されるとカナダ政府はそれまでの方針を変えざるを得なくなる。そして１９７４年、先住民権益審議局を創設し、各地の先住民自治政府との交渉に着手、この結果、ヌナヴト協定、ニスガ協定など数々の協定が締結され、また現在も複数の自治政府との間で締結に向けた協議がなされている。こうした先住権運動のなかで、たとえば自家消費のためなら基本的にはいつ、どこで、どんな種でも、どれだけでも狩猟することができる狩猟権など、様々な権利を回復していった。

そうは言っても先住民の世帯収入は相対的に低く、それだけで生活するのは苦しい。これを支えているのが「混合経済」と呼ばれる、伝統的な狩猟採集活動と貨幣経済を組み合わせた生活スタイルである。狩猟した肉を食べることは、単に食糧を補填するという意味合いだけでなく、狩猟やそれに伴う様々な活動、肉の贈与やなめし皮を使った工芸品の製作、そして何より動物や土地を自分たちの一部とみなすような世界観を維持するためにも重要な役割を果たしている。

また、狩猟やエコツアーのガイドなど、先住民の自然に関する知識や技術を活用した新しい仕事も生まれている。たとえば絶滅危惧種であるホッキョクグマ猟はイヌイットのガイドをつけ、高い報酬を支払うことで初めて許可される。これは地方で生活しながら現金収入を得る手段となり、自分たちの知識を維持するという利点がある。ただし、本来動物から得たものをお金に変えることをよしとしない伝統的な価値観との齟齬(そご)から批判的な意見もある。

自然との関係という観点からは、近年さらに新しい問題に対峙している。温暖化や環境汚染、開発の影響である。これに対して先住民とカナダ政府が共同で対策を取るという動きが活発になっている。しかし先住民の自然観は科学とは相容れない部分も多く、共同管理を否定的に捉える先住民も多い。その一方で、所与の土地で植物や動物、先住民や非先住民といった様々な存在がよりよく暮らすためにお互いが手を取る、という理念に基づくスチュワードシップのような考え方を導入するという動きも出てきた。このように先住民社会とドミナント社会との新たな関係を作り出そうという動きが、自然との関係のなかで生まれているというこの状況こそが、カナダという国らしさと言えるのかもしれない。

(山口未花子)

Ⅳ

日系カナダ人と日本文化のひろがり

20

BC州、オンタリオ州、ケベック州の日系カナダ人

★多様性のなかでの新たな絆★

本章および次章では、日系人人口の大きいブリティッシュ・コロンビア州（以下、BC州）、オンタリオ州、ケベック州、平原諸州（プレーリー）における現代の日系人の状況を眺める。2016年の国勢調査では、カナダの日系人人口は12万1485人（全人口の0・35％。人口分布は章末の表を参照）。まず本章でBC、オンタリオ、ケベックの3州に焦点を当て、次章でプレーリーを扱うが、カナダにおける現代の日系人の状況を示すには日系人のこれまでの歩みを眺める必要があると考え、本章でプレーリーも含む諸地域共通の歴史に触れたい。

日本人移民第1号とされる永野万蔵がBC州に到着したのは1877年。日本人移民とその子孫である日系カナダ人の歴史は当地を中心に展開することになる。そこに、現代につながる大きな変化をもたらしたのは、太平洋戦争である。1942年、カナダ政府はBC州太平洋岸の「防衛地域」から全日系人の立ち退きを決定。日系人はBC州内陸部またはアルバータ州、マニトバ州などの道路建設現場、砂糖大根栽培地、自給自足事業地、そして10カ所の内陸収容所に送られ、1949年までBC州への帰還は許されなかった。プレーリーに日系人が定着する

のは、この時期である。

1944年、カナダ政府は戦後の日系人政策の基本原則――①日系人のカナダ全土への拡散、②カナダに不忠誠な日系人の日本送還、③日本からの移民禁止、④カナダにとどまる日系人の正当な扱い――を公表し、日系人に忠誠審査を実施。日本への送還を希望するか、「ロッキー山脈の東側」への移動を条件としてカナダにとどまるか、の選択を迫った。ここに現代の日系人の状況の原点があると言っても過言ではない。そうした戦時中の日系人の扱いに対して、カナダ政府がようやく謝罪と補償(リドレス)を決定したのは1988年。日系人にとって戦後の始まりは遅かった。1947年に送還計画は撤回されるが、それまでに3964人の日系人が日本に送られてしまっていた。他方、「ロッキー山脈の東側」への移動は遅々としていた。それでも結果的には多くの日系人が見知らぬ東部へ向かう、つまり大陸を横断しオンタリオ州とケベック州に「再定住」するという苦渋の決断をしたのである。1941年に234人であったオンタリオ州の日系人人口は1951年には8581人となり、ケベック州(主としてモントリオール)では、48人から1137人となった。この2州に日系人が向かった理由は、仕事があったこと、そして差別があったとはいえ、日系人を支援する組織ができたことだった。逆に、BC州の日系人は同時期に2万2096人から7169人に大きく減少している。

トロントでは、2017年、新日系コミッティー(1976年発足のトロント新移住者協会が、2015年に改名。NJCC)と日系文化会館(JCCC)の編集による『トロント新移住者50年の歩み 1967−2017』が発刊された。この記念誌では、1967年を新移住者の「移住元年」としている。戦後トロントに「再定住」した日系人に加えて、1967年の移民法改正により日本から新移住者が東部にも向かったのであり、現在では日系人人口の50％が新移住者である。また、日本に送還され、戦後の日本で暮らしたのちカナダに「戻る」決心をした日系人もいる。このように、トロントの日系人コミュニティの特色を示す最も重要なキーワードは、コミュニティを作り上げている人々の「多様性」であると言える。

そして、その「多様性」は他州の日系人コミュニティにおいても明確にみられる。1970年代以降、BC州もオンタリオ州もケベック州も、州自体がそれぞれ「多様性」を謳い、ことに3州に共通して、ヴィジブル・マイノリティの割合が高い（第7章参照）。このようなカナダ独特の「多様性」のなかで、日系人は彼ら自身の「多様性」を保持しているのだ。もう1つ、これら3州に住む日系人の共通点は、国勢調査によると教育レベルも所得もカナダ平均より高いことである。職業に関しては、商業関連が多く、興味深いことに芸術、文化、スポーツに関わる仕事に従事している日系人の割合はカナダ全体より高い（ことにケベック州では）。

これらを背景に、現代において「多様性」を尊重しつつ、コミュニティとしての絆を確認する姿勢・活動としては、⑴日本文化・伝統の継承、⑵日系文化の継承、⑶カナダに住むカナダ人として、他のエスニック集団との交流、が挙げられる。トロントの例では、「再定住」直後、差別を受けないよう集団での活動を避けていた日系人が早くも1963年に日系文化会館（JCCC）を創設したが、これは「コミュニティとしての『カミングアウト』でもあった」と、後のニューズレターに記されている。日系人としての絆を認識し、外に向けて示したのである。現在も、カラオケ大会、和太鼓、組み紐などのワークショップ、和食家庭料理教室などの企画に日本文化を継承する姿勢が明確である。

BC州政府に「提言」を手渡した日系人（2019年11月）（トシュ・キタガワ撮影）

「トロントには、リトルイタリーやコリアタウンに匹敵するような日系人コミュニティがないからこそ、ＪＣＣＣのイベントを通して日系人が日本の文化の継承と発信を続けている」とＪＣＣＣは言う。「一世の日」と銘打ったシニアのための催しは２０１９年に第57回目。一世への感謝を示すＪＣＣＣ発足当時の意味合いは変化しているものの、戦前の一世、二世が育んだ日系人の文化の継承と位置づけられよう。

　トロントより規模は小さいが、モントリオールの日系人コミュニティの状況も同様である。在モントリオール日本国総領事館のホームページに並ぶ「当地域の日系組織」の大半は武道やお茶など日本の文化を伝えている。同時に、ケベック州の日系人コミュニティの中心的存在であるモントリオール日系文化会館（ＪＣＣＣＭ）（１９７６年創設）は、現在の使命をこう述べている。「独自の歴史を持つ日系カナダ人の文化的遺産を保持すると同時に……われわれの文化上の境界を越えて他のエスニック・コミュニティと交流することを目指す」。

ＢＣ州の日系人コミュニティの中心である日系博物館・文化センター（ＮＮＭＣＣ）は、その使命を『よりよいカナダ』のために、日本文化と日系カナダ人の歴史および遺産を尊び、保存し、共有する」と謳っている。一例として、トロントと同様「一世への感謝」を挙げているが、それ以上に、戦時中の日系人取り扱いを振り返る活動が多くみられることは興味深い。２０１９年11月には、グレーター・ヴァンクーヴァー日系カナダ市民協会を含む全カナダ日系人協会（ＮＡＪＣ）代表がＢＣ州政府に『ＢＣ州の日系カナダ人が被った歴史的不正行為を正すための報告書』を提出した（前ページ写真）。戦時中の日系人取り扱いにはＢＣ州政府にも責任があったことを提示し、謝罪を求める提言である。そこには教育など5つの勧告が示されているが、日系人としての遺産を政治的に主張しつつ、他のエスニック集団の人権問題にも取り組む姿勢が明らかである。また、このような抗議・主張を実らせるには、日系アメリカ人と連帯する必要があると論じている点は興味深い。

現代の日系人の活動と意識は、「多様性」を基盤に、歴史を重視しつつ、地理的にも広がっている。

（飯野正子）

表　日系カナダ人の人口（2016年）（1/2）

州	人口		（単）	（複）
カナダ全国（州・準州）	121,485		56,725	64,760
一世	45,060		32,370	12,690
二世	37,615		13,300	24,315
三世以上	38,810		11,060	27,750
うち新移住者世帯※	60,075	49.5%		
ブリティッシュ・コロンビア州	51,150		26,400	24,750
一世	19,855		15,880	3,970
二世	16,100		6,240	9,860
三世以上	15,195		4,280	10,920
うち新移住者世帯	26,095	51.0%		
ヴァンクーヴァー	37,630		20,265	17,365
一世	15,795		12,680	3,115
二世	12,055		4,670	7,385
三世以上	9,775		2,915	6,865
うち新移住者世帯	20,465	54.4%		
ヴィクトリア	2,980		1,435	1,545
一世	1,365		1,100	265
二世	875		180	690
三世以上	740		150	590
うち新移住者世帯	1,835	61.6%		
プレーリー諸州	20,490		8,100	12,385
一世	6,450		4,090	2,350
二世	5,835		2,105	3,735
三世以上	8,210		1,905	6,305
うち新移住者世帯	8,825	43.1%		
アルバータ州	16,595		6,695	9,900
一世	5,265		3,440	1,825
二世	4,745		1,720	3,025
三世以上	6,590		1,535	5,055
うち新移住者世帯	7,230	43.6%		
エドモントン	3,635		1,230	2,400
一世	1,225		710	510
二世	1,085		250	835
三世以上	1,325		275	1,055
うち新移住者世帯	1,705	46.9%		
カルガリー	7,705		3,125	4,575
一世	2,745		1,810	935
二世	2,295		685	1,605
三世以上	2,665		625	2,035
うち新移住者世帯	3,835	49.8%		
レスブリッジ	1,805		900	905
一世	250		185	65
二世	460		340	120
三世以上	1,095		380	720
うち新移住者世帯	305	16.9%		
サスカチュワン州	1,225		460	760
一世	465		295	170
二世	350		115	240
三世以上	405		55	355
うち新移住者世帯	655	53.5%		

（次ページにつづく）

表　日系カナダ人の人口（2016年）（2/2）

州	人口		（単）	（複）
リジャイナ	390		170	220
一世	160		105	50
二世	135		45	85
三世以上	100		15	85
うち新移住者世帯	225	57.7%		
サスカトゥーン	565		215	355
一世	200		145	55
二世	170		50	115
三世以上	200		20	180
うち新移住者世帯	295	52.2%		
マニトバ州	2,670		945	1,725
一世	720		355	355
二世	740		270	470
三世以上	1,215		315	895
うち新移住者世帯	940	35.2%		
ウィニペグ	2,290		850	1,440
一世	630		320	310
二世	655		240	415
三世以上	1,005		290	715
うち新移住者世帯	840	36.7%		
オンタリオ州	41,620		18,835	22,785
一世	14,615		9,710	4,905
二世	13,055		4,535	8,515
三世以上	13,955		4,590	9,365
うち新移住者世帯	19,525	46.9%		
トロント	28,045		13,725	14,315
一世	10,425		7,065	3,365
二世	9,330		3,445	5,890
三世以上	8,285		3,220	5,060
うち新移住者世帯	13,895	49.5%		
オタワ＝ガティノー	3,370		1,180	2,190
一世	1,230		750	475
二世	1,060		235	830
三世以上	1,080		195	890
うち新移住者世帯	1,755	52.1%		
ケベック州	6,495		2,640	3,855
一世	3,325		2,100	1,225
二世	2,150		310	1,840
三世以上	1,020		225	790
うち新移住者世帯	4,525	69.7%		
モントリオール	5,320		2,220	3,100
一世	2,800		1,745	1,055
二世	1,715		290	1,425
三世以上	810		185	620
うち新移住者世帯	3,720	69.9%		
ケベックシティ	475		170	300
一世	240		150	95
二世	185		10	180
三世以上	50		15	35
うち新移住者世帯	375	78.9%		
その他の州・準州	1,730			

※　一世および14歳以下の二世（以下同）

単：単一祖先（日本人）、複：複数祖先（日本人と日本人以外）

出典：Statistics Canada—2016 Census. Catalogue Number 98-400-X2016187を基に原口邦紘作成

21

プレーリーの日系カナダ人

★文化活動とカナダの多文化主義★

ロッキー山脈東部に広がるアルバータ、サスカチュワン、マニトバの3州（以下それぞれAB州、SK州、MB州）はプレーリー（平原諸州）と呼ばれる。2016年国勢調査によれば在住日系人は2万4490人。8割がAB州都エドモントン、カルガリーおよびレスブリッジ、SK州都リジャイナおよびサスカトゥーン、MB州都ウィニペグの6都市に集中している（前章の表を参照）。その4割以上は、1970年代以降の新移住者であり、日系社会は多様化の時代を迎えている。

太平洋戦争後プレーリーの日系人コミュニティが形成されたきっかけは、戦前からブリティッシュ・コロンビア州（以下、BC州）以外で唯一存在していた南アルバータの日系人社会（約500人）と、大戦中にBC州から強制移動させられ、マニトバ州と南アルバータ地域の砂糖大根農場での就労を余儀なくされた日系人集団（約3700人）であった。大半がそのまま残り、ウィニペグやレスブリッジ、カルガリー、エドモントンへ転住し日系人コミュニティを発展させた。彼らを引き留めた大きな理由の1つは、AB・MB両州において日系人を受容する環境が育まれていたからである。

現在のカナダ全国の日系人コミュニティの主な組織を表に示した。プレーリー諸州の特徴は、文化センターを有するコミュニティがセンターを交流の場として文化活動により組織を活性化していることである。実例として戦後のコミュニティ形成と定着が最も早かったウィニペグを見てみよう。中心組織のマニトバ日本文化協会（ＪＣＡＭ）は大戦直後の１９４６年に創立のマニトバ日系人協会（ＭＪＣＣＡ）を前身とする。以来一地方組織ながら１９８０年代のリドレス運動に至る日系カナダ人の権利獲得、人権回復の運動に全力で取り組み、全カナダ日系人協会（ＮＡＪＣ）を支えてきた。その会長としてリドレスをリードしたのはＭＪＣＣＡ出身のアート・ミキである。

その後ウィニペグの日系人コミュニティは活動の幅を拡大している。なかでも１９７０年、マニトバ州誕生１００周年を記念して始まったフォークロラマには最初から参加してきた。これはマニトバ州の多文化主義を具体化する2週間にわたり市内40以上のパビリオンで繰り広げられる北米有数の民族祭である。ＪＣＡＭの機関誌『展望』はフォークロラマを、マニトバ市民協会の使命とする「日本および日系文化と遺産に関心を持つコミュニティを育成し維持する」ための最重要年中行事と位置づけている。同協会は日本語学校はじめ文化センター（１９９２年開館）を軸に多彩な文化活動を行っている他、ニッケイ・ヘリテージ・デー（10月）やアジア・ヘリテージ月間（5月）などエスニック行事などに積極的に参加している。

フォークロラマと並ぶプレーリーの多文化主義行事がエドモントン・ヘリテージ祭りである（１２４ページの写真）。１９７６年の初開催以来、エドモントン日本文化協会（ＥＪＣＡ）は毎年参加してきた最古参である。長期参加を可能にしたのは、戦前からの日系人と新移住者（１９７７年設立の日本語学校

表　日系人コミュニティ主要組織・施設

ブリティッシュ・コロンビア州
・日系博物館・文化センター（2000）※
・グレーター・ヴァンクーヴァー日系カナダ市民協会（1990）※
・ヴァンクーヴァー日本語学校（1906）
・日系人会館（1928）
・隣組（1974）
・グレーター・ヴァンクーヴァー移住者の会（1977）
・パウエル祭協会（1977）
・ヴァンクーヴァー・ビジネス懇話会（1956）
・ヴァンクーヴァー補習授業校（1973）
・ヴァンクーヴァー日系ガーデナーズ協会（1957）
・ヴァンクーヴァー桜楓会（1985）
・企友会（ヴァンクーヴァー日系ビジネス協会）（1987）
・日加商工会議所（2003）
・スティーブストン日本語学校（1960）
・スティーブストン日加文化センター（1992）
・カムループス日系カナダ人協会（1976）※
・カムループス日本文化センター（1994）
・ヴァーノン日本文化協会（1940）※
・ヴァーノン日本文化センター（1934）
・ヴィクトリア日系文化協会（1993）※
・ヴィクトリア日本友好協会（1995）
・ヴィクトリア・ヘリテージ日本語学校（1989）
・セントラル・ヴァンクーヴァー島日系カナダ人文化協会（セブン・ポテイトーズ）（1985）※

アルバータ州
・エドモントン日本文化協会（1947）※
・エドモントン日本文化会館（1994）
・エドモントン地区日本人コミュニィティスクール（補習授業校）（1977）
・カルガリー日系人協会（1963）※
・カルガリー日系文化会館・高齢者センター（1998）
・カルガリー新移住者協会（1978）
・カルガリー日系青年協会（2011）
・カルガリー日本語学校（1975）
・カルガリー補習授業校（1976）
・アルバータ日本貿易懇話会（1976）
・レスブリッジ日系文化協会（1948）※
・レスブリッジ沖縄文化協会（1966）
・南アルバータ新移住者協会（1977）
・日加友好日本庭園協会（1967）

サスカチュワン州
・リジャイナ日本文化クラブ（1937）※
・サスカツーン日本人協会（1976）
・サスカツーン補習授業校（1978）

マニトバ州（ウィニペグ）
・マニトバ日本文化協会（1946）※
・マニトバ日系文化センター（1992）
・マニトバ日本語学校（1989）
・全カナダ日系人協会（NAJC）本部（1947）

オンタリオ州
・グレータートロント NAJC 支部（1947）※
・日系文化会館（1963）
・新日系コミッティー（2015）（旧トロント新移住者協会）
・トロント日加協会
・トロント補習授業校（1976）
・トロント国語教室（1977）
・日加学園（1978）
・日修学院（1986）
・ロンドン・ヘリテージ日本語学校（1985）
・ハミルトン NAJC 支部※
・ハミルトン日系文化会館（1995）
・レイクヘッド日本文化協会（1987）※
・トロント日本商工会（1957）
・トロント新企会（1978）
・オタワ日系協会（1976）※
・オタワ日系文化センター（1991）
・オタワ日本語学校（1976）
・オタワ補習校（1993）

ケベック州
・モントリオール日系文化会館（1975）
・モントリオール日本語補習校（1972）
・モントリオール日本商工会

ユーコン準州
・ユーコン日系人会（2009）※

※は全カナダ日系人協会(NAJC)メンバー。(　)内は創立年。仏教（浄土真宗）寺院、合同教会等は省略。(2020 年 8 月現在、筆者作成)

エドモントン・ヘリテージ祭り日本パビリオン前（EJCA 提供）

保護者が中心）のコミュニティがヘリテージ祭りに共同参加したことをきっかけに、交流関係を培ってきたからである。早くも１９８２年には、新移住者のＥＪＣＡ会長が誕生している。新旧移民の相互協力関係が当初から良好な日系組織は全国的にも珍しい。ＥＪＣＡの特色はその開放性と進取性であるといえよう。現会員８００人の顔触れは、戦前からの日系人とその子孫、新移住者とその子孫、短期滞在者、一般カナダ人と多様だが、血縁的には日本人・日系人ではなくて日本文化に興味のあるカナダ人が半数近くいる。１９９４年の文化センター完成を契機に、会員資格を日本文化に関心のあるカナダ人に広げるとともに地元の文化団体やスポーツ・クラブを勧誘して会員の増加をはかった。その努力が会員と行事の多様化につながったとのことだ（機関誌『もしもし』）。同協会は「日本文化とカナダ文化を皆と一緒に理解し振興しようとする人達の集まり」を基本理念としており、その開放性は全国の日系組織のなかでも突出しているといえよう。年間行事は、新年会、ひな祭り、バザー、クリスマスパーティなどの他にヘリテージ祭り、最近は夏祭りも加わった。さらに、注目されるのは、カナダ社会一般を対象にした日本文化振興の活動である。中学生を対象にしたジャパン・トゥデイや高校生を対象のエクスプロア・ジャパンは、青少年に対する総合的な日本文化紹介・体験プログラムを通して、日加友好関係に貢献する文化事業として高い評価を得ている。

日系人人口カナダ第3位のカルガリーでは、日系人コミュニティが総出で開催する「カルガリー・ジャパニーズお祭り」が2011年の初開催から10年目を迎え、今や一般市民7000人を動員する市最大の祭り行事として定着している。主催者のカルガリー日系人協会（CJCA）は日系人の地域コミュニティの中心として、「日系の遺産の保存と文化の継承」を使命として活動してきた。2004年に新移住者協会（1978年発足）がCJCAに加入して以来会員が多様化し、文化センター（1996年建設）を交流の場として、各種の行事やプログラムが提携して行われるようになった。年間行事はエドモントンとほとんど同じだが、お祭りは最大イベントである。

レスブリッジを中心とする南アルバータには、レスブリッジ日系文化協会の他に、レスブリッジ沖縄文化協会（戦前の日系人の子孫の組織）や南アルバータ新移住者協会（1970年代に海外移住事業団の斡旋により移住した農業移住訓練生とその家族の組織）などがあるが、組織間の交流は進んでいなかった。文化センターがないのも一因と思われるが、どこも会員の高齢化による後継者難、若者の無関心が最大の原因のようだ。いっぽう、1967年カナダ連邦結成百年に南アルバータ日系人の夢が実現した日加友好日本庭園の存在は大きい。同庭園の行事には、地域の踊りや和太鼓クラブ、茶道などの実演がレスブリッジ市民の人気を博している。

日系人コミュニティへの若者の参加促進は日系人社会共通の課題である。ウィニペグの日系人協会は戦後の世代交代がスムーズに行われてきた。これからも次世代を継承する若者たちへの期待は大きい。全カナダ日系人協会（NAJC）青年指導者委員会の現委員長はウィニペグ出身の五世である。カルガリーでは、カルガリー日系青年協会（2011年発足）やビジネス・ネットワーク・グループ（2017年発足）の活動が将来の日系人コミュニティの世代交代を実現するのではないかと期待される。

ウィニペグのフォークロラマやエドモントンのヘリテージ祭りへの半世紀にわたる参加は、プレーリーの日系人が連邦政府の多文化主義政策の導入（1971年）にいち早く対応し、日本文化・日系文化の啓蒙を通して、日系人コミュニティの存在をカナダ市民に認知させる実績を残した。

連邦政府に対するリドレス達成後の全カナダ日系人協会は、リドレスを支援してくれた他のマイノリティ集団に対して、人権保護の運動で協力を惜しまないことを目標に掲げてきた。マニトバ日本文化協会の人権問題への意識は高く、また最近、エドモントン日本文化協会でも人種差別問題へ取り組む姿勢を見せている。しかし、各地の日系人コミュニティで、人権の促進を活動理念に掲げている組織は今のところほとんど見当たらないようだ。

（原口邦紘）

22

日系カナダ人のアイデンティティ

★ジャパニーズ、ニッケイ、エイジアン★

日本人が初めてカナダに移住して150年近くになる。その間、太平洋戦争前後の一時期を除けば、カナダに向かう日本人移民の流れは途切れることはなかった。日本人移民とその子孫たちは、様々な経験を重ねながらカナダに根をおろし、「日系カナダ人」(日系人)の歴史を築いてきた。「日系カナダ人」とは、カナダに移住した日本人とその子孫たちを指す総称である。それぞれ「自分は何者なのか」という問いに向き合い、自分のアイデンティティを探りながら生きてきた。

カナダの制度では、カナダで生まれたすべての者にカナダ国籍が認められる。日本人の両親から生まれても、生まれながらにして「カナダ人」なのである。しかし、自分をカナダ人と確信する一方、多くは人種・民族的あるいは文化的バックグラウンドとしての「ジャパニーズ」も意識する。

現在、日系人は多様で複雑になっている。2016年のカナダ国勢調査によれば、自らの民族的出自を「ジャパニーズ」と回答した人はカナダ全体で12万1485人である。しかし、このうち半数以上の6万4760人が「ジャパニーズ」以外の出自を同時に挙げて複数回答している。ジャパニーズ以外と結婚する日系人が増え、結果として日系人の民族的出自が多様化していることを示す例である（第20章の表を参照）。ちなみに、2016年の国勢調査によれば、日系人の既婚者の実に79％が日系人以外と世帯を形成している。

日系人のアイデンティティが多様で複雑なのは、それぞれの経験の違いから来ていることも多い。日系人をいくつかのグループに分類して考えてみたい。すなわち、①太平洋戦争前に日本からカナダに移民した人とその子孫たちで、戦前戦中の日系人差別を経験している日系人、②戦前カナダに生まれ、日本で初等教育や中等教育を受けた後、カナダに戻った日系人、③戦前の日本人移民の子孫だが、戦後カナダで生まれ、戦時中の強制立ち退き・強制収容の経験はない日系人、④戦後日本からカナダに移住し、「新移住者」と呼ばれる日系人とその子孫たちなどである。

このように多様な環境と経験を背景に日系カナダ人としてのアイデンティティは形成された。では、日系人たちはどのように自分のアイデンティティを獲得してきたのだろうか。よくある事例をいくつか紹介しながら、日系人のアイデンティティを考えてみたい。

戦前の日本人移民を先祖にもつ日系人のなかには、ルーツとしてのジャパニーズを一度は拒絶した経験をもつ人がいる。たとえば、戦時中に強制収容を経験したある女性は、終戦後どうしても日本に戻りたいという一世の両親に従って、カナダ政府の用意した「送還船」で見たこともない日本に行くことになった。やっとたどりついた両親の郷里は農村で、育ったヴァンクーヴァーとは大違いだった。初めは食べ物も口に合わず苦労するが、学校で日本人の友達と親しくなるにつれ、ジャパニーズに対する違和感は消えた。しかし、講和条約締結後カナダに戻ると、自分が「ジャパニーズ」とは明らかに違うことに気づく。こうして「ジャパニーズ・カナディアン」というアイデンティティを獲得することになったという。

同じく戦前の日本人移民の子孫でも、戦後カナダに生まれ、日系人コミュニティとは離れた環境で育った場合はやや異なる。自分のなかのジャパニーズ性を拒否し、周囲のマジョリティ、白人文化に近づきたいと思ったこともあるという。この世代に共通するのは、祖父母や両親が戦前の差別や戦時中の体験について語りたがらないことへの疑問と不信感である。そこからジャパニーズ性を否定したい気持ちが生まれた。一方、この世代が成長する時代には戦時中の日系人取り扱いに対するカナダ政府の謝罪と補償（リドレス）が実現した。さらに国の多文化主義政策の影響もあり、若い世代を中心に日系文化に対する誇りが生まれた。各地の日系文化センターの行事や活動に参加する人も増え、そこから「日系カナダ人」としてのアイデンティティを獲得していった例もある。

戦後カナダへ移住した「新移住者」といわれる人々は、ビジネスや留学が目的でカナダに来て永住した例も多く、従来の日系人コミュニティとは距離をおいて暮らしてきた人が多い。しかし家庭を持ち、カナダ生まれの子どもが日本語教育や日本文化の修得に興味を持ち始めて変わった場合もある。子ども自らが剣道、柔道、空手などのスポーツ、太鼓などの伝統文化に親しむことによって、親も日系人と交流する機会が増え、日系カナダ人というアイデンティティを受け入れるようになった。

新移住者が日系カナダ人の歴史を理解することによって、日系人コミュニティとの距離を縮めた例もある。たとえば、ある新移住者の女性は、日系センターが企画する「収容所めぐりのバスツアー」に参加したことがきっかけだったという。彼女はカナダ生まれの娘とともに、ブリティッシュ・コロンビア州内陸部に点在する戦時中の日系人収容所の跡地を訪ねるツアーに参加した。何世代も前からカナダに住む日系人らと数日間をともに過ごし、歴史を共有することによって、日系人コミュニティとつながっていきたいという思いが芽生えたという。

最近の国勢調査が示す通り、日系人の民族的出自は多様になってきており、今後その傾向はさらに進むと予想される。孫世代がいっそう多様になっている現実に、日系人コミュニティの変化を予想する人は少なくない。また最近は、かつて排斥されたアジアからの移民も多数カナダに入国しており、フィリピン、インド、中国、イラン、パキスタンからの移民が上位を占めている（2016年国勢調査）。カナダ全土の中国系人口は176万9195人、韓国系は19万8210人で、ともに日系人口を上回っている。こうした社会状況の変化を背景に、日系人のアイデンティティにも変化が現れている。

最近は日系カナダ人の呼称として「ニッケイ」（日系）が一般的になってきた。さらに若い世代では「エイジアン」（アジア系）が広がり始めている。1970年代にカリフォルニアで盛んだったアジア系アメリカ人たちの学生運動で用いられ、それがカナダの若者にも伝わったとされる。自らをアジア系と意識することが、アジア系アメリカ人との交流に発展したり、太平洋戦争中のアジアの歴史に特別な関心を示したりすることにつながる場合もある。特に最近は、世界的な人権意識の高まりとともに、戦争中の軍隊による性暴力や虐殺に抗議するアジア系への共感が生まれることもある。しかし、こうした動きに対して、日系人コミュニティの一部には反発もある。

（高村宏子）

コラム2

カナダに花咲く日本文化

矢頭典枝

今でこそ日本の武道と伝統文化は世界的に認知され、日本のアニメなどのポップカルチャーはカナダの多くの若者たちに絶大な人気を博している。しかし、これはごく最近の状況であり、日本文化の種が本格的に蒔かれ始めたのは1960年代後半だといえる。戦争の記憶が薄れたこの時期に、日本文化を知らずにカナダで生きてきた日系人の多くが日本文化に憧憬を抱いていた。「ポイント制」による移民法（第8章参照）が導入された1967年以降、カナダに定住した新移住者たちは、日本文化を身につけていれば日系コミュニティに大いに歓迎された。ある日系新移住者の夫婦の活動を紹介しよう。私の両親である。

1967年の春、新移民法によりカナダへの移住が可能になることを知った父は、北九州から東京のカナダ大使館に赴き、いち早く移住者として渡加を許可され、その年の秋にトロントに到着した。数カ月後に家族が合流し、ある日系二世の紹介でトロントの日系文化会館（JCCC）に出入りするようになった。1963年に創立されたJCCCでは、すでに華道、柔道、「さくら会」という踊りの会が活動していた。合気道の有段者であった父は、既存の柔道の道場で合気道を併設できないかと打診し、JCCCは快諾した。そこで父は、トロント合気会設立の許可を得るために1969年に渡日して当時の合気道道主・植芝吉祥丸氏と面会し、祝福されて許可を得た。こうしてトロント合気会が誕生した。当初は日系二世と新移住者から成る8名で練習を始めたが、徐々に白人たちも加わるようになり、発展していった。1971年、父はテレビの教育番組で半年間、合気道を教え、合気道はカナダで認知されるようになった。

1969年、トロント合気会のメンバー、前の列の左から3番目が筆者の父（矢頭正典）（筆者提供）

他方で、母が茶道表千家の盆点の免状を持つことを知ったJCCCは、母に茶道の教室を開くことを提案した。しかし、茶道を教えるには「お道具」が必要である。そこで母は実家にあった道具一式をトロントに送ってもらい、JCCCで毎週末、茶道を教え、生徒は続々と増えた。すると不思議なことが起こった。母が教室に着てくるきものを日系人たちが欲しがったのだ。こうした要望を受け、呉服屋の娘だった母は、実家から大量にきものを送ってもらい、自宅で商売を始めた。きものは飛ぶように売れ、モントリオールの日系人も買いにやってきた。あまりの盛況で自宅ではスペースが足りず、結局、両親はエグリントン西通りにきものの販売を中心とする日本専門店を構えた。両親がJCCCで時折開催した「きものショー」は好評だった。また、毎年の夏、トロント市庁舎の広場で行った「盆踊り」で日系人たちが着たお揃いのゆかたは両親の店で調達された。

２０１９年９月、ＪＣＣＣはトロント合気会創立50周年を記念するイベントを行った。トルドー連邦首相、フォード・オンタリオ州首相、植芝守央・現合気道道主からの祝辞が届き、イベントを締めくくったのは、高齢で出席できなかった父のビデオメッセージだった。大勢の出席者たちは、トロント合気会が名もない一新移住者の働きかけによって誕生したことを知り、今やカナダを代表する合気会の一員であることへの誇りを新たにしたという。

トロントの地元紙に掲載された筆者の母（矢頭和枝）のお点前（1970年3月3日付、Mirror紙）

1970年、きものショー（「七五三」のきもの姿の筆者と妹）、JCCCにて（筆者提供）

コラム3

ジョイ・コガワ
――日系カナダ作家の旗手

堤 稔子

ジョイ・コガワは1935年ヴァンクーヴァー生まれ。同じ二世の先輩ロイ・キヨオカ（1926～1994年）らとともに詩人としてささやかな評価を得ていた1981年、処女小説『オバサン』（1981年、邦訳『失われた祖国』中公文庫）の出版でブックス・イン・カナダ処女小説賞、全米図書賞他数々の賞に輝く。第二次世界大戦中のみずからの体験を主人公ナオミに回想させるこの感動的な小説は、日系カナダ作家の草分けとして、ポストコロニアル時代のカナダ小説界に新たな足跡を残した。後輩で2002年、日系初の総督文学賞受賞者となる詩人・英文学者ロイ・ミキ（1942年～）、二世詩人ジェリー・シカタニ（1950年～）、三世作家ケリー・サカモト（1959年～）、新移民作家ヒロミ・ゴトー（1966年～）らに及ぼした影響は大きい。またカナダほか、アメリカ合衆国はじめ英語圏の諸大学で文学、エスニック研究、女性研究の学問的対象となった。

『オバサン』は過去を語らぬ一世の〝沈黙〟と事実究明を推進する二世の〝言葉〟との間に揺れ動きつつ、次第に後者へと脱皮する主人公の痛切な心情を繊細かつ詩情あふれるタッチで描写する。物語の〝現在〟は1972年。36歳の小学校教師ナオミは、急死した育ての親、一世のイサム伯父さんの葬儀に親戚が集まるのを待つ間、アヤ・オバサンを慰めながら、二世のエミリ叔母さんから「事実を知れ」と郵送された書類の包みを初めて開く。あらためて蘇る過去の事実――強制立ち退き、収容所生活、再定住先アルバータ州ビート農場での苦難の日々。事実の探究は同時に、開戦直前に祖母とともに日本へ里帰りしたまま音信不通になっている母親探しとも重なり合う。フィクションとして導入されたこの「母親探し」の部分は、母と祖母の長崎での被爆死という生々しい事実でクライマックスを迎え、ナオミの開眼の突破口となった。

沈黙の殻を破り、言葉を求めて再出発するナオミの姿は、『オバサン』執筆後過去へのわだかまりが解け、補償要求運動に積極的に参加していく著者の姿と重なり合う。1988年の補償達成を頂点とする2作目『イツカ』（1992年）は、前作と同じく主人公ナオミの語りで、エミリ叔母さんとエミリの友人で聖公会牧師のセドリック、それに日系人社会内の対立するグループの指導者やメンバーたちを中心に展開する。政治色の濃いこの作品に潤いを与えているのは、ナオミにとって時には父親、時には恋人のような役目を果たすセドリックとの甘美な関係、そして随所にみられる詩的表現の美しさであろう。

「許しと和解」に終わる上記2作のキリスト教的慈悲の精神は、日系の背景を離れ、白人家庭を登場させる3作目『雨は昇る』（1995年）の中心モチーフとなり、さらにその後、長崎のクリスチャン被爆者、永井隆の「慈悲の心」に深い共感を覚えるコガワの最大関心事になっている。

ジョイ・コガワ（ジョイ・コガワ氏提供）

23

カナダの日本庭園

★日本人ガーディナーの活躍★

海外への日本庭園の展開には、伝統技術や最新技術の展示会としての国際博覧会の影響がある。19世紀後半、パビリオンとしての日本庭園がヨーロッパからアメリカ東海岸、さらに西海岸へと伝わった。カナダ西岸では、1843年にハドソン湾会社がヴィクトリア西方の水路沿いにゴージ公園を開園した。広島県仁保島村（現・広島市南区）出身の高田隼人と横浜市出身の岸田芳次郎は、公園の一部に日本庭園の造園を企画した。そして岸田は、大工経験のあった実父・伊三郎（1842年生）を呼び寄せた。1907年2月の着工後、7月にカナダ最初の日本庭園は完成した。石灯籠、小池、築山や簾の迷路のほか、〝ジャパニーズ・ボール・ゲーム〟と称された球戯場も併設された。〝ティーハウス〟で供されたのは紅茶やコーヒーであり、日本庭園は現地の白人を顧客とする施設であった。公園には、三段の太鼓橋と水上茶室も設置された。これを建造した広島県出身の西本善吉は、屋形船も造り、白人に人気を博していた。

この日本庭園の評判により、伊三郎は後のブリティッシュ・コロンビア州副総督夫人のバーナード邸（1908年）、石炭業で成功したダンスミュアー邸（1910年）、そして1904年に石灰採掘場跡に開園したブッチャート庭園（1910年）にも、日本庭園を造園したのである。段差のある水路を作庭し、その底に小石を施した伊三郎は、水泡と水音を楽しむ工夫を試みたのである。1912年に帰国した伊三郎に代わって、広島県加茂村（現・福山市）出身の野田忠一（1878年生）が日本庭園の管理を引き継いだ。

後に生物学者・政治家となる京都市出身の山本宣治（1889〜1929年）は、京都府立医科大学を卒業した遠戚の眼科医・石原明之助とともに1907年に渡加した。彼は西本の太鼓橋は評価したものの、伊三郎の日本庭園を「和洋混合（折衷にあらず）」と酷評した。ただし山本も、同年にヴァンクーヴァーで計画された日本庭園にトマト温室や、遊具として「達磨落し」を企画していた。日の目を見なかったこの日本庭園計画には、宣教師・鏑木吾郎を中心とする日本人会が関わっていた。

ヴァンクーヴァー沖のボウエン島では、1912年に海運会社・ターミナル社がレクリエーション施設を建造し、そこにも日本庭園が造園された。佐賀県北茂安村（現・みやき町）に生まれた古賀大吉（1878年生）は、ティーハウスの他に潟湖に注ぐ小川に沿って「花嫁の小径」「花嫁の滝」を設けた。

1933年10月15日にヴィクトリアで客死した新渡戸稲造を悼んで、新渡戸記念事業委員会が組織された。在ヴァンクーヴァー日本国総領事・石井康のほか、日加貿易に関わる日本人社会の重鎮からなる委員会には、新渡戸の最期に関わった医師である鹿児島県指宿村（現・指宿市）出身の下高原幸蔵の名もある。委員会は、ヴァンクーヴァー随一の公園であるスタンレー公園に日本庭園を造り、そこへ新渡戸を記念する石灯籠の設置を計画した。紆余曲折のなか、石灯籠は大阪市此花区の一栄商会で製造され、ブリティッシュ・コロンビア大学（UBC）構内での造園が決まった。ただし、それは周

新・新渡戸記念庭園に移された石灯籠。台座には"ICHIEI STONE WORKS/Nishikujo Osaka JAPAN" の文字。（2015 年、筆者撮影）

囲との調和を図った「和洋折衷」の「小庭園」に落ち着いた。当時の資料によれば、造園を担ったのは約30名の日本人ガーディナーである。主に秋から翌春にかけて、彼らは白人邸宅の芝草刈や落葉拾いを生業としていたのである。

１９５９年、ＵＢＣに新渡戸庭園の再建が計画された。「本格的な日本庭園」の造園にあたって、日本から「専門の造園家」として千葉大学園芸学部教授・森歓之助が招聘された。前身の千葉県立園芸専門学校を卒業した森は、第二次世界大戦後に母校で研究・教育に従事していた。造園にあたってＵＢＣ内で採取された石材が活用されたが、一部にフレーザー川中流部に位置するチリワックの小石や、ヴァンクーヴァー北方のブリタニア・ビーチの赤石が水路に使用された。一方で、先述した石原明之助の息子であるグレーター・ヴァンクーヴァー日系市民協会会長の石原・G・暁は、様々な日系団体に造園費の援助を呼びかけた。つまり、これまで初期カナダ日本人社会で紹介されてきた鏑木、山本と石原父子は、戦前・戦後を通じたヴァンクーヴァーの日本庭園史にも深く関わっていたのである。なお、1960年に完成した新・新渡戸記念庭園には、翌年に明治神宮からの株分けによって菖蒲園が設置された。ただし1992年の改修には、太平洋の架け橋であることを願った新渡戸の哲学をめぐって多様な意見がある。

この造園を支援した1つが「ガーディナークラブ」であり、代表者は現在のヴァンクーヴァー日系ガーディナーズ協会（以下、ガーディナーズ協会）の初代会長・角知通（1908年生）であった。鳥取県和田村（現・米子市）に生まれた彼は、1925年の渡加後にヴァンクーヴァーのキツラノ地区で製材業に就いた。やがて、先住の同郷者に倣ってガーディナーに転じた彼は、一時帰国して伝統的な造園業者の多い大阪府池田町（現・池田市）で研鑽を重ねた。戦時中、タシメやニューデンバーへの強制移動を経験した角は、1955年にヴァンクーヴァーへ移った。そして、新渡戸記念庭園再建時に森教授を補助した彼は、完成後に同庭園の管理を任された。カナダ各地における日本庭園の造園や盆栽同好会を創設した角は、1987年に勲六等瑞宝章を叙勲した。

戦後には、農業研修者としてガーディナーを選択する新移民も少なくなかった。なかでも、渡加後に鳥取県出身のボスのヘルパーになった和歌山県出身者は多い。1960年代、自動車の所有によって日本人ガーディナーの顧客圏は拡大した。さらに、アメリカで研修を受けた新移民は、同地で普及していた高性能芝刈機をヴァンクーヴァーに導入した。1970年代に同機が普及すると、ガーディナーの独立が比較的容易になった。やがて、ヴァンクーヴァー大都市圏の拡大とともにクレーンやダンプなどの重機も扱う造園業が展開した。インド・ヴェトナム系移民、さらにワーキング・ホリデー制度による日本人を雇用するケースもみられるようになった。２０２０年には、在ヴァンクーヴァー日本国総領事公邸にガーディナーズ協会によって日本庭園が造園された。日本庭園に表象される日本文化の意義と、それを担う日本人ガーディナーの活動は重要である。

（河原典史）

V

社会・ジェンダー

24

カナディアン・ホリデー

★全国一律とは限らない多彩な祝祭日★

日本の祝日は、全国一律である。これに対してカナダでは、祝祭日（宗教的祭日もあるため、こう呼んでおく）は、全国一律ではない。州・準州によって異なっており、複雑である。公共施設や銀行なども閉まるので、州を越えて移動する時は、注意が必要である。

連邦が定めた祝祭日は、基本的には全国的に実施される。だが、州・準州によっては、休日と認めていない場合もあれば、認めていても連邦とは異なる名称を使っている場合もある。加えて、州・準州が独自に定めた祝祭日もある。

まず、連邦が定めた祝祭日、つまり「全国的な祝祭日」をみておこう。先にも断ったように、全国的といっても、全国一律とは限らない。「全国的な祝祭日」は、「元日」、「グッド・フライデー」、「イースター・マンデー」（休日と認めない州あり）、「ヴィクトリア・デー」、「カナダ・デー」、「レイバー・デー」、「感謝祭」、「戦没者追悼記念日」、「クリスマス」、「ボクシング・デー」である。復活祭とクリスマスに関連する祝祭日があるのは、カナダが西欧キリスト教の伝統を受け継いでいることの証(あかし)だが、「メリー・クリスマス」よりも「ハッピー・ホリ

表　カナダの主な祝祭日（1/2）

日付	名称		実施の州・準州など※1	※2
1月1日	元日	New Year's Day	C	◎
1月2日	元日翌日	Lendemain du Jour de l'An	QC	◎
1月11日	ジョン・A・マクドナルド誕生日	Sir John A. Macdonald Day	*	◎
2月15日	国旗記念日	National Flag of Canada Day		
2月第3月曜	家族の日	Family Day	AB, BC, ON, SK	◎
	プリンス・エドワード島の日	Islander Day	PE	◎
	ルイ・リエルの日	Louis Riel Day	MB	◎
	ヘリテージ・デー（継承遺産の日）	Heritage Day	NB	◎
	ノヴァスコシア・ヘリテージ・デー	Nova Scotia Heritage Day	NS	◎
2月最後の日曜直前の金曜	ヘリテージ・デー	Heritage Day	YT	◎
3月17日直近の月曜	聖パトリックの日	St. Patrick's Day	NL	◎
復活祭の前々日	グッド・フライデー	Good Friday	C	◎
復活祭の翌日	イースター・マンデー	Easter Monday	C	◎
4月23日直近の月曜	聖ジョージの日	St. George's Day	NL	◎
5月25日直前の月曜	ヴィクトリア・デー	Victoria Day	QCを除く	◎
	愛郷者の日	National Patriots' Day / Journée nationale des patriotes	QC	◎
6月21日	先住民の日	National Indigenous Peoples Day	NT, YT	◎
6月24日	ケベックの日（洗礼者ヨハネの日）	Quebec's National Day (Saint-Jean-Baptiste Day) / Fête nationale du Québec	QC	◎

（次ページに続く）

表　カナダの主な祝祭日（2/2）

日　付	名　称		実施の州・準州など※1	※2
6月24日直近の月曜	ジョン・カボット到達記念日	Discovery Day	NL	◎
6月27日	カナダ多文化主義の日	Canadian Multiculturalism Day	*	◎
7月1日	カナダ・デー	Canada Day	C	◎
	戦没者追悼記念日	Memorial Day	NL	◎
7月9日	ヌナヴト・デー	Nunavut Day	NU	◎
7月12日直近の月曜	オレンジ党の日	Orangemen's Day	NL	◎
8月第1月曜	市民の日	Civic Holiday（様々な呼称あり※3）	NL, PE, QC, YT を除く	◎
8月15日	アカディアの日（聖母被昇天祭）	Fête nationale de l'Acadie		
8月第3月曜	金鉱発見の日	Discovery Day	YT	◎
9月第1月曜	レイバー・デー	Labour Day	C	◎
10月第2月曜	感謝祭	Thanksgiving Day	C	◎
11月11日	戦没者追悼記念日	Remembrance Day	C	◎
	休戦記念日	Armistice Day (Remembrance Day)	NL	◎
11月20日	ウィルフリッド・ローリエ誕生日	Sir Wilfrid Laurier Day	*	◎
12月25日	クリスマス	Christmas Day	C	◎
12月26日	ボクシング・デー	Boxing Day	C	◎

※1　Cは、基本的にカナダ全域で実施されることを示す。ただし、州または準州の法律によって休日として指定されていない場合もある。*は、連邦が中心となり実施しているが、国民への浸透度が低い祝祭日。

※2　◎は、連邦、州、または準州のいずれかの法律によって定められた祝祭日。

※3　Heritage Day (AB), British Columbia Day (BC), Terry Fox Day (MB), New Brunswick Day (NB), Civic Day (NT, NU, ON), Natal Day (NS), Saskatchewan Day (SK)

AB: アルバータ州、BC: ブリティッシュ・コロンビア州、MB: マニトバ州、NB: ニューブランズウィック州、NL: ニューファンドランド・ラブラドール州、NS: ノヴァスコシア州、NT: ノースウェスト準州、NU: ヌナヴト準州、ON: オンタリオ州、PE: プリンス・エドワード・アイランド州、QC: ケベック州、SK: サスカチュワン州、YT: ユーコン準州

（筆者作成）

デー（ズ）」が多用されるようになったのは、非キリスト教徒も少なくない多民族社会ならではの事情である。また、貧者への施しに由来する「ボクシング・デー」（教会の喜捨箱（ボックス）を開ける、転じて、使用人にクリスマス祝儀（クリスマス・ボックス）を贈る日）は、クリスマス商戦最後の在庫一掃大売り出し日のようになっている。祝祭日の本来の意味が薄まっているといえようか。

「ヴィクトリア・デー」も、ヴィクトリア女王の誕生日（5月24日）を祝い、王室とのつながりを讃（たた）える趣旨で設けられたが、今では初夏の到来を告げる日になっている。労働者の祝祭日である「レイバー・デー」も、夏の終わり（新学期の始まり（バック・トゥ・スクール））の日とみなされている。なお、「ヴィクトリア・デー」は、ケベック州にはない。同州ではこの日を、フランス系の英雄を讃える「愛郷者の日」としている。ケベック州の独自性は、祝祭日にも表われているのである。

最も盛大な祝祭日は、「カナダ・デー」である。１８６７年７月１日の「ドミニオン・オブ・カナダ」の誕生（連邦結成）を祝う日で、各地で催しが営まれる。多様な民族を抱える社会だけに、国民の一体感を強めるこの日の役割は大きい。なお、１９８２年までは、「ドミニオン・デー」と呼ばれていた。戦争の記憶の共有も、国民意識を育むのには大切だが、その役目を担うのが「戦没者追悼記念日」である。この日には、国連平和維持活動（ＰＫＯ）を含む過去の戦争の犠牲者を追悼し、彼らの犠牲の上に平和国家カナダがあることが説かれる。なお、「感謝祭」と同じ日に挙行されることもあったが、１９３１年、第一次世界大戦の終結日である11月11日に固定された。

「感謝祭」は、10月から12月まで定まらなかったが、１９５７年に10月第２月曜に落ち着いた。ちなみに、アメリカ合衆国は11月第４木曜である。カナダの方が16世紀後半に始まっており、アメリカよりも古いが、公的行事になったのは、アメリカの方が早かった。起源をめぐっては諸説あり、祝祭日を通した加米の比較もおもしろい。

州・準州独自の祝祭日に移ろう。ケベック州では、先述した「愛郷者の日」のほか、「ケベックの日」がある。元々は、フランス人が入植した頃から行われていた守護聖人ヨハネの祭日である。その後、イギリス系が社会を牛耳(ぎゅうじ)るようになるにつれ、「洗礼者ヨハネの日」は、フランス系の拠り所としてのカトリック信仰を守る重要な日となった。20世紀後半の「静かな革命」以降、宗教色は薄まり、文化・芸術など、フランス系の独自性をアピールする祝祭日へと変化した。

州・準州独自の祝祭日は、2月と8月に多い。長い冬を過ごしたり夏を満喫したりするのにふさわしい時期設定である。それらの多くは、州・準州特有の歴史を反映している。たとえば、マニトバ州の「ルイ・リエルの日」は、西部開拓を進める連邦政府に対抗した先住民の指導者ルイ・リエルを、同州の創設者として讃える日である。反逆者のレッテルが貼られてきたリエルの復権は、インディアンとヨーロッパ人の「混血」であるメイティに対する評価の高まりの表れでもある。「ノヴァスコシア・ヘリテージ・デー」は、多文化共存のために過去を知る日として設けられたが、そのきっかけは、差別と闘った黒人女性ヴァイオラ・デズモンド（新10ドル札の肖像となった）に恩赦が与えられたことにあった。また、「ヌナヴト・デー」は、ヌナヴト準州の創設を認める法律が、1993年に連邦議会で採択されたことを記念している（準州成立は、1999年4月）。

歴史にちなむ祝祭日は、他にもある。ニューファンドランド・ラブラドール州は、1949年にカナダに加入するまでは別個のドミニオン（行政管理政府統治の植民地）であったため、他の州とはかなり異なっている。たとえば、7月1日は、第一次世界大戦の犠牲者を弔う（とむら）「戦没者追悼記念日（メモリアル・デー）」であったが、カナダ加入後は、それに「カナダ・デー」が加わった。また、「聖パトリックの日」や「聖ジョージの日」など、ブリテン諸島の伝統を色濃く残した祝祭日もある。オンタリオ州の「市民の日（シビック・デー）」は、トロントでは、植民地総督の名を冠した「シムコーの日」、オタワでは、町の創設者にちなみ「バイ大佐の日（カーネル・バイ・デー）」と呼ばれている。このほか、「アカディアの日」など、宗教やエスニック集団をベースとした様々な祝祭日が、州・市町村・街区レベルで行われている。

最後に、初代首相の「ジョン・A・マクドナルド誕生日」について触れておこう。これは２００２年に連邦の法律で定められたが、あまり浸透しておらず、アメリカ初代大統領ワシントンの誕生日と比べると、その差は歴然としている。ゆるやかな自立をとげたカナダと、革命によって共和国を樹立したアメリカの違いを示していると同時に、社会統合のために新しい伝統を創ろうとしているカナダの姿を垣間見ることができる。

このようにカナダの祝祭日は実に多彩である。それは、様々な歴史や文化が織りなすカナダ社会を映し出す鏡なのだ。

（細川道久）

25

「独自の社会」としてのケベック

―★ケベックは他と何が違うのか？ そのアイデンティティとは★―

ケベックはカナダでも異質だと捉えられる傾向がある。「ケベック以外のカナダ（Rest of Canada, ROC）」などという表現が一般になされるほど、ケベックは特異視されており、ケベックを語る際のキーワードが「独自の社会」なのである。では、ケベックはどのように独自なのか？ 「英語が圧倒的なカナダでフランス語を話す人が大多数を占める」というのは、もちろん間違いではない。だが、そうした表面的観察からケベックの独自性を知ることはできない。もっと深いところまで探ってみよう。そうでなければ、なぜケベックでは主権獲得志向が根強く、それが時に激しく高揚するのかが理解できないからである。

ケベックにはかつて「フランス的事実」と呼ばれるものがあり、それがその独自性を裏付けていると考えられていた。しかし、今ではそうではない。では何なのか？ それに加えて、近年、ライシテ（政教分離）をめぐる態度など、別の新しい論点が浮かび上がっているように思える。そのことをこれから順に述べていきたい。

17世紀初頭、カナダの歴史における決定的な出来事が起こった。セントローレンス川流域の現在のケベックシティからモントリオールあたりにフランス人の入植と植民地形成がなされたのである。そのため、カナダ形成において、フランス系のほうがイギリス系より先んじているというのが、フランス系の自負であったし、今もそれは根底にあるのであろう。しかし、その土地は、その後イギリスの支配下に置かれ「ケベック植民地」と呼ばれるようになって、祖国フランスから切り離された。それにもかかわらず、ケベック法により「フランス的事実」がこの地に温存され、文化的にかなり均質な社会が維持された。それ以降、この地の大多数を占めたフランス系は「フランス的事実」をアイデンティティの拠り所とし、輝かしいフランス文化の継承者であることを誇り、それこそが、自分たちの社会をカナダの他地域と区別すると長く考えてきた。

ところがこの「フランス的事実」は時とともに希薄になっていった。1960年代以降の「静かな革命」という大変革期に社会の近代化が猛烈な勢いで進み、長く「フランス的事実」の柱であったカトリック教会の社会支配力が衰退し、社会が世俗化し、それは少子化につながった。その結果、急激な産業化に対応する労働人口を得るために、多数の移民を受け入れざるを得ず、ケベック社会が大幅に多様化したのである。また、この時期、ケベックのフランス系が州の様々な分野で主導権を握り、自信を持つようになった。そして、徐々に、フランスの威光にすがらなくとも、アイデンティティを維持できると考えるようになり、ケベックの人々は「フランス系カナダ人」ではなく、「ケベック人」（ケベコワ）という独自のアイデンティティを持つに至ったのである。

残った唯一の「フランス的事実」であるフランス語は州民の大多数の第一言語であったし、ケベックの過去と現在を結ぶ歴史的絆でもあった。それまで積み上げられたフランス語による文化的遺産も豊かであった。そこでケベックでは、フランス語をアイデンティティの要とする方向に向かい、それは1977年のフランス語憲章の制定として結実した。同憲章の前文には、「フランス語は、大多数がフランス語を話すケベックの民を他から区別するものであり、それによってこそケベックの民はアイデンティティを表明できるのである」とある。重要な点は、フランス語を公用語と定める歩みのなかで、ケベックが州の公用語をフランス語のみとし、北米の「英語の海」のなかでフランス語を死守する意思を明確にしたことにある。それは、カナダやニューブランズウィックが英語とともにフランス語も公用語と定めているのとは違う。そこでは、言語がアイデンティティの要なのではなく、「2つの公用語を認めるという制度」が肝心なのだ。これは本質的な違いである。

2010年の調査によれば、ケベック社会におけるフランス語は盤石であり、フランス語は州民の大多数の支持を集めている。95%以上が、ケベックに居住する人はフランス語が話せるべきだと考えていて、この数値はケベック州民のフランス語系（フランス系に加えて、先祖はフランス出身でなくても、フランス語を第一言語とする人々）の割合をも大きく超えている。つまり、フランス語系だけでなく、ほとんどの住民がフランス語を州の共通語として支持していることを意味し、それは実際にケベックのアイデンティティの要と考えられているのである。さらに、ケベックのフランス語はもはや「フランス的事実」ではないことにも注意したい。長くパリのフランス語への劣等感にさいなまれていたケベックの人々が、今では、自信をもってケベックのフランス語を話しているのが見られる。ケベック人にとって、フランス語はきわめて重要だが、それはフランスという国や文化とは切り離されたもので、「フランスとの絆」ではない。それはケベックの人々をつなぐ絆なのである。「ケベック人」がケベック州内の多様なすべての住民を包摂しようとする方向へと向かうなら、ケベック人はフランス人の亜流ではなく、ケベック人なのだ。

このように考えれば、英語が圧倒的に支配的なカナダにおいて、「ケベック人とは北米においてフランス語を話す人々」（ジェラール・ブシャール）だという定義が理解できる。それは第一言語でなくてもいい。ケベックの住民とのコミュニケーションを通して社会に参加する手段としてのフランス語であればいい。それはケベック人すべてを結ぶ絆なのである。ケベック人の多くは、自分たちのことを、ケベック州という領土にあって、フランス語を基盤として築かれた社会・文化を持つ1つのネーションだと考えている。「フランス的事実」ではなく「フランス語的事実」こそが、ケベックの独自性を支えている。これが理解されない時、ケベックはカナダのなかで疎外感にさいなまれる。いつ英語の海に飲み込まれないとも限らないという恐れを抱え生きている人々にとって、必要なのはそれを踏まえた独自性の承認なのである。ケベック人はいつもその承認を求め、それが満たされない時、主権獲得運動が力を持つのである。

他にも、ケベック社会は、結婚によらないパートナー率などが、他州に比べ突出して高い（第30章参照。準州も含めるとヌナヴトが一番高い）。そして今、ケベックと他のカナダを隔てる新しい問題が顕在化している。それはライシテの考え方である。ケベック以外のカナダでは、どのような宗教的表現を しようが個人の自由だと考えられるが、ケベックでは公共空間における宗教的表現を制限しようとする。ケベックはフランスほど厳格ではなく、フランス的共和主義と北米自由主義の中間の道を模索するが、それでもケベック以外のカナダからの批判は強く、それに対してケベック内の支持率は高い。

結婚によらないパートナー率の際立った高さやライシテへの親和性――これらがケベックの独自性のどのような表れなのかはさらに研究を進めなければならないが、こうした点で、ケベックがカナダよりもフランスに似てきているのはフランス語を共有しているからだろうか。

締めくくりに、興味深い事実に触れておきたい。カナダという国と住んでいる州のどちらに帰属意識を持っているかを調べる調査が２００８年になされた。その結果、ケベックだけで、自分の州への帰属意識の方がカナダに対するものより高かった。ケベックでは、自分はカナダ人であるよりもまずケベック人だと考える人が多い。「ケベック人」という呼称自体が、カナダへの独自性の主張でもあるのである。

（丹羽 卓）

26

大麻合法化の社会

★2018年大麻法の壮大な実験★

２０１８年10月17日、カナダでは、大麻法が施行され、一定の条件のもと、娯楽用大麻使用が合法化された。医療用大麻については、これを合法とする国や地域も少なくないが、娯楽用についてまで合法化したのは、ウルグアイについで2カ国目であり、このカナダの新政策は、日本を含む多くの国から、驚きと関心をもって迎えられることになった。そこで、本章では、カナダがどうしてこのような政策採用に踏み切ったのかを考えてみたい。

最初に、今回、一体何が解禁されたのかを確認しておく。カナダでは、１９２３年に大麻が規制薬物に指定されて以来、原則として、栽培も使用も禁止されてきた。例外は、きわめて限定的な実験栽培（１９６１年以降）、産業利用のための商業栽培（１９９８年以降）、医療目的での使用（２００１年以降）であった。これに対して、２０１８年の大麻法により、次の事柄が非犯罪化された。ただし、同法には様々な条件や例外があり、さらに州に委ねられている点については州ごとの相違もあるので、以下は、個別具体的行為について、合法違法の判断基準を示すものではないことに注意されたい。

○所持　原則として、18歳以上の者は、乾燥大麻を30グラムまで所持できる。また12歳以上18歳未満の者は、同5グラムまでを所持できる。
○頒布　原則として、18歳以上の者は、乾燥大麻を30グラムまで18歳以上の者に対して頒布できる。12歳以上18歳未満の者は、同5グラムまでを頒布できる。誰でも、発芽又は開花していない大麻草を4株以下頒布できる。
○販売　許可のある販売のみ合法。
○輸出入　許可のある輸出入のみ合法。
○製造　原則として、大麻の合成や有機溶剤を用いた精製等は違法。
○栽培　18歳以上の者は、原則として、自宅で1家族4株以下の大麻草を栽培できる。

さらに、大麻法は、禁止事項を規定する形式をとっているが、使用自体については禁止規定がないことから、結果として、合法的に所持している大麻を使用することについては、娯楽目的を含めて合法ということになる。

ただし、ここで注意すべきは、同法は、大麻規制を全廃したものではなく、むしろ、法定条件外の大麻取り扱いについては、厳格な刑事罰をもって臨んでいるということである。たとえば、18歳未満への大麻販売は最高懲役14年をもって処罰される。このことは、同法が、(a) 青少年の大麻へのアクセスを制限することによって、その健康を守ること、(b) 若者その他の人が大麻使用に誘引されるのを防ぐこと、(c) 合法に製造された大麻を供給することによって大麻に関連する違法な活動を減らすこと、(d) 適正な制裁と法執行により大麻に関連する違法な活動を抑止すること、(e) 大麻に関連する犯罪裁判制度の負荷を軽減すること、(f) 品質管理された大麻へのアクセスを提供すること、(g) 大麻使用による健康リスクの周知を図ること、の7点を目的としていること (7条) の帰結である。

しかし大麻法が、これまでほぼ全面規制してきた娯楽目定での大麻使用を認め、その供給についても、免許制での規制を加える方向へ大転換したことも、また事実である。ここでは、その背景と理由として、3つの点を指摘しておきたい。

第1は、従来、法規制と実態の乖離がきわめて大きく、新たな実効性のある制度が必要とされたことである。カナダ統計局は、2015年の大麻経済を62億カナダドルと推計したが、違法分の推計には困難があることを認めている。ジャスティン・トルドー首相は、大麻法が上院で可決された際に、自らツイッターに「子どもたちが大麻を手に入れ、犯罪者が大麻で儲けるのが、これまで簡単すぎた。我々は、今日それを変える」と書き込んだが、これは、法と実態の乖離を端的に表現すると同時に、法による第一次的な保護対象を子どもたちに絞り込み、より強力な規制へ転換することをよく示している。

第2は、既に大麻使用を認めることに寛容な世論環境が醸成されていたことである。1960年代のアメリカ合衆国に生まれたカウンターカルチャーとしてのヒッピー文化は、カナダにも大きな影響を与え、若者層を中心に大麻や幻覚剤LSDを用いることが広まっていったが、これは、後の若者層から中間層への使用の広まりと、大麻の嗜好品化の土壌となった。さらに、2001年に解禁された

表　15歳以上の大麻使用人口（単位：人）

（年）	2001	2008	2013	2014
使用者全体	3,075,339	3,553,704	4,191,011	4,364,163
1度だけ使用	190,060	206,116	222,189	227,067
月1回未満	1,098,997	1,283,183	1,531,688	1,598,718
月1～3回	569,917	643,760	742,683	770,126
週1回以上（毎日使用を除く）	796,961	923,743	1,099,418	1,147,064
毎　日	419,403	496,901	595,033	621,188

（年）	2015	2016	2017	2018
使用者全体	4,540,920	4,701,240	4,876,544	5,034,949
1度だけ使用	232,077	239,289	247,482	255,731
月1回未満	1,667,111	1,726,717	1,791,548	1,849,851
月1～3回	798,179	825,856	856,465	884,165
週1回以上（毎日使用を除く）	1,195,701	1,238,598	1,285,402	1,327,026
毎　日	647,853	670,780	695,647	718,176

出典：Statistics Canada. Table 36-10-0597-01 Prevalence of cannabis consumption in Canada（https://doi.org/10.25318/3610059701-eng）の一部抜粋を筆者が翻訳した。

医療目的大麻の使用は、当初、自家栽培品かカナダ保健省からの入手品に限られていたが、２０１３年の制度改革は商業的栽培品購入を可能とし、一気に合法医療用大麻使用者が拡大した。カナダ統計局によれば、２０１６年９月の合法使用者はほぼ10万人に達しており、大麻供給量が増えれば、さらに拡大する潜在ニーズがあると考えられた。実際、合違法を問わず、一度でも大麻を使用したことのある人は、２０１５年に４５０万人を超えていた（表参照）。こうしたことを背景として、２０１６年２月29日に『グローブ・アンド・メイル』紙が発表した１０００人を対象とする世論調査では、大麻の合法化を支持する者（ある程度支持するを含む）が68％にも達した。

第３に、裁判所も、大麻使用規制には、

憲法上の問題が含まれると指摘していたことも重要である。たとえば、２００３年のオンタリオ控訴裁判所 *R. v. J. P.* 判決は、当時の医療用大麻へのアクセス規制が、医療用大麻使用をきわめて困難としている以上、元々の薬物等規制法が違憲となると判断している。同年にカナダ最高裁では *R. v. Malmo-Levine* 事件および *R. v. Caine* 事件で、非医療目的の大麻所持禁止自体の合憲性が争われた。判決は６人の裁判官の多数により合憲判断となったが、３人の裁判官は、刑事制裁を伴う規制について、立法に求められる基本的正義の要件に抵触すると認め、違憲を判示している。類似の事件では、２０１１年にオンタリオ州上位裁判所が、実際に違憲と判断した（*R. v. Mernagh* 判決）。さらに、２０１５年にはカナダ最高裁が *R. v. Smith* 判決で、医療用大麻使用許可を受けた患者への大麻取り扱い規制が違憲であるとの判断を示すに至っている。

これらの判決は、決して、積極的に大麻を使うことを唱道するものではないが、政府が規制を加えるには、正当な理由が必要であり、また、規制手段が均衡のとれたものであることを要求することで、大麻規制のあり方に制限を加え、また大麻使用に寛容な世論を助長した。

以上からすると、カナダの娯楽用大麻合法化は、全く新たな政策導入というよりも、既存のカナダ社会の価値観と事実を追認しつつ、青少年保護に注力する環境を整備したものとみることが適切なように思われる。とすると、この大麻法という壮大な実験の成否は、青少年を大麻から遠ざけることに成功したかという点にかかっている。是非、継続的に注視したい。

（佐藤信行）

大麻ビジネス

コラム4

福士 純

2018年10月、カナダは医療用だけでなく、嗜好用大麻を世界で2番目に合法化した国となった。これ以前から、カナダでは違法ながら相当量の大麻が売買されていたが、合法化によって販売ライセンスが付与された街中の店にて簡単に大麻が購入できるようになった。その結果、2018年の合法化以降、カナダにおける大麻市場は急速に拡大したのであり、その販売額は2018年10月の月約4000万ドルから2020年6月の月約2億ドルへと2年弱で5倍に増加したのである。

このように、カナダにおける大麻ビジネスはカナダ国内、そして日本を含む国外においても大きな注目を集めてきた。しかしながら、カナダの大麻ビジネスにおける売り上げは、合法化以降、当初の予想よりも伸び悩んでいることが指摘されている。乾燥大麻の売り上げは、当初予想の半分にも満たず、大麻の使用者数も合法化前からほぼ増加していなかった。こうした事態に直面し、2018年10月の合法化による需要増に備えて設備投資を拡大していた大麻生産企業の多くは経営状況が悪化し、従業員の大量解雇や栽培施設の閉鎖に踏み切らざるを得ない状況に陥ったのである。

この大麻ビジネスにおける成長の「停滞」の要因として、2つの点が挙げられる。1つ目は、大麻の栽培、販売について管轄するカナダ保健省が大麻取り扱いのライセンスの認可を与える作業に遅れが生じたために、大麻の販売店数が制限されたことである。また2つ目の要因は、政府の認可を受けずに違法に流通、販売される大麻が合法的に販売される大麻の半額以下の安値で販売されているということである。合法化以降も、こうした違法大麻の市場は依然として

オタワのダウンタウンの大麻販売店（筆者撮影）

大きなままであり、2020年時点でカナダにおいて流通する大麻の約8割が違法取引によるものであるとも言われている。

このような「停滞」状況にあるカナダの大麻ビジネスにおいて、成長の起爆剤になると考えられているのが、「大麻2・0」と称される大麻成分配合食品、飲料等の生産、販売である。この代表的なものが、大麻の葉や穂から抽出された陶酔作用の中心となるテトラヒドロカンナビノール（THC）成分を含む商品であり、2020年8月にはカナダの主要な大麻生産企業の1つであるヘクソ社は、世界有数のビール醸造企業のモルソン・クアーズ社と共同でTHCを配合したドリンクを発表している。これに対して、大麻の茎や種子から抽出されるカンナビジオール（CBD）成分は、THCとは異なって摂取しても陶酔作用をもたらすことは無い。しかし、CBDは痛みを緩和し、不安を鎮め、不眠にも効果があることが明らかとなっており、その成分はココナッツオイル等にて希釈して販売されている。さらに、2020年に入ってからは、「エディブル」と呼ばれる大麻成分を含んだ飴やグミ、チョコレートやクッキーといった食品の開発、販売が急速に進んでいる。

　これらは、カナダにおける大麻ビジネスの新たな動きであり、従来の乾燥大麻と併せて、大麻の生産、流通、販売は今後ますますカナダの社会、経済に大きな影響を与えていくことであろう。さらに、カナダにおける大麻ビジネスの影響は国内に留まるものではなく、近年の世界各国における大麻合法化の流れのなかで、それらの大麻が合法化した国への関連商品の輸出拡大の可能性をも秘めているのである。

27

規制の厳しい銃社会

★南の隣国アメリカをにらみながら★

アメリカ合衆国の銃社会のやるせなさを描いた『ボウリング・フォー・コロンバイン』（マイケル・ムーア監督、２００２年）では、カナダをアメリカと同様の銃文化をもつのに、銃の恐怖なき社会だとして、対化させている。しかし、カナダは民間の銃所持率が１００人中34・７人と１７５カ国のうち８位（1位はアメリカで１２０・５人、日本は０・３人。World Population Review 2020）で、銃犯罪は増加傾向にある（２０１３年から17年に40％以上の増加率。カナダ政府）。自殺も含めた銃による死亡率は、戦闘行為による死亡がほぼないＯＥＣＤ諸国にあって、アメリカよりは低いものの、イギリスやオーストラリアを抜いており、日本よりはるかに高い。

銃文化はアメリカに近い。イギリスの伝統とコモンローを共有しているからだ。銃所持は自己防衛と圧政への抵抗のためのコモンロー上の権利であるとされる（ウィリアム・ブラックストーン『イングランド法釈義』）。アメリカ憲法修正第２条（民兵は自由な国家にとって不可欠であるから、人民が銃を保有し携帯する権利は侵されない）はこれを踏まえた規定で、自己防衛のために銃保有は保障された人権とされる（アメリカ最高裁判例）。ただし、カナダ憲法にはこうした規定はない。

カナダは連邦制を基とする自治領を確立させていく過程で、先住民の銃所有は制限したものの、民兵思想もあり、またアメリカからの防衛の必要もあって、国民の銃所有はむしろ奨励された。移民には規制は厳格であったし、反乱危険分子に対する銃所持禁止などは施されていたけれども、イギリス系カナダ人にはおかまいなしとされ、銃撃術や狩猟などのレクリエーションで銃は庶民にも普及していった。

しかし、両大戦期に、銃に対するモードはこうした放縦から規制へと転換していった。民兵は衰退していき、外国や敵国への警戒が進み、またアメリカの銃犯罪を目の当たりにして、警察の銃所持が支持されて定着していく。一方で市民の武装は法的に規制し、第二次大戦終了時には銃の登録がRCMP（カナダ連邦騎馬警察）のもとで効率的に進められていった。カナダはアメリカの銃犯罪の状況を反面教師にしていて、国内には銃の会社もNRA（全米ライフル協会）のようなロビイングもなかった。

かくして連邦政府による銃規制の立法化が推進されていく。すでに1934年には全国レベルの本格的な銃規制法を制定し、すべての拳銃の登録を義務付けていたが、そのシステムを1951年にRCMPに一括させた。60年代には所持できる小火器について、全面禁止、制約、無制約（ライフルなど）の3つに分類した。これはカナダの銃規制法の根幹となっている。1977年には包括的な許可制にして、1995年の小火器法で銃の登録と許可制を確立させた。それを警察の管轄に一元化し、官僚的な管理を徹底させた。統制されていない小火器による危険を除去して、「誤った小火器の使用から公民を守る」ためである。アメリカのような隠匿携行は認められておらず、銃犯罪を経験しているカナダは、世論としても銃が悪い形で利用されるのに敏感で、アメリカのような銃社会を嫌う。

アメリカはJ・F・ケネディ大統領をはじめ公人まで銃による遭難に見舞われても、法的規制を普遍させることができなかった。カナダでは国内での銃犯罪の恐怖が規制を促した。1989年のモントリオール大学工科学校虐殺事件は、25歳の男性（使用した軍仕様の小銃はアメリカから買い入れた）がフェミニズムと戦うと叫びながら半自動式銃を乱射して、同キャンパスで女性14人を殺害した惨劇である（ほかに10人の女性と4人の男性を傷害）。これが1995年の小火器法の制定に結実していく。銃は男らしさの象徴とされるけれども、これ以降、女性が銃規制に政治的役割を果たしていくようになる。それは全国的な銃規制の圧力団体である「銃規制連合」の設立にまでこぎつけている。

モントリオール大学工科学校虐殺事件を描いた映画『静かなる叫び（Polytechnique）』（監督ドゥニ・ヴィルヌーヴ、2009年）

『静かなる叫び』
DVD & Blu-ray 発売・レンタル中
価　格：DVD　3,900円（税抜）
Blu-ray　4,800円（税抜）
発売元：アット エンタテインメント
販売元：ハピネット・メディアマーケティング

このようにカナダには銃規制の文化が息づいている。その手段は経済的な規制でも社会的な規制でもなく、ストレートで漸進的な法的規制である。その100年有余の歴史は、初めに望ましくない行為を規制し、次に小火器の所持を許可制にし究極的には拳銃の登録制としていった（M・フリードランド）。

カナダ刑法は第3章（84条から117条）で「小火器その他の武器」の項目を設け、銃の管理を徹底させて、その違反を刑事罰化し、銃の不正使用には刑事処分で臨む姿勢をとっている。銃犯罪には刑が加重される。1995年の小火器法も刑事法であり、カナダは主としてこうした刑事のアプローチで銃規制を行っている。刑事法は連邦の管轄なので（1867年憲法91条）、全国に統一の以下のような規制が定着している。

小火器を無制約（標準的な狩猟ライフルやショットガンなど）、制約（一定の、拳銃、ライフル、半自動小銃）、禁止（制約以外の拳銃、全自動のライフル、散弾銃）の3つに分類し、運搬や携行を制限し、非装填を原則としている。小火器を所持するには、暴行癖や犯罪歴などのバックグラウンド・チェックに加えて、全国小火器安全講習（1日程度）と筆記と実技のテストを経て所持許可状（PAL）を取得しなければならない。そして2名の照会状を添えて申請し、その28日後に銃を購入できる。無制約の小火器はケベックを除き、現在は登録が義務付けられていない。制約や禁止の小火器にはさらなる特別講習を課すなど、より厳格な規制が設けられている。拳銃は制約に分類され、警察に登録しなければならない。PALは5年ごとにその都度バックグラウンド・チェックを経て更新できる。RCMPによれば、PAL所持は218万3827件である（2018年）。

こうした銃規制に反対する勢力がないわけではない。それはまず、銃規制法を違憲とする人々である。銃所持権を明文化する実定法の規定はないけれども、コモンローさらにカナダ権利自由憲章によって、これが保障されていると主張するのである。しかし、カナダ最高裁は、小火器法は公共安全を確保するための連邦権限としての刑事法制定権限内にあり、州の権限である財産権の規制ではないとする。そして、小火器には潜在的な殺傷能力があって今日の安全の脅威であるのだから、そのコントロールはその正当な行使であるとして、合憲と判示している。

また、銃規制反対論者は経済面、すなわち、銃規制が官僚的でコストがかかりすぎていると批判する。これは政治的闘争でもある。スティーヴン・ハーパー政権の2012年、大型銃器の登録が不要とされるなど規制緩和もあった。他方リベラルのジャスティン・トルドー現政権は2019年に、バックグラウンド・チェックを直近5年ではなく全人生にわたっての暴行歴などの調査とし、加えて無制約の小火器が犯罪に使用されるのを懸念してそれが確実に追跡できるシステムを設けるなど、銃規制法を強化させる政策を打ち出している。

銃が巷間に存在するのを前提とした時、現行の刑事法のアプローチが法の目的たる銃犯罪抑止や公共の安全に奏功しているかが問題となる。銃文化の伝統のあるカナダにあって、銃規制は悪人の手に銃を渡らせないことを主眼とする。自己防衛と圧政への抵抗として銃保持権が不可欠だとして、規制に反対する政治アジェンダはくすぶり続けている。こうした議論は日本とは異質であり、アメリカに似ているかもしれない。

（富井幸雄）

28

セクシャル・マイノリティとカナダ社会

★性の多様性と同性婚の合法化★

カナダは北欧諸国と並んで、セクシャル・マイノリティが暮らしやすい国といわれる。カナダ各地で毎年プライドパレードと呼ばれるセクシャル・マイノリティの祭典が開催され、トロントでは100万人を超える参加者が集まる。2016年にカナダの首相として初めてプライドパレードに参加したジャスティン・トルドー首相は、その後もモントリオールやヴァンクーヴァーなど、各地のプライドパレードに参加し、セクシャル・マイノリティの権利向上に積極的な姿勢をみせている。

もちろんセクシャル・マイノリティが社会的な理解を獲得するまでには長い道のりがあった。かつてイギリスの植民地であったカナダでは、現在でもイギリス法との連続性が認められるが、そこでは結婚の定義として、1866年にイギリスの裁判所によって判示された「1人の男性と1人の女性の間の生涯にわたる、排他的な、任意の結合」が用いられてきたために、同性間の結婚は認められていなかった。そもそも連邦結成当初は、同性間の性行為を禁止するイギリスのソドミー法がカナダ法としても採用され、ほとんどの犯罪に対する刑罰から死刑が廃止された1869年までは最高刑を死刑としていた。18

92年には、男性間のすべての性的行為を「重大猥褻行為」とし、対象をより広範にする法改正が行われ、1950年代から1960年代には、公務員から同性愛者を追放するため、「フルーツマシーン」と呼ばれる同性愛テストが行われるに至っている。そのようななか、ある男性が同性愛行為により無期刑を言い渡されたことをきっかけに、このような制度への批判の声が高まり、1969年の刑法改正によって、同性間の性行為が非犯罪化された。法案提出時に連邦法務大臣を務め、法改正に尽力したピエール・E・トルドーは、「国民の寝室に国家が入り込む余地はない」と述べている。

1982年には、初めてのカナダ全土に渡る統一的人権規定であるカナダ権利自由憲章が制定された。その15条1項では「すべて個人は、法の下に平等であり、一切の差別、特に人種、出身国もしくは出身民族、体色、宗教、性別、年齢又は精神的もしくは身体的障害を理由として差別を受けることなく、法の平等な保護と利益を享受する権利を有する」と規定され、差別禁止事項として「性別」が定められた。憲章の侵害に対してはカナダ最高裁判所を頂点とする裁判所による審査が認められるため、「結婚」等のセクシャル・マイノリティの権利を制限する諸制度の憲章適合性が司法の場で争われ大きな問題となった。1999年にカナダ最高裁判所が配偶者という定義に同性カップルを含めるとした判決（*M. v. H.* 事件）を下したことを端緒として、同性カップルにも法律婚に準じた保護を与える法律が作られることとなった。他方、オンタリオ州控訴裁判所は、より踏み込んで同性カップルを法律上結婚させることを命じる判決（*Halpern v. Canada* 事件）を下し、その結果2003年にカナダで最初の法律婚同性カップルが誕生した。こうした動きに対し、連邦政府はカナダ全体で婚姻要件を改める法案を連邦議会に提出し、激しい議論はあったものの、2005年7月20日に民事結婚法として成立させ（下院では158対133、上院では48対21）、カナダは世界で4番目の同性婚を認める国家となった。ここで重要なのは、法制定の過程で、性の多様性に対する理解が深まり、男性女性二分論を前提とする「同性婚」を認めるのではなく、結婚から性別要件を撤廃するという方法が採用されたことである。現在カナダでは、結婚は「2名の人（two persons）」が行う営みであるとされている。

結婚以外におけるセクシャル・マイノリティの権利拡大も進んでいる。たとえば、1977年にケベック州が性的指向を根拠とするものを差別に含めるように州の人権憲章の改正を行ったことを端緒に、多くの州が同様の法改正に踏みだし、1996年には連邦のカナダ人権法にも差別禁止事由に性的指向を追加する改正が為された。さらに連邦は2017年に、それまで「人種、出身国籍もしくは出身民族、体色、宗教、年齢、性別、性的指向、結婚の状況、家族の状況、障がい、犯罪歴」を対象としていた差別禁止事由に「性自認または性表現」を追加する改正を行い、連邦政府や連邦管轄下の企業が「性自認」と「性表現」による差別することを明確に禁止している。

性自認に関する制度の進展も目覚ましい。カナダに生まれた人々にとって、最も基本的な身分証明書である出生証明書は、出生時に医師の判断によって割り当てられた性別が登録されているが、出生時の性の割り当てと性自認が一致していない人にとって、割り当てられた性別を表示される身分証明書を提示しなければならないことは、多面的被害が生じかねない。かねてから多くの州では、性転換手術を行った者に対し、出生登録の性別の事後的変更を認めることで、問題を回避しようとしてきたが、現在ではさらに一歩進んで、医師から見て適切であるとする書面の提出が求められるものの、性転換手術の要件は廃止されている。さらに男性と女性という二元論的な性区分に当てはまらないノンバイナリーもしくは、ジェンダーニュートラルと自認している人々に対応するために、出生証明書を性別非表示で発行することができる州や、出生証明書から性別表示を削除するのではなく、性別表示に第3の選択肢（X等）を設けている州もある。

連邦管轄の市民権証明書やパスポートなども現在、必ずしも出生証明書と同様の性別に結びつけなくてもよいことになっている。性別表示の変更を希望した場合、既に性別が変更された州の発行する身分証明書を提出して手続きすることができる。また、中立書を提出することによって、州の身分証明書の性別とは、異なる性別にすることも可能である。さらに連邦政府は、2017年8月24日に、パスポートの性別を男性（M）、女性（F）、ノンバイナリー（X）のいずれかで表示することを可能とすると発表し、翌2018年、実際に、性別Xが記載されたパスポートの発行が始まっている。

このようにカナダはセクシャル・マイノリティの人たちへ対する理解が広がっている国である。現在では、多くのセクシャルマイノリティの移民を受け入れているとともに、国籍や永住権を保持しない一時滞在者に対しても結婚証明書を発行しているため、世界各地から多くのセクシャル・マイノリティカップルが結婚式を挙げるためにカナダを訪れている。

（本田隆浩）

Ontario ServiceOntario

Office of the Registrar General
PO Box 3000
189 Red River Road
Thunder Bay ON P7B 5W0

Statutory Declaration for a Change of Sex Designation on a Birth Registration of an Adult
Section 36, *Vital Statistics Act*

In the matter of the birth registration of:

Name on Birth Registration: Last Name or Single Name / First Name / Middle Name(s)

Formerly (If name has been legally changed since birth, enter name before the change. Otherwise leave this blank.)

Date of Birth: Year / Month / Day　Place of Birth: City/Town/Village in Ontario

List the **full birth names** of **all** parents as listed on the applicant's birth registration:

Parent's Last Name or Single Name (at the time of their birth)	Parent's First and Middle Name(s)
1.	
2.	
3.	
4.	

Declaration: I, Current Legal Name of Applicant, in Full

Solemnly declare that:

1. I make this application to change the sex designation on my birth registration
   From (select only one): ☐ Male ☐ Female ☐ X (X means the applicant does not identify exclusively as male or female)
   To (select only one): ☐ Male ☐ Female ☐ X (X means the applicant does not identify exclusively as male or female)
   If you are applying to change to X, please complete this section:
   ☐ I understand that the Government of Ontario cannot guarantee that a birth certificate or certified copy of a birth registration with a designation of X will be accepted by organizations in Ontario or by other jurisdictions.
2. I have assumed (or have always had) the gender identity that accords with the requested change in sex designation.
3. I am living full-time in the gender identity that accords with the requested change in sex designation and intend to maintain that gender identity

オンタリオ州の出生証明書の性別変更申請書（部分）。第三の選択肢Xが記載されている。（出典：オンタリオ州政府ウェブサイト http://www.forms.ssb.gov.on.ca/mbs/ssb/forms/ssbforms.nsf/GetFileAttach/007-11324E~1/$File/11324E.pdf）

29

女性の地位向上に向けて

★政府調査委員会報告書から半世紀★

世界経済フォーラム（WEF）は、毎年、各国における男女格差を測るジェンダー・ギャップ指数（GGI）を公表している。この指数は、経済、政治、教育、健康の4つの分野のデータから作成され、0が完全不平等、1が完全平等を示す。2020年の日本の総合スコアは0・652、順位は153カ国中121位であった。一方、カナダの総合スコアは0・771、順位は16位である。

女性の地位向上に資する政策は、国際比較研究によれば、市場に牽引されるアメリカ型と、国家主導による欧州型に整理される。アメリカ合衆国では市場のメカニズムや裁判、個人的権利といった文脈での解決策が講じられる。一方、欧州諸国では国家の指導のもとで共通な権利として数値目標を掲げ、アクションプランとして遂行される傾向がある。

カナダは北米に位置するが、女性政策については、国が指針や数値目標を設定して政策誘導を行う欧州型である。日本と同じく男女平等の憲法規定をもち、国連「女子差別撤廃条約」「児童の権利条約」などの人権条約を批准している。

カナダで、女性の政治参画が本格化するのは1990年代である。1991年には、リタ・ジョンストンがブリティッシュ・コロンビア州（以下、BC州）首相になり、1993年には、カナダ進歩保守党のキム・キャンベルが、連邦政府初の女性首相となった。2011年には、クリスティ・クラークがBC州首相に、2012年にポーリン・マロワがケベック州首相になった。2013年には、同性パートナーの存在を公表するキャサリン・ウィンが、教育大臣を経てオンタリオ州首相になり、この時、カナダで人口が多い3州のトップが女性となっている。

司法分野では、バーサ・ウィルソンが、1982年、カナダ女性として初めて最高裁判事に就任し、家庭内暴力被害者による正当防衛に関する重要な判例に関与した。また、1989年から最高裁判事を務めたビヴァリー・マクラクリンは、2000年にはカナダ女性として初めて最高裁長官に就任した。長官在職期間は2017年まで続き歴代最長となっている。

一方、2015年11月には、10年ぶりに連邦政府の政権交代をもたらした自由党のジャスティン・トルドーが、30人の閣僚を男女同数に配置した政権を発足させた。首相は、男女同数にした理由について、「もう2015年だから」と答えた。女性の政治参画や地位の高さにおいては、日本に先んじているカナダであるが、ここに至る道のりでは、1970年代のロイヤル・コミッション（政府調査委員会）が果たした役割を見逃せない。

カナダにおける女性の選挙権（州議会、連邦議会）の成立は、第一次世界大戦への男性の動員を背景に進んだ。1920年には、連邦議会下院における女性の選挙権が認められた。1929年には、「パーソンズ」判決（女性は法文のなかの人（パーソンズ）に該当するか否かを巡っての訴訟）によって、女性が英領北アメリカ法の定める上院議員資格者であることが認められた。しかし、先住民女性には制約があるなど、

1929年の「パーソンズ」判決を記念して、2000年に連邦議会敷地内に建てられた記念像（筆者撮影）

完全な男女平等の権利が確立するには、第二次世界大戦後の国連の動きを待たねばならない。

１９４６年に国連では「女性の地位委員会」が設置され、１９５３年に「女性参政権条約」が採択された。カナダはこれを１９５７年に批准した。１９６７年には国連第22回総会において「女子差別撤廃宣言」が全会一致で採択された。この動きに先立って、カナダ第14代首相レスター・ピアソンは、「女性の地位に関する政府調査委員会」を設置し、7名の委員を任命した。委員長にはアメリカ出身のジャーナリストであるフローレンス・バードが任命された。カナダ政治史において女性を長とする初の公的委員会である。

なお、この時の枢密院委員会の議事録の委任事項のなかで、委員長のバードは「ミセス・ジョン・バード」、委員で弁護士のオグリビーは「ミセス・ロバート・オグリビー」と記載されている。夫のフルネームにミセスをつける形である。既婚女性について、日本でいえば「鈴木一郎夫人」というような表記が行われていたわけで、隔世の感がある。

委員会は、全国10州の14地域で公聴会を開催し、８９０名が証言を行った。また、４６８の団体・

個人からの報告書、千通の手紙が送られた。委員会の設置から1年後には、「公正なる社会」をスローガンに掲げるピエール・E・トルドーが首相の座についた。新政権の強い支えのもと、約4年の月日と190万ドルが費やされ、1970年に「女性の地位に関する政府調査委員会報告書」が発表された。

報告書は、女性の労働権、子どものケアの社会化、母性の社会的保護、差別是正措置という4つの指針に基づいて167の勧告を行った。行政組織については、女性の地位向上のための中央行政機関の設置を求めた。1971年、連邦政府において初めての「女性の地位担当大臣」が任命された。そして、1976年には「女性の地位庁」が設置された。「女性の地位庁」は、女性が経済的、社会的、文化的および政治的生活において正当かつ平等な地位を得ていくことを促進する組織である。女性団体に対する財政的・技術的支援、州政府や国際組織との協力を行うこともその任務とされた。日本では、男女共同参画社会基本法（1999年）の成立後、中央省庁再編によって2001年に内閣府男女共同参画局が設置された。女性の地位に関する中央行政組織の設立においては、カナダは、日本より四半世紀先駆けていた。

「女性の地位に関する政府調査委員会報告書」の勧告のうちほとんどは、1980年代前半に実現され、唯一残されたのが、「子どものケア」に関する連邦の政策だといわれる。カナダの女性の地位の向上に40年以上貢献した「女性の地位庁」は、2018年12月より、名称を「女性・ジェンダー平等省」（WAGE）に変更し、庁から省へと格上げされた。女性の地位の向上だけでなく、「性別にかかわらない平等」をめざすカナダの新しい行政組織の活動が注目される。

（犬塚典子）

30

変わりゆく家族と結婚の形

★事実婚、同性カップル、一人暮らし(ソロ・リビング)★

2020年1月から3月にかけて、ケベック発のテレビドラマが、新型コロナウイルス感染症のパンデミックを予言したと話題になった。全10話からなる『アウトブレイク――感染拡大』は、2019年秋に撮影され、日本でも2020年7月からインターネット配信された。モントリオールの緊急衛生研究所の女性所長を主人公に、未知のウイルスとの闘いや背景にある社会問題を描いた秀作である。サイドストーリーとして、夫婦関係、ひとり親、養子といった様々な家族の話が展開される。現代カナダの動向を象徴していたのが、ウイルス関連対策を担当する公安大臣の設定である。ギョーム・シール演じる男性大臣のパートナーは同性であり、代理母を引き受けてくれた友人の妊娠を3人で喜び合うシーンが冒頭で展開された。

カナダの家族について、5年に一度行われる国勢調査(最新は2016年)の結果に基づいて、事実婚、同性カップル、一人世帯などの動向を探ってみたい。カナダ統計局は、統計上の家族(センサス・ファミリー)を、異性または同性と結婚している(事実婚を含む)同居のカップル(とその子ども)、同居する未婚の子がいるひとり親、祖父母と孫による世帯等と定義している。

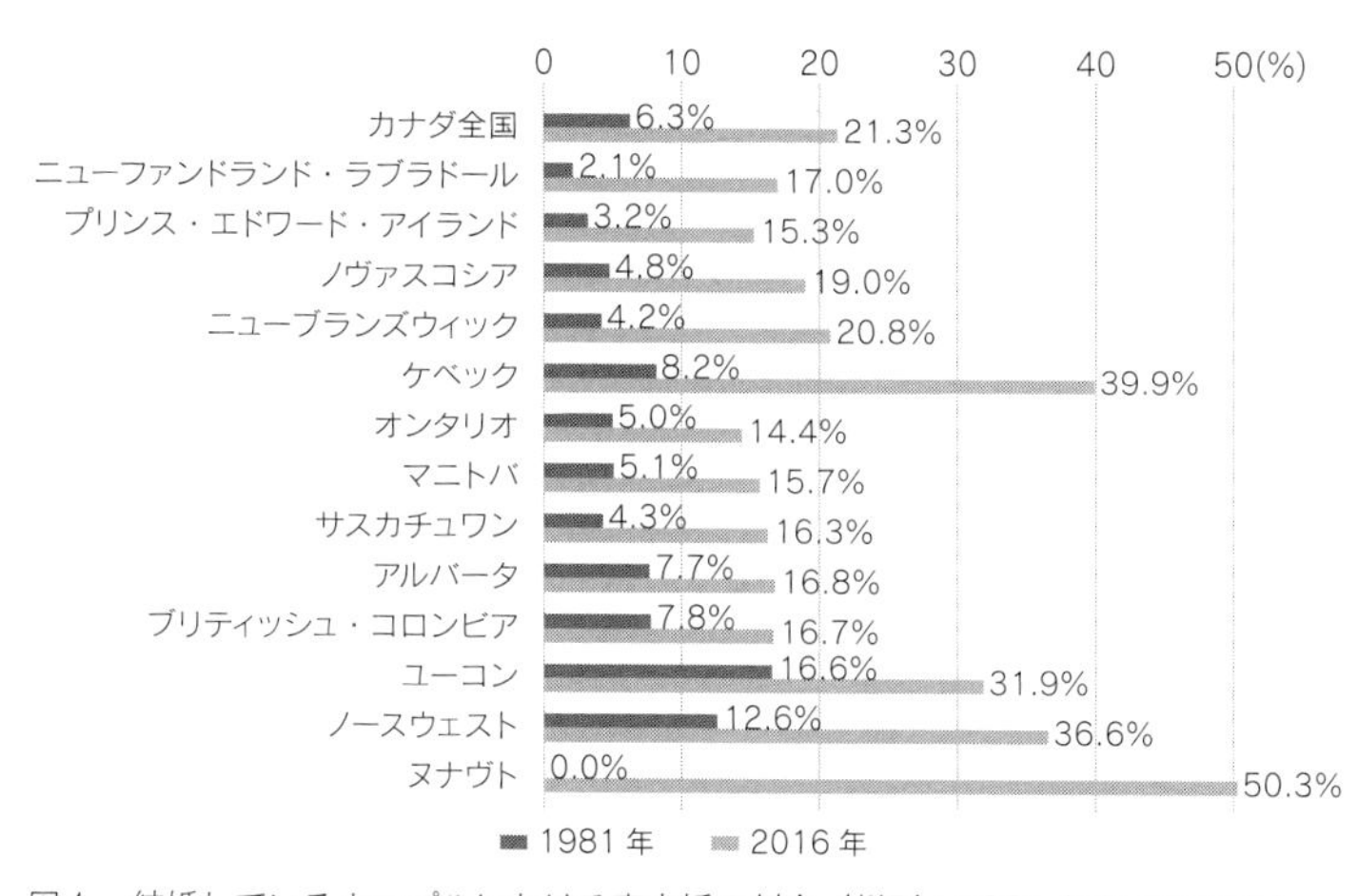

図1　結婚しているカップルにおける事実婚の割合（州別：1981年と2016年）
出典：Statistics Canada, Percentage of common-law unions, Canada, provinces and territories, 1981 and 2016. https://www150.statcan.gc.ca/n1/daily-quotidien/170802/cg-a004-eng.htm

事実婚については１９８１年から、同性婚については２００６年から調査が行われている。

はじめに、結婚に関するデータを確認してみる。２０１７年の人口比でみると、25～64歳人口１９９０万人では、56％が法律による結婚をしており、また、15％が事実婚を行っている。一方、13％は調査時点では一度も法律婚も事実婚もしていない。法律婚の後に別居または離婚している者は６％、事実婚後に別居している者は８％、パートナーとの死別後に法律婚・事実婚をしていない者は１％である。

図１は、結婚しているカップル（事実婚を含む）のうち、事実婚の占める割合を、州ごとに１９８１年と２０１６年を比較したものである。２０１６年では、カップルのうち事実婚の割合は21・３％であり、１９８１年（６・３％）の３倍以上になっている。事実婚の比率が高いのはヌナヴト準州（50・３％）、ケベック州（39・

9%)である。

法律婚・事実婚に至る年齢は、女性は男性よりも低い傾向がある。カナダ統計局が実施した「2017年の家族に関する総合的社会調査」(GSS)によれば、女性は平均では28歳で現在の配偶者と法律婚している。また平均31歳で事実婚に至っている。一方、男性が法律婚する平均年齢は30歳、事実婚は32歳である。多くの成人は、法律による結婚の前に事実婚という形を選んでいる。25〜64歳の既婚者のうち39%が、配偶者と法律婚する前に事実婚を行っており、その期間は平均で3・6年間である。2006年では2・5年間であったので、約10年間で1年間伸びたことになる。

カナダ統計局は、2001年から、同居する同性カップルを世帯統計に含めるようになった。2005年7月には、カナダ全土で法律に基づく同性の結婚が認められた。2006年までに同性のカップル7465組が法律婚し、10年後の2016年に約3倍の2万4370組へと増えた(図2)。結婚全体に占める同性カップルの割合は0・9%(7万2880組)で、男性同士が51・9%、女性同士が48・1%である。また、33・4%が法律婚である。人口でみると15歳以上の成人のうち14万5765人が同性婚(法律婚・事実婚)をしており、全体に占める比率は0・5%、平均年齢は46・4歳である。一方、異性婚をしている人たちの平均年齢は51・6歳である。高齢化や、後で述べる晩婚化や一人世帯の増加が反映してか、どちらも年齢が高い印象を受ける。

同性カップルの数が多いのはオンタリオ州(2万6585組)であるが、人口に占める割合が最も高いのはケベック州である。同性カップルの約半分は、トロント、モントリオール、ヴァンクーヴァー、オタワ=ガティノーの4都市圏に居住している。同性婚における顕著な男女差は子どもとの関係であ

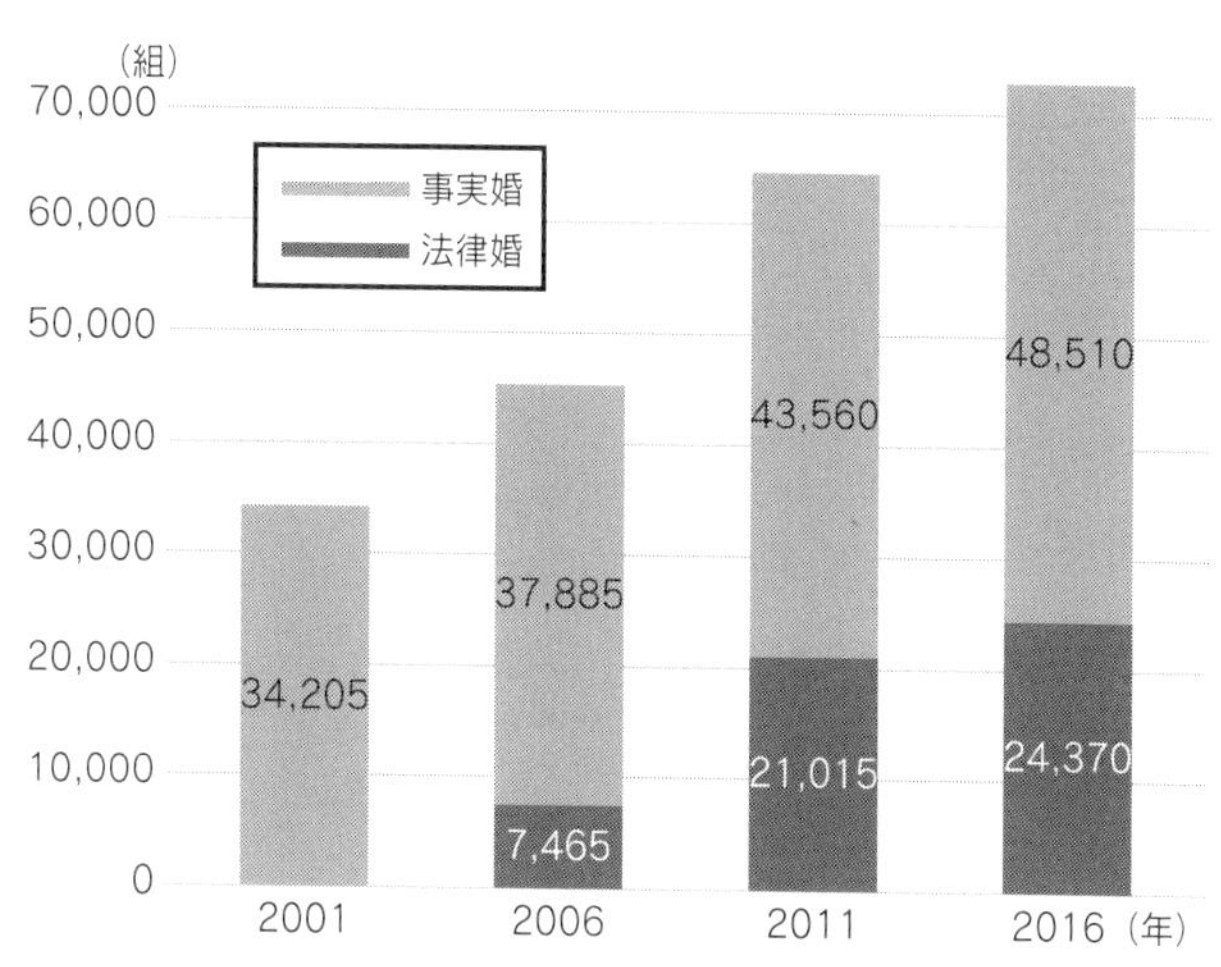

図２　同性カップル（法律婚と事実婚）の数の推移
出典：Statistics Canada, "Same-sex couples in Canada in 2016", Catalogue no. 98-200X2016007.

る。女性同士の同性婚８７７０組のうち約５分の４が子ども（実子または養子）と同居しているが、男性同士の同性婚を含めると、子どもと暮らす割合は12％になる。

次に子どもの側から家族をみてみよう。学校を含む日常生活のなかで子どもがよく使う言葉に、「継母（ステップマム）」「継父（ステップダッド）」「義理のきょうだい（ステップブラザー）」「義理の妹（ハーフシスター）」とか、「母の彼氏（ボーイフレンド）」「父の家（プレイス）」といった表現がある。親の死、別居、離婚などによるひとり親家庭や義理の親子関係は新しいことではないが、以前より増え多様化している。図３（次ページ）は、個人の住宅で暮らす子どもの家族形態ごとの人数と、全体に占める比率である（２０１６年）。グレー四角のグループは、家族内に継親・継子の関係があり、ステップ・ファミリーと分類される。合計で56万７２７０人であり、個人の住宅で暮らす子ども人口のうち約９・75％が該当する。

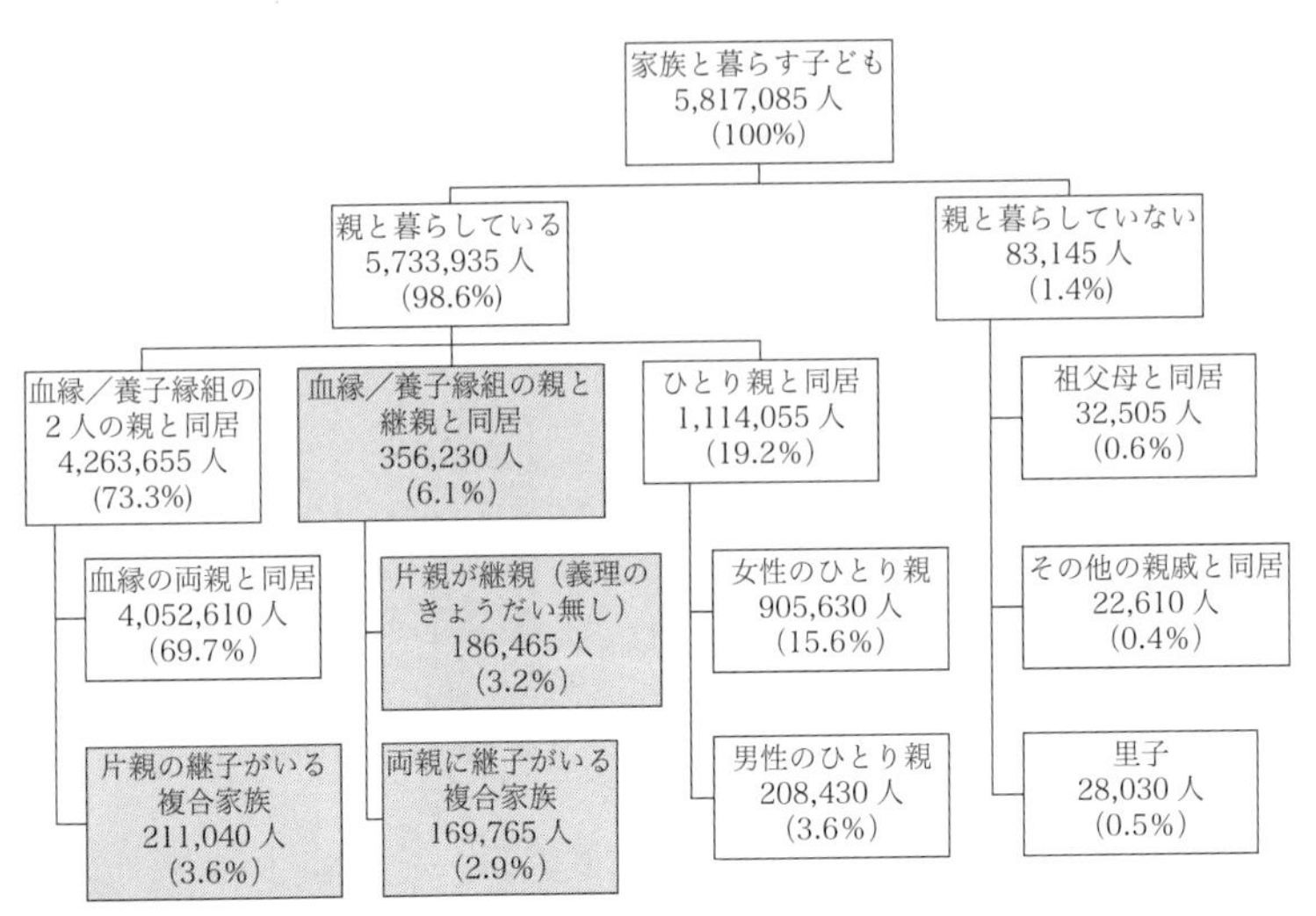

図３　子ども（14 歳以下）からみた家族の形態（2016 年）
出典：Statistics Canada, “Portrait of children’s family life in Canada in 2016”, Catalogue no. 98-200-X2016006.

２０１６年の国勢調査では、カナダ史上初めて、子どものいるカップル世帯を抜いて、一人世帯（施設居住は含まない）が最も多い世帯群となった。図４に示すように約１４００万世帯のうち28％を占める。人口でみた場合、１９８１年では一人世帯は15歳以上の９％を占める１７０万人であったが、２０１６年では、約14％にあたる約４００万人へと増え、35年間で２倍になった。

一人暮らし（ソロ・リビング）をしている20歳以上の約30％は法律婚か事実婚の経験がある。２人に１人は、生涯の間に１人以上の子どもがいる。一方、法律婚・事実婚はしていないが、別居のパートナーがいる者は17％である。

一人暮らしをしている人口の増加は、カナダ社会に大きな影響を与えているが、年齢層によって意識も生活事情も異なる。２

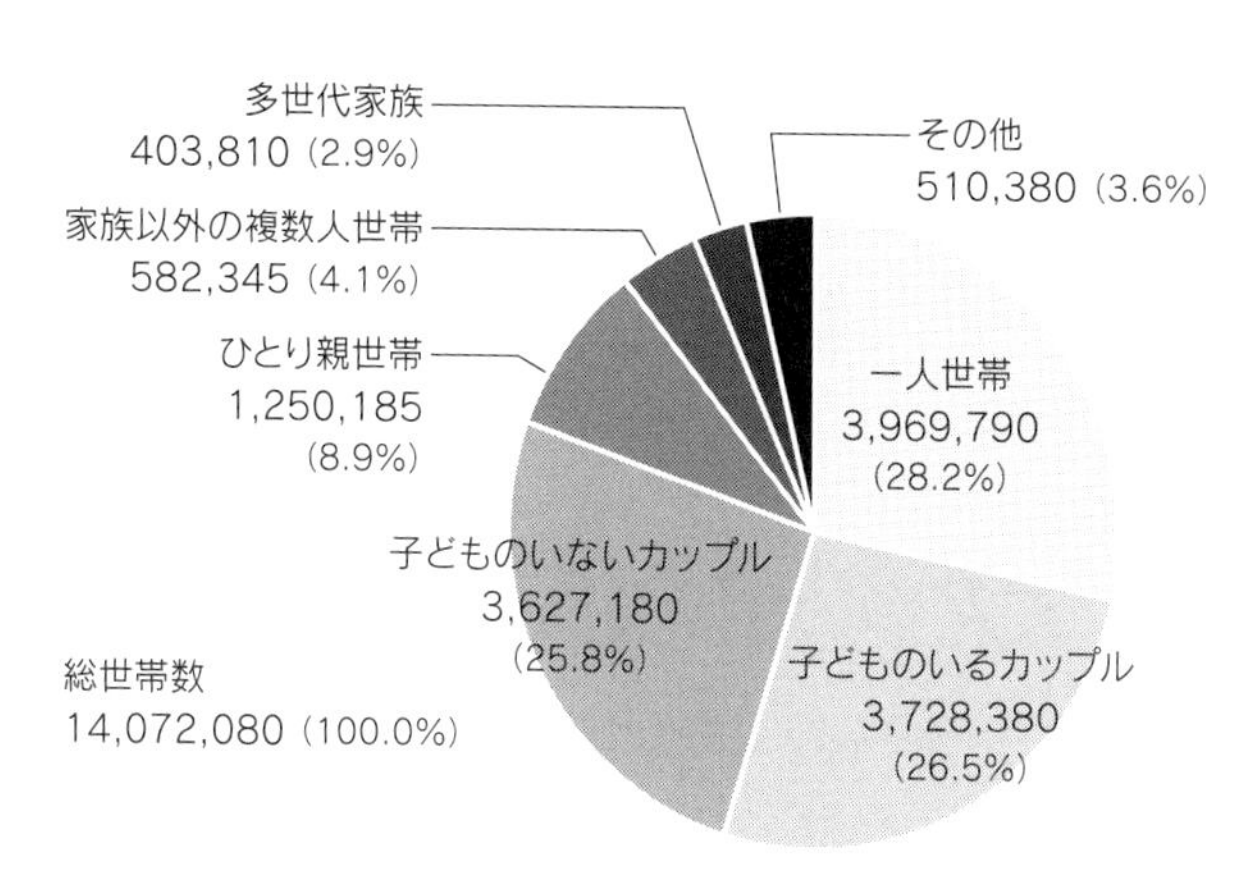

図4　カナダの世帯状況（2016年）
出典：Private households by household type, 2016 counts, Canada, Provinces and territories, 2016 Census, https://www12.statcan.gc.ca/census-recensement/2016/dp-pd/hlt-fst/fam/Table.cfm?Lang=E&T=21&Geo=00

017年の家族に関する総合的社会調査によれば、20～34歳で一人暮らしをしている者のうち約60％は、結婚または再婚する意思がある。また、72％が将来的に事実婚を選択する可能性もあると考えている。20～30代にとっては、未婚や一人暮らしは暫定的なライフスタイルであり、将来的にはパートナーとの同居や、別居婚といった暮らしも視野に入っている。

一方、シニア世代においては、一人暮らしが社会的孤立や孤独を意味する可能性もある。第二次世界大戦後のカナダのベビーブーム世代は、現在、シニア世代に到達した。この世代は、かつての世代よりも育てる子どもの数が少なく、婚姻を解消する割合も高い。年齢を問わず一人暮らしの生活者をターゲットにしたコンパクトな生活環境や商品・サービス市場の開拓は、カナダの消費動向のカギを握ることになるだろう。

（犬塚典子）

31

カナダ連邦騎馬警察

★国家の象徴「騎馬警官（マウンティ）」★

カナダの国家警察、カナダ連邦騎馬警察（Royal Canadian Mounted Police, RCMP）は、式典用の正装であるつば広帽子（ステットソン・ハット）に赤のチュニックに身を包んだ「騎馬警官（マウンティ）」で知られ、国の内外でカナダを代表する存在としてみなされている。かつて50ドル紙幣の図柄にもなった騎馬警官による見事な馬術の演技「ミュージカル・ライド」は、カナダ国内のみならず、海外でも披露されており、また、2010年ヴァンクーヴァー冬季オリンピックでは、開・閉会式やメダル授与式で国旗掲揚を行っただけでなく、閉会式において、楓、ビーバーやアイスホッケー選手等とともに、カナダの象徴の1つとして取り上げられた。このように、カナダの象徴として警察組織が取り上げられるのはなぜなのか。

1867年7月1日に、東部の4州で成立したドミニオン・オブ・カナダは、そのモットー、「海から海へ」の通り、大西洋から太平洋にまたがる大陸横断国家の建設を目指し、西部のハドソン湾会社所領であったルパーツランドを1869年に獲得した。この広大な領土は1870年に一部はマニトバ州として、残った大部分はノースウェスト準州としてカナダに加入した。折しも、隣国のアメリカ合衆国では、1860年代以降西部での先住民と白人の対立が激化しており、カナダ連邦政府と初代首相ジョン・A・マクドナルドにとって、白人人口が未だ少数で、主に先住民が居住するこの地をいかに平和的に統治し、土地問題を解決して白人の定住を進めるかが大きな課題となった。

2005年7月1日のカナダ・デー。首都オタワのパーラメントヒルでステットソン・ハット、伝統の制服に身を包んだ騎馬警官。(大石太郎撮影)

そこで、1873年8月30日にノースウェスト騎馬警察(North-West Mounted Police, NWMP)が創設された。その際、NWMPの任務の1つである先住民との友好関係の構築のため、それまで先住民問題を管理していた赤い制服のイギリス軍兵士を想起させるよう、赤のチュニックが制服として採用された。NWMPは、他にウィスキー交易の規制、先住民と連邦政府間の条約締結の監督、平原地域における法と秩序の確立、移民の定住の援助を担った。同年10月末から翌年にかけて、18~40歳の心身ともに健康で、乗馬ができ、英語ないしフランス語の読み書きのできる総計300名の騎馬警官が各地に派遣され、西部における治安維持の任務に当たった。カナダにおいて、同時期の合衆国に比べ先住民と白人の間の流血事件が少なかったのは、NWMPが存在していたためといわれる。

NWMPは国内だけでなく海外においても活躍した。1904年6月には、南アフリカ戦争における貢献を称え、イギリス国王エドワード七世から名誉の称号「ロイヤル」を授与され、組織の名称はそれを冠したロイヤル・ノースウェスト騎馬警察（RNWMP）となった。そして、1920年には、連邦警察組織の再編によって、RNWMPはドミニオン警察を吸収し、カナダの国家警察となった。ロイヤルは名誉の称号なので新組織にも冠せられたが、「王立」ではないため、連邦レベルの警察としてカナダ連邦騎馬警察と訳される。RCMPは全州および準州に連邦法の実施の責任を拡張すると共に、本部をそれまでのサスカチュワン州リジャイナからオタワに移した。こうして、西部が平和的に植民され次第解体される予定だったNWMPは恒久的機関となり、今日、連邦レベルおよび、オンタリオ州とケベック州以外の州レベルを統括する警察組織となっている。

20世紀初頭から、移民の流入により多様化してきたカナダでは、1960年代の移民法の改正によってヴィジブル・マイノリティが急激に増加した。この状況に、白人男性が主流であったRCMPも変化が求められた。すでに1974年から女性警官が認められていたが、全国的な議論を呼んだのが、1980年代末の「ターバン事件」である。1988年にシク教徒のバルテージ・ディロンがRCMPに応募した際、RCMPの服装規定として髭を剃りターバンを外し短髪にすることを求められた。しかし、シク教徒の男性にとって、それは宗教的な戒律に反することであった。ディロンは、ターバン着用の許可を求めた。RCMPは1987年にはヴィジブル・マイノリティの応募につきアファーマティブ・アクション政策を始めていたため、RCMP長官は同政策に基づき、ターバンと髭を禁止事項から外すよう勧告した。

これが全国的な議論と抗議を巻き起こした。1970年代からの急激な多文化社会への変換で、移民のニーズへのカナダ社会の譲歩やカナダ的伝統の喪失への脅威から、数多くの批判が起こった。特にRCMP創設の地である西部の州での反発は激しく、アルバータ州では、ある反ターバン運動家が、様々な民族、宗教的理由で騎馬警官の伝統の制服にどのような変化が起こるかをあてこすったカレンダーを作成し、何千部も販売した。他方、1982年のカナダ権利自由憲章を根拠に、宗教や民族を土台とした差別に反対する意見もあった。

結局、1990年3月にブライアン・マルルーニー進歩保守党政府は、シク教徒の髭、ターバン着用を含む服装規定の変更を発表し、ディロンはシク教徒初の騎馬警官となった。この後、2016年

1990年、シク教徒初の騎馬警官となったバルテージ・ディロンは、2019年に引退するまでRCMPで勤務し、カナダの多様性を象徴する1人である。写真は、カナダ建国150周年の2017年に掲載された国立図書・公文書館のFacebook投稿より。1990年3月15日にバルテージ・ディロンがターバンの着用を認められた最初の騎馬警官になったと言及している。

（出典：https://www.facebook.com/LibraryArchives/photos/a.1281963418516654/1348045718575090/）

には、イスラム教徒の女性は希望すればば顔を隠すヒジャブの着用も認められ、ＲＣＭＰはカナダ社会の多様化にさらに応えようとしている。

21世紀に入って、ＲＣＭＰは、複数の女性警官からのセクシャル・ハラスメントの告発を受けた。また２００1年9月11日の同時多発テロ後、アメリカに誤った情報を与え、シリア系カナダ人がイスラム過激派の1人として逮捕され、シリアで10カ月も投獄される事件を引き起こすなど、かつての治安と秩序維持の機関としての評判が落ちてきている。２０２０年3月には、アルバータ州で、アサバスカ・チペワイアンの族長、アラン・アダムが、車のナンバープレートの有効期限切れをＲＣＭＰ警官にとがめられた際に暴力を受ける事件が起きたが、6月初めにアダム逮捕時の映像が公になった時も、当初ＲＣＭＰは警官の対応に特段の問題はないとした。しかし、ジャスティン・トルドー連邦自由党首相からの批判に加え、先住民側から、これまでも先住民というだけでＲＣＭＰに不当な扱いを受けたとの訴えも多く出て、再調査に追い込まれ、6月末にはアダムの逮捕と逮捕時の警官への抵抗に対する告訴は取り下げられた。

このように、近年様々な問題があるが、ＲＣＭＰは、国家、州、および地方自治体の警察機関として、広範な役割を果たしている。限られた人員で様々な問題に取り組まなければいけないＲＣＭＰにとって、カナダの治安、法と秩序の維持、さらに異文化間の友好的な橋渡しの役割を象徴するシンボル的機関としての役割もまた、重要なものであり続けている。

（木野淳子）

Ⅵ

政治・外交

32

政治制度の仕組み

★民主主義の理念と実践★

カナダ政治の三原理

カナダの政治制度は、立憲君主制、議院内閣制、連邦制という3つの原理によって支えられている。まず、大英帝国の自治領として発展したカナダは、イギリス国王を国家元首とする立憲君主制を採用している。総督は、連邦首相の助言に基づき、国王によりの代理を務める。カナダに国王が不在の間、総督がその代理を務める。総督は、連邦首相の助言に基づき、国王により任命される。任期は通常5年。カナダのアイデンティティや価値観を象徴するポストである。第二次世界大戦後の総督には、マイノリティであるウクライナ系、アカディアン、香港系、ハイチ系なども選ばれ、2021年1月までは元女性宇宙飛行士がその任に就いていた。

総督には、連邦議会の召集・解散、連邦首相の任命、議会で可決された法案の裁可などの役割が与えられている。また、対外的には事実上の国家元首としてふるまい、カナダ軍の最高司令官でもある。連邦首相の助言に従って執務を行うため、象徴的、儀礼的な性格が強い。とはいえ、政治学者のデーヴィッド・E・スミスが、著書『姿なき君主』の副題を「カナダ政府の第一原理」としたように、国王という制度は、国家権力の源泉としてカナダという国家の維持において重要な機能を持つ。

議院内閣制は、立法府と行政府を融合することで、王権の行使を民主的にコントロールする仕組みである。すなわち、市民の代表が構成する議会下院の信任を得た内閣が、国王（総督）に代わって王権を司る形態をとっている。通常、下院で最多の議席を占める第一党の党首が、総督の任命によって内閣を組織する。

また、歴史的、地理的な要因から、連邦制が採用されている。その特徴は、連邦政府と州政府の権限分割にあり、1867年憲法の第91条から第95条にかけて、それぞれの権限が定められている。また、連邦－州関係や州同士の政府間関係も、外交関係のように活発である。

連邦議会

立法権を担う連邦議会は、上院（定数105）と下院（定数338）からなる二院制である。上院議員は、連邦首相の助言に基づき総督が任命する。以前は終身制だったが、現在は75歳定年制となっている。下院議員は、単純小選挙区制のもと、338の選挙区から選ばれている。憲法上の任期は5年であるが、2007年の選挙法改正により4年毎に総選挙を実施することが定められた。ただ、この規定は国王の議会解散権を縛るものではない。

両院は基本的に対等な関係にあるが、政府の歳入出に関わる法案は、下院しか提出できない。本会議中心主義（日本は委員会中心主義）を採用しており、法案審議は三読会制をとっている。第一読会では、法案提出者（大臣もしくは議員）から法案の趣旨説明が行われる。その後、第二読会では骨子が討

カナダ連邦議会議事堂（筆者撮影）

議され、採択後に関連する常任委員会に送付される。委員会では法案の詳細を審議し、条文の修正も行われる。必要に応じて公聴会を開催することもある。委員会は報告書を作成し、採択後に本会議へ提出する。第三読会では、最終討議と採決が行われる。採択の後、もう一方の院に送付され、同じ過程が繰り返される。両院で採択された法案は、総督に送られ、その署名をもって法律として効力を持つ。議院内閣制のため、大部分は内閣提出法案で、立法過程における内閣の影響力が強い。また、政府・与党が一体化し、強力な党議拘束がかけられるため、「バックベンチャー」と呼ばれる平の与党議員は、影響力がほとんど無いと言われる。また、下院の野党第一党の党首は、政府の説明責任を追及する公職とされ、首相と同じく公邸があてがわれている。

任命制かつ定年制の上院に対しては、任期

や選挙の導入といった民主化案を唱える声が絶えないが、憲法改正を必要とすることもあって、実現には至っていない。下院の議席数と選挙区の区割りは、国勢調査の結果に基づいて10年ごとに調整される。

内　閣

　行政権を担うのは内閣であるが、議会下院の信任を必要とする。内閣不信任決議などでその信任を失った場合、総辞職しなければならない。また、歳出を伴う法案は、すべて信任案件であり、下院で否決されると不信任とみなされる。カナダでは、党議拘束が強いこともあり、与党が過半数を占めている限り、内閣が信任を失うことはまずありえない。しかし、総選挙で第一党が過半数を確保できない少数政権になると、連立政権の伝統がないため、内閣の信任が脅かされる事態がたびたび生じ、不安定な政権運営を強いられる。

　閣僚は、地域のバランスを中心に、性別、エスニシティなども考慮して原則として下院議員の中から選ばれる。上院議員が任命されることもある。

　政権運営のスタイルの変遷を見ると、首相とその側近に権力が集中する傾向がある。１９５０年代まで、閣僚は担当省庁の運営を比較的自由に任されており、内閣の重要方針は、閣議を通じて決定されていた。また、地域の領袖として閣内で大きな影響力を持つ閣僚もいた。しかし、１９６０年代に入り、福祉国家の発展により連邦政府の役割が拡大し、政策課題が複雑化すると、合理的な政策決定と省庁間の政策調整能力を強化する必要性が生じた。首相府と枢密院事務局が強化され、実質的な政策決定の場が、首相側近と少数の主要閣僚（財務大臣、予算庁長官、政府間関係大臣、枢密院議長など）へと移った。その後も首相側近への権力集中は進み、これを「宮廷政府」と表現する政治学者（ドナルド・J・サヴォワ）もいる。

司法

司法権は、連邦政府と州政府によって共有されている。連邦政府が管轄する裁判所は、最高裁判所に始まり、連邦控訴裁判所、連邦裁判所、連邦行政裁判所、租税裁判所、軍法会議がある。最高裁以外は、連邦法に関わる審議のみを行う。最高裁は、カナダの最終審であり、9名の判事（うち3名はケベック州から）からなる。また、連邦政府の求めに応じて、法律（連邦法・州法）の合憲性や解釈について意見を述べるが、高度に政治的な問題の場合、判断を避けることもある。近年、政治的にデリケートな問題を、最高裁の判断に委ねる傾向が連邦政府にあることから、「政治の司法化」だと指摘されている。一方、「カナダ権利自由憲章」は「適用除外条項」と呼ばれる項目（第33条）を含み、連邦議会（州議会も同様）が、最高裁の違憲判決を覆す法律（5年間の時限立法）を制定することを認めている。これは、立法府の優越を限定的に認め、議会主権を確保するカナダの民主主義の特徴であろう。（古地順一郎）

33

よみがえる君主制

★カナダ立憲君主制の現在★

2020年1月に突如なされたイギリスのハリー王子一家の王室離脱宣言と、その後のカナダへの一時的な移住に驚いた人も多いのではないだろうか。一家が滞在先に選んだカナダ西岸のヴィクトリアは、今なおイギリスからの移住者も多く、イギリスよりイギリス的とも言われる。イギリスの地を離れた一家が最初の滞在先としてヴィクトリアを選んだことは、それが偶然かもしれないにせよ、カナダの人々にイギリスとの歴史的なつながりをあらためて思い起こさせることとなった。

一家の滞在について、カナダの人々の反応は概して好意的なものが多く、このままカナダ国王になってもらってはどうかとか、さすがに国王は無理なので、国王の代理であるカナダ総督になってほしい、あるいはヴィクトリアのあるブリティッシュ・コロンビア州の副総督にという声もあった。総督とは、普段イギリスにいてカナダを留守にしている国王の、カナダでの代理のことである。また副総督とは、連邦制国家カナダを構成する州それぞれに置かれる国王の代理のことであり、州においてカナダの立憲君主制を象徴する立場である。

その後ハリー王子一家はカナダを離れることとなったものの、

このことはセレブとしてあくまでも遠い存在であった王室の人々が、カナダの統治のメカニズムのなかに鎮座するリアルな存在として再認識されるきっかけとなった。実は当のカナダの人々にとっても、カナダが国王をいただく立憲君主制の国であることを身近なものとして意識する機会は、普段の生活ではこれまであまりなかったのである。

イギリスの植民地であったカナダは、突然イギリスから独立したわけではなく、1867年以来ゆっくりと独立国家への道を歩んできた。巨大な隣国であるアメリカ合衆国の存在感もあって、カナダという国のありようも同じようなものだと思われてしまいがちである。ところが、カナダという国の統治のメカニズムはアメリカとは大きく異なるし、むしろ常にアメリカを反面教師としながら国づくりをしてきたと言っても過言ではない。同じイギリスの植民地でありながら、イギリスとの激しい対立や政治的断絶を経て、国王のいない共和制国家を立ち上げた隣国アメリカとは異なり、あくまでもイギリス的な価値観を礎とした国づくりを進めてきた。カナダを「大英帝国の忠誠な長女」と呼ぶことがあるのは、そういった来歴を踏まえてのことでもある。そしてイギリス的な価値観のなかでも政治体制について言えば、イギリスに由来する立憲君主制が、いわばカナダのカナダらしさの際立った特徴をなす。では、カナダの立憲君主制とはいったいどのようなものなのだろうか。

2010年から2017年まで総督を務めたデーヴィッド・ジョンストンは、カナダ立憲君主制の特徴を以下のように述べている。ひとつは、カナダの立憲君主制がイギリスとフランスに起源をもつものであること。そしてふたつ目はこういった起源をもつ立憲君主制が、カナダ特有の条件や環境に適合するように独自の進化を遂げてきたこと。それは「共有された君主制」とでも言うべきものであ

第33章
よみがえる君主制

第27代カナダ総督ミカエル・ジャン（在任2005～2010年）
（2007年7月、大石太郎撮影）

り、国王、上院、下院からなる連邦議会や13の州・準州によって共有されるものであるとしたうえで、立憲君主制が先住民とも強いつながりを持つものであるともしている。

たとえばカナダの憲法は、カナダ議会の構成について定めた条文で「カナダに女王ならびに、上院と下院により構成されるひとつの議会を置く」（1867年憲法法第17条）としている。この条文から読み取れるのは、今日ではあくまでも形だけの存在にすぎないものの、女王（国王）もカナダ議会の一部であるということである。たとえば連邦議会あるいは各州議会における施政方針演説は、カナダではスローン・スピーチ（女王演説）と呼ばれ、連邦首相や州首相ではなく、国王の代理である総督、副総督が行うこととなっている。このことはイギリス流の立憲君主制が維持されていることのひとつの例にすぎないが、カナダではそういった君主制に由来する様々な政治制度が連綿と受け継がれてきており、それがカナダの統治システムの基層を形成してきたのである。

カナダ国王の代理である総督や副総督は、かつてはイギリスから派遣されてきていたものの、今日ではカナダ国民が任命されるようになっている。あくまでも儀礼的な役割にとどまるとされる総督というポジションは、むしろだからこそ、カナダの国民統合のシンボルとしての意味合いを深めてきた。すなわちこの地位にはフランス系カナダ人のほかにも、香港出身の中国系移民であったエイドリアン・クラークソン、ハイチからの難民であったミカエル・ジャンなど、女性やエスニック・マイノリティの人々が就くことが多く、総督の地位そのものがカナダの国是である多文化主義のシンボルとなっているのである。つまりイギリス流の立憲君主制を維持しつつも、そこにはそれにとどまらない多文化主義を表象する独自のいろどりが加味されているとも言えよう。州における副総督のポジションも同様であり、女性はもちろんのことだが、たとえば先住民出身者（BC州）や、難民出身者でイスラム教徒の女性（アルバータ州）が任命されたこともある。これらはイギリスとも異なる立憲君主制のカナダ的進化を示すものと言ってよいのかもしれない。

1926年、当時のジュリアン・ビング総督がW・L・マッケンジー・キング連邦首相による議会解散の助言を拒否して内閣総辞職に追い込んだ、いわゆるキング・ビング事件があった。しかし現代のカナダでは、国王や総督ないし副総督には、連邦首相や州首相の任命や議会の解散などを認める儀礼的な役割しかないものと理解されており、キング・ビング事件は植民地時代の影響を受けた過去の出来事と考えられてきた。ところが21世紀に入ってから、総督や副総督が実質的な政治的判断をせざるを得ない状況が、頻繁ではないにせよ生じている。そしてこの点に、カナダ立憲君主制の新たな局面が垣間見えると言ってもよいだろう。

というのも現代カナダ政治においては、連邦議会や州議会において、選挙の結果、単独で過半数を占める政党が存在せず、そのため少数与党による不安定な政治状況が時として生じている。2008年、野党連合による内閣不信任を阻止するため、時の少数与党政権を率いたスティーヴン・ハーパー連邦首相がミカエル・ジャン総督に求めた議会停会などもその一例である。

同様の事例は、2017年5月に行われたブリティッシュ・コロンビア州総選挙でも起こっている。少数派政権に転落した与党（BC州自由党）と、第三党である緑の党の支持をとりつけた第二党（BC州新民主党）のどちらを首班指名するか、どの党も単独過半数に届かない、いわゆるハング・パーラメント（宙づり議会）と呼ばれる状況での副総督による実質的な政治判断は、様々な議論を呼ぶこととなった。州首相による再選挙の実施要請を拒否して総辞職に追い込み、第二党を第三党がサポートする政権の発足を認めるにあたって、副総督はカナダのみならず、イギリスやオーストラリアの憲法学者にもアドバイスを求めたという。

こうしてみると、古くからある立憲君主制が、多文化主義のシンボルとしてのみならず、新たな役割までも身にまといながら、まるで私たちの前に忽然と立ち現れているかのようでもある。カナダの立憲君主制は歴史を現在に反映させつつ、今まさに生きていると言えよう。

（岡田健太郎）

34

カナダの憲法

★カナダ的連邦制と人権保障の特質★

カナダ憲法を学ぼうとする時、最初に当惑するのが、「日本国憲法」にあたる単一の法典が存在しないという事実である。これは、カナダ憲法が、元々はイギリス議会制定法や命令として定められた多くの法規範の複合物であることに起因している。そこで本章では、まずカナダ憲法の範囲を確認し、さらにその内容的特質を見ることにしよう。

現在のカナダの法的原形を定めたのは、イギリス議会制定法たる1867年英領北アメリカ法であるが、その後も同議会は数多くのカナダ関連法を制定してきた。これらはカナダから見ると、その統治構造を定め、国がすべきこと、国に禁止されることを定める実質的意義の憲法であったが、その改正権はイギリスにあった。そこで、イギリス議会の立法権からカナダを解放し、カナダ憲法の改正をカナダ自身で行えるようにすること(patriation)が積年の課題となってきたが、ついにこれを実現したのが、イギリス議会制定法たる1982年カナダ法である。本文わずか4カ条の同法は、1条で「本法別表Bに定める1982年憲法法は、カナダにおいて法となり、本法に定めるところに従い効力を有するものとする」と定め、また、2条で「1

982年憲法法より後にイギリス議会が定める如何なる法も、カナダにおいてその法の一部として効力を有することはない」と規定して、上述の課題を達成した。なお1条は、当時カナダにおいて重要な政治課題となっていた憲法上の人権規定導入について、ケベック州を除く全州と連邦が合意したことから、この改正を従来の方式、つまりイギリス議会法制定によって行ったものである。

1982憲法法52条2項において、カナダ憲法は、(a) 同法をその一部に含む1982年カナダ法、(b) 1982年憲法法の別表に掲げる法律又は命令（このなかには、1867年憲法法と改名された1867年英領北アメリカ法など30法令が含まれる）、(c) 上記 (a) 号および (b) 号に規定する法律又は命令に係る全ての改正、以上をもって構成すると定められたが、そこで生じた1つの問題は個別法の名称であった。1867年英領北アメリカ法等イギリス視点の名称は、当然、カナダの法の名称としては不適切である。そこで1982年カナダ法は、「英領」を廃して、カナダ視点の1867年憲法法等に改名したのである。またそこでは、カナダ憲法 (Constitution of Canada) 全体の一部を構成する個別法という意味で、憲法ではなく憲法法 (Constitution Act) という名称が用いられている。

次にカナダ憲法の内容的特徴をみよう。ここで重要なのは、カナダ型連邦制、通常議会制定法に優越する硬性の人権憲章を伴うカナダ的憲法保障の仕組みの2点である。

まず、カナダは、10州と3準州からなる連邦制国家である。日本のように統治権が国によって独占される単一国家では、都道府県や市町村等の地方公共団体があっても、それらは国から権限委任を受けて活動しており、独立した統治権の主体ではない。しかし連邦制国家においては、連邦と州が共に統治権の主体として、権限配分が認められる。たとえば、日本の地方公共団体の課税権は、国の課税

ELIZABETH THE SECOND

BY THE GRACE OF GOD OF THE UNITED KINGDOM, CANADA AND HER OTHER REALMS AND TERRITORIES QUEEN, HEAD OF THE COMMONWEALTH, DEFENDER OF THE FAITH.

TO ALL TO WHOM THESE PRESENTS SHALL COME OR WHOM THE SAME MAY IN ANYWAY CONCERN,

GREETING:

A PROCLAMATION

WHEREAS in the past certain amendments to the Constitution of [illegible] Parliament of the United Kingdom at the request [illegible]
AND WHEREAS it is in accord with [illegible] Canadians be able to amend their [illegible]
AND WHEREAS it is desirable to [illegible] ion of certain fundamental rights and fre[illegible] Constitution;
AND WHEREAS the Parliament of [illegible] the consent of Canada, enacted th[illegible] amendment of the Constitution [illegible]
AND WHEREAS section 58 of the Co[illegible] Act, provides that the Constitution [illegible] force on a day to be fixed by proclama[illegible]
NOW KNOW You that We, by and with the [illegible] this Our Proclamation, declare that the Constitution Act, 1982 [illegible] 59 thereof, come into force on the Seventeenth day of April, in the Yea[illegible] Thousand Nine Hundred and Eighty-two.
OF ALL WHICH Our Loving Subjects and all others whom these Presents may con[illegible] required to take notice and to govern themselves accordingly.

IN TESTIMONY WHEREOF We have caused these Our Letters to be made Patent and the Great Seal of Canada to be hereunto affixed.
At Our City of Ottawa, this Seventeenth day of April in the Year of Our Lord One Thousand Nine Hundred and Eighty-two and in the Thirty-first Year of Our Reign.

By Her Majesty's Command.

Registrar General of Canada.

Prime Minister of Canada.

GOD SAVE THE QUEEN

ELIZABETH DEUX

PAR LA GRÂCE DE DIEU REINE DU ROYAUME-UNI, DU CANADA ET DE SES AUTRES ROYAUMES ET TERRITOIRES, CHEF DU COMMONWEALTH, DÉFENSEUR DE LA FOI.

À TOUS CEUX QUE LES PRÉSENTES PEUVENT DE QUELQUE MANIÈRE CONCERNER,

SALUT:

PROCLAMATION

[illegible] avec le consentement du Canada, le Parlement du Royaume-[illegible] plusieurs reprises la Constitution du Canada;
[illegible] à un État souverain, les Canadiens se doivent de déten[illegible] Constitution au Canada;
[illegible] la Constitution du Canada la reconnaissance d'un [illegible] fondamentaux et d'y apporter d'autres modifications;
[illegible] la demande et avec le consentement du Canada, a [illegible] Canada, qui prévoit le rapatriement de la Constitution [illegible]
[illegible] -B de la Loi sur le Canada, stipule que, sous réserve [illegible] elle de 1982 entrera en vigueur à une date fixée par [illegible] du Canada,
[illegible] sur l'avis de Notre Conseil privé pour le Canada, que la Loi [illegible] elle de 1982 entrera en vigueur, sous réserve de l'article 59, le dix-septième [illegible] mois d'avril en l'an de grâce mil neuf cent quatre-vingt-deux.
[illegible] DEMANDONS À Nos loyaux sujets et à toute autre personne concernée de prendre [illegible] de la présente proclamation.
EN FOI DE QUOI, Nous avons rendu les présentes lettres patentes et y avons fait apposer le grand sceau du Canada.
Fait en Notre ville d'Ottawa, ce dix-septième jour du mois d'avril en l'an de grâce mil neuf cent quatre-vingt-deux, le trente et unième de Notre règne.

Par ordre de Sa Majesté

Le registraire général du Canada

Le premier ministre du Canada

DIEU PROTÈGE LA REINE

２つある1982年憲法法公布文正本の１つ。1983年、当時の米加防衛政策に抗議するカナダの美学生により赤インクで汚された。(Library and Archives Canada所蔵。MIKAN 3782551)

権の一部であって、国会が定める地方税法が枠組みを規定するが、連邦制国家カナダでは、連邦と州の双方が独自の課税権をもつ。

もっとも、連邦と州の統治権配分方式は国によって異なるから、カナダ型連邦制を隣国アメリカ合衆国のものと同一視してはならない。カナダの統治権配分の基本は1867年憲法法に定められているが、そこでは、まず明示的な連邦の権限と州の権限を定め、規定されていない事項については連邦に権限を留保する方式が採用されており、アメリカ合衆国憲法が州の留保権を定めるのと対照をなす。

個別権限配分にみる重要な特徴としては、刑法制定権が連邦にあること、教育が州権限事項であること、婚姻法については実体法部分が連邦、手続法部分が州と複雑に分配されていること等がある。最後のものは、全カナダで、婚姻に法的効力を生じさせるためには結婚式（宗教式又は世俗式のいずれでも可）が必須であることを前提に、宗教式を含めた司式の規制について州権限を認めるもので、カナダとケベックの歴史、とりわけキリスト教会の社会的機能の歴史と深く結びついている。

次に人権憲章と憲法保障については、１９８２年憲法法の第１部（1条～33条）に、カナダ権利自由憲章を置き、これに抵触する連邦法、州法又は政府活動は、カナダ最高裁判所を頂点とする司法裁判所による違憲審査の対象となるとした。従前カナダでは、議会を憲法最終解釈者とするイギリス型議会主権原則を採用し、裁判所が議会制定法を人権侵害の故に違憲と判断することはなかったが、現行カナダ憲法は、日本・アメリカ合衆国型の司法審査制度を導入した。ただし1つ大きく異なるのは、イギリス的伝統を一部残存させたことである。すなわち、連邦および州議会は、法制定に際して、特定の人権規定（良心・宗教・思想・表現・集会・結社の自由〈2条〉、人身の自由〈5条～14条〉、平等権〈15条〉）にもかかわらず効力を有すると宣言をして、5年間の時限立法（更新可能）を行うことができる（33条）。裁判所と議会の憲法解釈が分かれる場合、通常は前者が優先するが、議会の責任において後者を優先させつつ、これを時限立法として国民の判断を待つというこの制度は、連邦議会での利用はないが、ケベック等の州議会によって複数回利用されている。たとえば１９８３年にケベック州議会は、憲章2条（表現の自由）と15条（平等権）の適用除外を宣言して、公共空間における表示のフランス語化法を制定した。全カナダでは少数派言語だが、州内では多数派言語たるフランス語の優先を法定するという憲法判断が分かれる問題について、州議会の憲法解釈を貫徹しようとする試みであったといえる。

人権の内容面では、自由権と平等権を中心とする伝統的な人権のほか、少数言語教育権（23条）、先住民の権利（25条）、多文化主義（27条）、宗教学校保護（28条）等が定められている点に特徴がある。これらは、個人主義に基づく自由と市民の機会の平等から出発する古典的な人権のあり方に対して、少なからず修正を求めるものといえ、その解釈運用の責任を負うカナダ最高裁判所の判決には興味深いものが多い。たとえば、同裁判所は、政教分離を巡って多くの判決を下しているが、シク教徒の男性が教義上身につける小剣（キルパン）の学校への持込禁止が争われた２００６年の事件（*Multani v. Commission scolaire Marguerite-Bourgeoys* 判決）では、その禁止が信教の自由を侵害し、かつ、正当化され得ないと判断した。多文化主義を基礎として、シク文化への敬意に言及し、政教分離の形式的適用を回避したこの判決は、他国とは異なるカナダ的アプローチを示している。

国境を越える人・物・資金・情報の移動が普遍化するなか、時に対立する多様な価値をどのように調整するか、カナダ憲法の知恵は、日本でも参考にすべき点が多い。

（佐藤信行）

35

カナダの政党

★連邦政党と政党システム★

カナダでは、2つの全国政党であるカナダ自由党（以下、自由党）とカナダ保守党（以下、保守党）が交替で政権運営を行ってきた。この点において二大政党制の要素を有している。だが、特定地域に支持基盤をおく第三政党も存在しており、総合的にみれば多党制をなしている。

カナダにおける政党政治の特徴は第1に、自由党と保守党の二大政党のイデオロギー色が弱く、政権獲得を目指すプラグマティックな性格が強いことである。地域間対立や民族間対立を潜在的に抱えているカナダにおいて、政党は、地域や民族間の分断をその組織内部に抱え込んでいる。それにより、政党はあらゆる地域を代表する汎カナダ的な媒介者の役割を果たしてきた。確かに1920年代の西部カナダの諸政党や1990年代のケベック州の主権主義を掲げるブロック・ケベコワなどの地域政党も存在する。だがこれは、全国政党が代表しきれなかった分断や亀裂の隙間に台頭したと見ることもできる。

第2に、カナダには連立政権の伝統がない。選挙の結果、たとえ少数派政権になったとしても、自由党も保守党も連立という選択肢を頑なに排除してきた。このことはたとえば、カナダ同様にイギリス自治領として発展してきたオーストラリアの政治状況と比べると際立っている。

第3に、連邦と州の政党組織はそれぞれ独立している。また、有権者の投票行動においても、連邦政治と州政治の間には相関が見えづらい。カナダの有権者は、連邦選挙と州選挙でむしろ反対の投票行動をする傾向が強い。ある州の州総選挙で右派政権が誕生したかと思えば、連邦総選挙では当該州で左派寄りの政党への投票行動が観察されることも稀ではない。

2020年現在、連邦下院議会に議席を有する政党は、自由党（与党）、保守党（野党第一党）、ブロック・ケベコワ、新民主党および緑の党の5つである。

中道左派の自由党は、20世紀を通じて通算69年間与党の座におり、カナダの「自然与党」ともいわれる。現代カナダの基盤をなす1982年憲法の制定や多文化主義政策の導入は、自由党政権時代に達成された。2000年代に入って政治スキャンダル等を理由に支持率が低迷する時期が続いたが、2015年に約10年ぶりに政権交代を果たし、2019年の総選挙でも勝利した。

保守党は、1867年に設立された自由保守党の流れを汲む中道右派政党である。自由保守党（後に進歩保守党）は、連邦政府の初代政権を担った伝統政党であったが、1993年の総選挙でわずか2議席の当選という壊滅的な敗北を喫して野党第4党にまで転落し、一時は弱小政党にまで落ち込んだ。しかし2003年、西部に支持基盤を有するカナダ同盟と合流して、現在の保守党として再生した。2006年、保守党はスティーヴン・ハーパーのもとで12年ぶりの政権交代を果たした。その後10年近い長期政権を確立したが、2015年に下野した。

ブロック・ケベコワは、ケベック州の地域政党である。ケベック・ナショナリズムの高まりと憲法改正運動の頓挫のなかで１９９０年代に生まれた。同党は、ケベックの主権獲得を党是とするナショナリストである。ただし社会経済政策面では社会民主主義的であり、むしろ左派に属する。１９９３年の総選挙で野党第一党の座に就くほど、結党直後からケベック州内で支持を拡大させ、一時は連邦政局を大きく揺るがす存在であった。２０１０年代に入り弱体化が進み、解体寸前にまで追い込まれた。ところが、２０１９年の総選挙で思わぬ復活を果たし、今後の動向が注目される。

新民主党は、自由党と保守党に続く第3の全国政党である。もともとは労働組合系の左派政党として出発した。しかし近年の新民主党においては、労働党的な性格はあまり前景化せず、人権擁護を声高に主張する面が強い。２０１１年の総選挙では野党第一党にまで躍進した。ところが２０１５年の総選挙では議席を選挙前の半分以下に減らし、２０１９年の総選挙でついにブロック・ケベコワの議席をも下回る野党第三党にまで転落した。新民主党は、自由党への批判が高まると流動的な左派有権者の受け皿として伸長する可能性を秘めている。その一方で、強力な党首抜きにはパフォーマンスを発揮しきることができない等の課題を抱えている。

その他に下院に議席を有するのは緑の党である。ブリティッシュ・コロンビア州で特に支持率が高い。環境保護主義を掲げる同党は、２０１９年の総選挙で初めて3議席を獲得した。環境問題が重要な政治争点となるなかで、緑の党は２０１８年頃から他州においても水面下では支持が拡大傾向にある。

カナダは、旧宗主国イギリスの議会制度の伝統を色濃く継承している。実際、建国当初は二大政党制が想定されていた。オタワにある連邦議会議事堂のつくりも、与党と公式野党の2党が対峙する

連邦下院議会議事堂。奥の議長席に向かって左側が与党、右側が野党第一党（公式野党）の席である。現在大規模改修工事中のため、写真は仮設議事堂。（筆者撮影）

イギリス風の議席配置となっている。このことも二大政党制が念頭に置かれていたことを示唆している。その上、選挙制度は単純小選挙区制である。政治学の理論上では、単純小選挙区制は二大政党制を導きやすいといわれる（デュヴェルジェの法則）。これら諸要素を勘案すると、カナダが多党制であるのは例外的な事例のように思われる。

二大政党制か多党制かという点について、カナダの政治学者の間では、カナダ政治史のなかで両者が交互に出現してきたことが指摘されている。連邦結成の1867年から1910年代までは自由党と保守党の間で二大政党制が機能していた。20世紀初頭になり、オンタリオ州とケベック州からなる中央カナダの都市化、産業化が進むと、農業を主産業とする西部カナダの利害と対立するようになり、地域分断が表面化した。そうして1920年代には、農業従事者や労働者の利益を代表する地域政党が続けて出現し、カナダの政党は多党化した。

第二次世界大戦後は連邦結成100年に向けてカナダ・ナショナリズムが高まった。そのなかで憲法移管と人権保障の明文化を含んだ新憲法の制定を中心に汎カナダ的な問題が政治争点となり、1960年代以降再び自由党と進歩保守党の二大政党制に回帰した。新憲法は1982年に制定されたものの、特にケベック州の反対からすぐに憲法改正問題に発展した。憲法改正が難航するにつれ、ケベック・ナショナリズムが高まり、1990年代には再び地域分断の時代に入った。ブロック・ケベコワが誕生し、同党は連邦政治でも非常に大きな影響力を持った。ケベック・ナショナリズムはケベックの主権・連合の是非を問う1995年の州民投票の否決をピークに鎮静化に向かっていったが、同党は2000年代まで連邦下院で一定勢力を保ち続けた。

2010年代に入ると連邦政局は自由党、保守党、新民主党の3政党を機軸として展開する流れに入ったかのように思われた。しかし新民主党は、自由党や保守党に並ぶほどの力量を見せられず、十分な影響力を発揮できずにいる。また、ブロック・ケベコワは、ケベック・ナショナリズムは再燃していないにもかかわらず、再びケベック州で議席を伸ばすようになっている。この現象をどのように理解すべきか、現時点では評価が難しい。さらに、上述のように近年は緑の党が水面下で支持を伸ばすという新たな傾向も観察される。カナダの連邦政党の動向は、中長期的に今も変化し続ける途上であるように思われる。

（仲村 愛）

36

ケベック問題

★ケベコワとフランス系ナショナリズム★

1995年10月30日、ケベック州の主権達成を問う州民投票の結果がカナダ中を震撼させた。50・6％対49・4％という紙一重の差で、主権達成反対派が辛勝した。投票率はカナダ史上最高の93％を記録した。カナダ国民が初めて国家分裂の深淵を垣間見たこの衝撃的な州民投票から四半世紀を経た現在、あれは夢だったのかと思えるほど主権達成をめぐる議論は聞かれなくなった。しかし、この「ケベック問題」こそ1960年代以降、カナダ内政を揺さぶってきた国家のアキレス腱だったのである。

なぜケベック州はカナダからの主権達成を求めてきたのだろうか。まず人口統計上の数字をみよう。カナダの総人口の約20％を占めるフランコフォン（フランス語話者）の約9割がケベック州に集中している、という事実がある。ケベック州の約80％がフランコフォンであるのに対し、他州は圧倒的にアングロフォン（英語話者）が多数派である。つまり、ケベック州のみがフランコフォンを多数派とし、人口統計上、明らかに他州とは異なる。

しかし、数の要因のみで主権達成運動は起こらない。ケベック問題は歴史的、心理的、政治的、経済的要因が複雑に絡み合った現象なのである。フランス系の人々には、カナダはもともと自分たちが開拓した地なのだ、という自負がある。17世紀初頭、フランス人探検家がケベックを創設し、この地が拠点となってヌーヴェル・フランス植民地が繁栄した。しかし、英仏抗争の末、ケベックが1759年にイギリス軍の攻撃を受けて陥落し、パリ条約によって同植民地はイギリスに割譲された。征服されたフランス系の人々は、圧倒的にイギリス系が支配的な北米大陸にあって、孤立し、内向的世界に籠りつつ、カトリック教会主導の伝統的農村社会に生きた。こうして、彼らは頑なにフランス系文化とフランス語を守り続けていたのである。「私は忘れない（Je me souviens）」――ケベック州のモットーであり、同州の車のナンバー・プレートにも刻まれているこの言葉は、彼らのフランス性の「サバイバル」への一貫した感情を表すものとして認識されている。

ケベック州のナンバー・プレート。「私は忘れない（Je me souviens）」とフランス語で刻まれている。（平井みさ撮影）

イギリスによる「征服」当初、フランス系の人々は、数のうえではイギリス系より多かったが、自分たちと宗教、言語、慣習、法体系などを異にする征服者の掌中で、カナダのなかの少数派としての運命をたどり始めた。19世紀に入り、イギリス系移民の波が押し寄せ、多数派となったイギリス系の人々は、近代的な産業を各都市に発達させていった。一方で、都市化と工業化が進み始める20世紀初頭より、徐々に都市部に流入したフランス系の人々は、ケベック州内では多数派であるにもかかわらず、経済的・社会的疎外感を味わうこととなる。特に大都市モントリオールでは主要ビジネスの上層部の大半がイギリス系、下層部がフランス系という社会構造のもとで、フランス系はしばしば「二級の市民」という劣等感を感じていた。それは、前近代的・権威主義体制を長年維持したユニオン・ナシオナル党のモーリス・デュプレシ州首相の時代まで続き、フランス系の不満は、彼の死去（1959年）をきっかけに一気に噴出した。そして1960年に誕生したジャン・ルサージュ率いるケベック自由党（PLQ）政権下で、「静かな革命」と呼ばれる一連の社会改革が展開されていく。ポジティブなアイデンティティを模索し始めたフランス系は、自らを「ケベコワ」と呼び、ケベコワこそ「我が家の主人（maître chez nous）」であるという意識を持ち始めた。政権獲得後、PLQはカナダ連邦政府に対し、主に社会保障、課税権、外交の分野においてケベック州の権限拡大を要求した。しかし、連邦政府の不十分な対応、他州の無理解と無関心への怒り、「静かな革命」の変革の足踏みへの苛立ちなどにより、この時期、分離独立運動が台頭した。

ケベック州のカナダからの「分離」を問う州民投票は2度実施された。1回目の実施は1980年であった。これを指揮したのは、1968年にケベック州の独立達成を標榜して結成され、1976年に州政権を掌握したケベック党（PQ）のルネ・レヴェックであった。しかし、完全独立に踏み切ることに躊躇するケベコワの意識に直面したレヴェックは、やがてPQの従来の独立構想を修正せざるを得なかった。結局、打ち出された新構想は、政治的には「主権」を有しつつも、経済的には通

ケベック州の主権達成を主張するブシャール・ケベック州首相（当時）。1998年11月、ケベック州総選挙キャンペーンにて（筆者撮影）

貨同盟を含む「連合」であるとする「主権・連合」構想であった。州民投票での質問の最後は、こうだった。「（……この構想について）連邦政府と交渉する権限をケベック州政府に与えることに同意しますか」。結果は、59・5％対40・4％で反対派が勝利した。

冒頭で触れた1995年に実施された2回目の州民投票では、PQだけではなく、野党のケベック民主行動党（ADQ）と連邦政党のブロック・ケベコワ（BQ）も主権主義陣営に加わり、カリスマ的なBQ党首ルシアン・ブシャールが音頭を取った。しかし、前回と同様、州民投票の質問は以下のように完全な独立を問うたものではなく、今度はカナダとの「パートナーシップ構想」が打ち出された。「法案1号（「ケベック州の将来に関する法」と題するケベック建国草案）および三党協定（「パートナーシップ構想」の内容に関するPQ、BQ、ADQの合意）に基づき、カナダに対して新しい経済的・政治的パートナーシップを連邦政府に提案した後で、ケベックが主権国家となることに賛成しますか」がその問いであった。

2度の州民投票でわかるのは、すべてのケベコワ（ここでは「フランス系」の意）がカナダからの完全分離を望んでいるわけではない、ということである。彼らのなかには、カナダ連邦制の枠内におけるケベック州の自治拡大の可能性に依然として期待し、大半のアングロフォンと同じようにカナダに留まることを望む連邦主義者がいる。他方で、何らかの変化を望むものの、迷いの境地にあって最後まで投票行動が掴めない慎重派もいる。「ソフト・ナショナリスト」と呼ばれる後者の浮動層こそ、ケベック問題の帰趨を左右する鍵であり、主権主義派がストレートに独立を問わなかったのはそのためであると考えられている。主権（分離）主義者、連邦主義者、ソフト・ナショナリスト――いずれの立場であれ、自らの運命を自らが決定し、フランス系文化とフランス語を守っていきたい、と思うケベコワのメンタリティの本質的な部分は同じである。

その後、主権主義派の動きは勢いを失い、ケベック州首相に就任したブシャールは2001年に辞任した。そして2003年、連邦主義のジャン・シャレ率いるPLQが州政権を掌握し、PQは下野した。2012年にPQが州政権を奪回したものの、短命政権に終わり、2014年に再びPLQが州政権を奪回した。2018年以来、ケベック未来連合（CAQ）が州政権に就いているが、主権達成が政治の争点になることはない。理由は様々考えられるが、その1つとして、1977年に制定されたフランス語憲章が40年以上経て、功を奏していることが挙げられる。ケベック州の経済界においてフランス語の地位が劣勢にあったことがケベコワの最大の不満であったが、同憲章によりフランス語に絶対的な優位性が与えられ、状況が一変している現在、ケベコワは主権達成に意味を見出せなくなってきていると考えうる。

（矢頭典枝）

コラム5

ケベックの庶民派宰相ルネ・レヴェック

古地順一郎

ルネ・レヴェック（1922～87年）は、ケベック州のジャーナリスト、政治家で、1976年から85年まで州首相を務めた。

政治指導力だけでなく、率直な物言いと飾らない性格で、庶民派政治家として市民に広く愛され、今でも根強い人気がある。学生時代から、アナウンサー、ジャーナリストとして活躍し、テレビ草創期の1950年代には、ラジオ・カナダ（フランス語系公共放送）で、国際情勢に関する人気情報番組『ターゲット』を担当し、一躍、その名と顔がお茶の間に浸透した。

当時、州経済の中枢は、英語系住民が掌握しており、経済的にも、社会的にも、フランス語系住民は、従属的な立場に置かれていた。フランス語系住民の尊厳回復と開花をめざし、1960年に州議会議員となる。「静かな革命」といわれるケベック社会の変革を進めたケベック自由党のジャン・ルサージュ政権で、天然資源相などを務めた。ケベック水力発電公社（イドロ・ケベック）の設立に尽力し、英語系資本に握られていた電力を州有化することに成功した。

その後、ケベック自由党を離党、68年にケベック党を結成した。76年に政権を獲得すると、77年には、フランス語の公用語化を促進するフランス語憲章（101号法）を制定し、80年には、ケベック州の政治的主権の獲得と、カナダとの経済連合を含んだ「主権・連合」構想をめぐって州民投票を実施した。しかし、州民の約6割が反対票を投じ、否決される。また、1982年憲法をめぐっては、ケベックの独自性の承認が十分ではないとし、署名を拒否した。しかし、ブライアン・マルルーニーが率いる進歩保守党が、連邦制度の改革を掲げて連邦政府で政権を握ると、

ルネ・レヴェック元ケベック州首相（Photographie officielle de René Lévesque, 1981. Fonds Assemblée nationale du Québec, photographe : Kedl.）

主権獲得構想を一時棚上げする。その結果、主要閣僚の反発を招き、政治的に孤立して辞任に追い込まれた。

ケベック・ナショナリズムを主導したレヴェックだが、少数派への配慮も忘れなかった。州内の英語系住民が英語で教育を受ける権利や、移民の文化的権利を認め、人種主義や差別を厳しく批判した。このような視点は、レヴェックの生い立ちや戦争体験が影響している。幼少期を過ごしたガスペ地方のニューカーライルには、英語系住民が多かったため、英語のみならず、彼（女）らと接する機会にも恵まれていた。その結果、レヴェックは、バイリンガルになるとともに、州内の英語系住民が置かれた状況もよく理解することとなった。また、第二次世界大戦ではアメリカ軍に記者として従軍し、ナチス・ドイツのダッハウ強制収容所の惨状を目の当たりにする。この強烈な体験は、自民族中心主義の危険性だけでなく、基本的人権に基づいて少数派の権利を保護することの重要性を、レヴェックの心に刻みこむこととなった。

１９８７年秋、65歳で逝去。政治的意見の相違を越えて多くの人が別れを惜しみ、連邦政府も、半旗を掲げて好敵手の冥福を祈った。

37

「フランス語憲章」をめぐるケベック政治

★ケベコワと言語の「生存」のための闘争★

ケベック州はカナダの他の州とは異なる「独自の社会」であるといわれる。そのことを特に体感するのは、ケベック州に足を踏み入れた際、フランス語による標識や看板表記を目にした時であろう。たとえば、ケンタッキー・フライドチキンの看板表記は、フランスでもＫＦＣ（Kentucky Fried Chicken）だが、ケベック州ではＰＦＫ（Poulet Frit Kentucky）である。このように、ケベック州は、フランス以上にフランス的な様相を帯びる社会なのである。こうした状況は、1977年8月26日に当時のケベック党政権によって制定されたフランス語憲章、通称第101号法によって創り出された、と言ってもよいであろう。

フランス語憲章が制定される以前のケベック州は、フランス語系住民が多数居住する州でありながらも、英語が社会経済的に優位な地位にある社会であった。特にモントリオールにおいては、企業の上層部の業務上の言語や商店の看板などの言語は英語であった。そのような英語優位の環境下でのケベック州の課題は、フランス語系住民の「存続」を、現在および将来にわたって制度的に保障することであった。特に、人口統計上、フランス語系住民の「存続」は、1960年代以降いっそう深

モントリオールにおけるケンタッキー・フライドチキンの店舗の看板表記（Jérôme-Xavier Mainville 撮影）

刻な問題となっていた。なぜなら、フランス語系住民は、従来カトリックの強い影響のもとで高い出生率が維持されていたが、「静かな革命」以降の世俗化により出生率が急激に低下し、さらに、ケベック州に到来する移民がフランス語よりも英語を選択する傾向にあったからである。

子どもに英語を身につけさせることを欲する移民と、フランス語によって移民の社会統合を図りたいフランス語系住民との対立は、１９６０年代後半から州内の主要な政治問題となった。このような対立を調整しフランス語の地位を高めるために、第63号法（１９６９年）や第22号法（１９７４年）などの州の言語法が制定された。特に、ケベック自由党のロベール・ブラサ政権によって制定された第22号法（公用語法）は、初めてフランス語がケベック州における公用語であると定めたものであった。しかし、この法律はフランス語をケベック州の公用語と規定しながらも、実質的には二言語主義であった。たとえば、移民の子どもはフランス語による教育を受けるように定められたが、一定の条件のもとで英語による教育も選択することができた。しかし他方で、英語系住民は、英語による教育を受ける自由を保障されなかった。その結果、この言語法の曖昧さに関して、英語系住民からも、フランス語系住民からも不満が生じた。

この混乱のなかで、第22号法に代えて、実質的にも厳格な一言語法を制定しようとしたのが、ケベック党のルネ・レヴェック政権である。レヴェックは、ケベック人（ケベコワ）の定義の中心に、フランス語を話すという事実を置き、フランス語を話すことが、ケベック人たる資格の不可欠の要件であると考え、独自の言語法たるフランス語憲章の制定を提示したのである。

しかし、フランス語憲章の制定は、政党間で激しい議論の対象となった。当初、ケベック党が州議会に提出した法案では、その前文において、フランス語はずっと以前からケベック人の言語であり、ケベック人にそのアイデンティティの表明を可能にさせるものと規定されていた。しかし、この主張に対して、個人の基本的権利の保障を重視するケベック州・人権憲章委員会から批判が提起された。ケベック党の提案するフランス語憲章の定義では、フランス語を話さない住民をケベック人の定義の範囲から排除してしまうと人権憲章委員会は批判した。

最終的には人権憲章委員会とそれを支持したケベック自由党の見解が受け入れられ、フランス語憲章の前文では、フランス語は、多数派のフランス語系住民の言語であり、ケベック人にそのアイデンティティの表明を可能にさせるものと規定された。しかし、この規定では、フランス語はケベック人の固有の言語ではなく、多数派のフランス語系住民とその他の少数派が共存するケベック社会における共通のコミュニケーションとしての言語を意味するものとなっているのである。

このようにフランス語憲章の前文におけるケベック人の定義を巡っては、ケベック党の当初の規定からの変更がなされたが、フランス語憲章の各条文は、ケベック州の住民の公的な共通の言語としてフランス語を実質化する、厳格なフランス語一言語法であった。まず、ケベック州の立法、行政、裁判の言語は、フランス語であると規定されている。公教育の言語については、基本的に幼稚園、初等学校、中等学校での教育言語はフランス語であると規定され（第72条）、ケベック州に到来する全ての移民は基本的にフランス語での教育を受けることになった。英語教育を受けるのは親がケベック州において英語で初等教育を受けた子どもに限定された（第73条）。企業内言語については、50人以上の規模の企業や事業所では、フランス語を使用言語とすることが要請される。さらに、それを証明する「フランス語化証明書」を取得しないと、罰則が科されるものであった。冒頭で紹介したように公共標示や商業広告の言語もフランス語のみと規定された（第58条）。

このフランス語憲章の厳格さは、制定直後から英語系住民や非英仏語系住民から批判にさらされた。特に、英語教育を、ケベック州で英語での初等教育を受けた親の子どもに限定することはカナダの人権憲章に違反するとして、カナダ最高裁判所は違憲判決を下した。また、公共標示言語についても、1988年にカナダ最高裁判所は、フランス語のみの公共標示言語は表現の自由の侵害として違憲とした。これらの違憲判決を受けて、州政府はフランス語憲章のいくつかの規定を緩和した。たとえば、1993年には、ケベック自由党のブラサ政権により第86号法が制定された。そこでは、英語による公的教育を受ける権利が、親がカナダの他州で教育を受けた子どもにまで拡大した。また、公共標示言語についても、英語の表記もフランス語よりも小さく表示される場合は許可されることになった。

このようにフランス語憲章は、制定以来、数々の修正が施されてきたとはいえ、フランス語およびフランス文化の「存続」を重視してきたケベック州にとって、今日でもきわめて重要である。たとえば、近年、ケベック州独自の社会統合政策として注目されるインターカルチュラリズムでは、その特徴としてフランス語系の多数派とその他の言語的・文化的少数派との文化間対話を行うことが重要視されているが、その際の共通言語がフランス語であることを規定するのがフランス語憲章であるとされている。

以上紹介してきたように、フランス語憲章は、制定時から、ケベック人の定義を巡って激しい論争があり、またこの憲章の具体的な規定をより厳格化するか、緩和するかについて今日でも論争は続いている。しかしいずれにしても、ケベック州のフランス語系住民にとって、その他の少数派の基本的権利に配慮しながら、共通言語としてのフランス語を守り、それを通してフランス文化の核心を保持・発展させていく努力はこれからも続いていくと思われる。

（荒木隆人）

38

現代カナダの外交

★ミドルパワー外交の過去・現在・未来★

本来、外交とは、国際社会における国益の最大化を目指す行為である。しかし、カナダ外交のおもしろさは、時に直接的な国益以上にアイデンティティの維持に重きが置かれて見える点にある。アメリカ合衆国と違う道を進めば、加米関係が悪化して国益を損なうのが明白でも、その道をあえて選んだ事例が少なくない。たとえば、キューバ・ミサイル危機（1962年）ではジョン・ディーフェンベーカー首相（カナダ進歩保守党）が対米追従を拒んだし、続くカナダ自由党政権でも、レスター・ピアソン首相がヴェトナム戦争での北爆に反対する演説を行い、リンドン・ジョンソン大統領から文字通りの「吊し上げ」を食らった（1965年）。アメリカの経済的・文化的影響を減らす「第3の道」を掲げたピエール・E・トルドー政権（カナダ自由党）も、アメリカに先んじて1970年10月に中華人民共和国を承認するなど、特に対共産圏外交で独自路線を貫いた。

2003年のイラク戦争にも、カナダは参戦しなかった。ジャン・クレティエン首相（カナダ自由党）は、ジョージ・W・ブッシュ大統領（以下、ブッシュJr.）から有志連合への参加要請を受けたが、国連安全保障理事会（以下、安保理）の新たな決議なしには、カナダは関与しないと明言した。国内に派兵反対の声が強く、参戦が国内分裂を招きかねない事情もあったが、結果としてその後の加米関係は冷え込んだ。

しかし、カナダは今後もそうした姿勢を貫くであろう。アメリカ同時多発テロ（2001年）では、事件から数週間のうちに反テロリズム諸法を制定してアフガニスタンへの派兵を決めたように、イラク戦争以前も以後も、基調路線はあくまでも対米協調であるが、その後のテロとの戦いやミサイル防衛構想において、カナダはアメリカとは時に一線を画している。

外交面での独自性を発揮することがカナダには重要であった。自らを大国でも小国でもないミドルパワーと位置づけて、仲介的役割を果たすのが、国際社会におけるカナダの使命とみなされたのである。

後に首相に就任するピアソンは、外相時代（1948〜1957年）の評価が高く、オタワのグローバル連携省の建物も彼の名を冠している。1956年、エジプトのガマール・アブドゥル＝ナセル大統領がスエズ運河の国有化を宣言したのに端を発してスエズ危機が生じた。イスラエルの他に安保理常任理事国のイギリス、フランスが当事者として関わったために安保理が機能不全に陥るなか、停戦監視を目的とした大国抜きの国連緊急軍設置を提案したのがピアソンである。その功績で彼はノーベル平和賞を受賞した。その後の国連平和維持活動（ＰＫＯ）の原型とみなされる派兵は、国民からも強く支持され、長らくカナダ外交の象徴となった。

しかし、冷戦終了後のカナダは、外交面の特徴を失ったように見えた。財政赤字解消を掲げたクレティエン政権が、ＰＫＯや軍事関連の予算を削減した影響もある。また、1993年のソマリアＰＫ

Oでのカナダ軍のスキャンダルや1994年のルワンダPKOで大虐殺を防げなかったことなどで、国内でもPKOを支持する声が弱まった。

そんななか、1996年に外務大臣に就任したロイド・アックスワージーは、「人間の安全保障」の概念を前面に人道主義的な外交を展開して国内外から評価を得た。市民社会組織（CSO）を巻き込み、軍事大国を抜きにして、賛同する国々だけで対人地雷禁止条約（通称オタワ条約、1997年〜）への調印を進める、いわゆるオタワ・プロセスがその重要な成果の1つとなった。

2006年2月にスティーヴン・ハーパー政権（カナダ保守党）が誕生すると、その9年半の政権下でカナダ外交の方向は大きく変化した。国連中心外交に否定的な彼は、PKO関連予算をさらに削減した。また、温室効果ガス削減のための京都議定書から2011年12月に離脱表明をして、国際的な批判を浴びた。

他方、親米派だったハーパーは、アメリカとの関係改善に成功し、ブッシュJr.大統領と歩調を合わせた。アフガニスタン復興を最重要課題として支援を行った他、国際世論にかかわらずイスラエルを強く支持した。また、アメリカ主導のイスラム国（IS）空爆にも参加した。国内では政府に批判的なCSOへの支援を打ち切るなど、政府の敵と味方を明確にする手法を用いながら、それまでの政権とは異なる形で、国際社会における指導的役割の確立を目指したのである。

2015年10月にはジャスティン・トルドー（以下、トルドーJr.）のカナダ自由党が政権に返り咲き、2019年10月の総選挙でもかろうじて少数与党の座を確保したが、政権のスキャンダルもあり、首相の政治手腕が不安視されている。政権奪取後、公約だったIS空爆からの撤退やシリア難民の受け入れなどを実現したものの、ハーパー外交からの大転換を果たせていないとも指摘される。安保理非常任理事国への選出を目標に関係各国に働きかけてきたが、２０２０年６月の改選では、その願いが叶わなかった。そんなトルドーJr.政権の特徴的な外交政策の１つが、２０１７年に発表したフェミニスト国際援助策である。２０２２年までにはカナダの海外支援の95％以上を男女平等や女性の社会進出に充てるとするこの政策には批判もあるが、限りある予算で「カナダ的価値観」を浸透させる選択と集中が、今後の外交方針となるだろう。

なお、カナダ外交を考察する際に、それが首相のエスニシティや個人的な人間関係に影響される点にも留意すべきである。たとえば、トルドーJr.政権で外務大臣や副首相兼財務大臣などの要職を歴任し、将来の首相候補の１人とも目されるクリスティア・フリーランドはウクライナ系だが、彼女が首相になった場合に、カナダの対ロシア政策に影響する可能性がある。それが多民族国家の宿命である。とはいえ、多極共存の世界にあって、それがカナダの弱みになるとは限らない。フランス語を州公用語とするケベックやニューブランズウィックを擁するこの国は、世界のフランス語圏のネットワーク形成（フランコフォニー外交）にも積極的に関与している。人種・民族的な繋がりがカナダ独自のネットワーク構築に役立っているのだ。

昨今の国際社会では米中間の緊張が高まっており、２０１８年12月にヴァンクーヴァーで起きたファーウェイ副会長の逮捕事件に見られるように、カナダもその渦中にあるが、この米中関係においてカナダが仲立ちの役割を果たすべきだと期待する声も聞かれる。ミドルパワーのカナダが、その仲介外交で再び注目される日がくるかもしれない。

（田中俊弘）

39

カナダにおける難民

★その歴史と制度★

カナダは難民問題について国際的貢献度が高い国の1つである。第二次世界大戦以降、およそ80万人の難民を受け入れており、1986年には、国連難民高等弁務官事務所（UNHCR）より、難民支援に多大な貢献をした個人や団体に授与する「ナンセン難民賞」がカナダ国民に対して贈られた。こうした事実は、国民にも好意的に受け入れられている。

そもそも難民とは、迫害から逃れるために国境を越えて、外国へ逃げた人々のことである。正確には、「人種、宗教、国籍もしくは特定の社会的集団の構成員であることまたは政治的意見を理由に迫害を受ける恐れがあるという十分に理由のある恐怖を有するために、国籍国の外にいる者であって、その国籍国の保護を受けられない者またはそのような恐怖を有するためにその国籍国の保護を受けることを望まない者」と定義される。この定義は、難民の地位に関する1951年の条約（以下、難民条約）第1条に定められる。

現在のような難民保護に係る仕組みが世界的に確立されたのは難民条約以降のことである。だが難民自体は歴史上、いつの時代も存在してきた。カナダについていえば、アメリカ独立革命の動乱で入植して来た人々が最も古い難民である。18世紀後半、ロイヤリスト（王党派）と呼ばれる反革命派がカナダに亡命し、その数は8万から10万人にものぼった。カナダに避難したロイヤリストのなかには黒人も含まれていた。

また、ユダヤ難民のことも触れないわけにはいかない。19世紀後半から20世紀初頭にかけて、何万人ものユダヤ人がヨーロッパにおける宗教的迫害から逃れるためにカナダに移住した。しかしユダヤ人口の急増は、カナダ社会のなかに反ユダヤ感情を生むこととなった。20世紀前半には人種差別的な移民規制の締め付けが強くなり、１９３３年から１９５５年の間にカナダへの移民を試みた３万５０００人以上のユダヤ難民のうち、入国が認められたのは５０００人のみだったという。

ユダヤ難民に関して、最も有名なエピソードはセントルイス号の事件である。１９３９年５月、ナチス・ドイツからの亡命を希望するユダヤ人９０７名を乗せた船セントルイス号がカナダに庇護を求め、入港を要請した。しかし、当時のカナダ政府は「０人でも多すぎる」として、その上陸を認めなかった。セントルイス号は結局、欧州への帰還を余儀なくされた。その後、乗員の多くが強制収容所に送られ、ホロコーストの犠牲となったという。カナダ政府はこの事件について、２０１８年に公式謝罪を行った。

また、19世紀末から西部カナダの農業移民としてカナダに流入するようになったウクライナ系移民のなかには、旧ソ連による侵略や迫害から逃れる目的で来た人も少なくない。特に、１９１７年に始まる第一次ウクライナ＝ソビエト戦争や１９３２年から１９３３年のソ連がウクライナ人に対して行った人工的大飢饉（ホロドモール）などは、大量のウクライナ難民がカナダに流入する重要な契機となった。

このようにカナダは、現在の人道主義的な難民政策を展開する前から、積極的な理由からでないにしろ大量の難民を受け入れてきた。

カナダの難民受け入れが積極的になるのは、第二次世界大戦後のことである。その背景には、世界的な人道主義の高まりがあったことが指摘されている。カナダは、ハンガリー動乱（1956年）やプラハの春（1968年）を契機として亡命を希望する人々を受け入れるなど、数万人規模のヨーロッパからの難民を受け入れた。

1960年代に移民政策における人種差別が撤廃されると、1969年、カナダは難民条約を批准し、難民の地位に関する1967年議定書に署名した。これにより、難民政策の柱として、国際社会への人道的貢献が正式に掲げられた。その結果、非ヨーロッパ地域からの難民が急増した。そうして受け入れられたのが、チベット難民（1971〜1972年）、ウガンダのアジア系難民（1972〜1973年）、チリ難民（1973年）、ヴェトナム人、ラオス人、カンボジア人たちからなるインドシナ難民（1975〜1980年）などである。彼らはそれぞれ数千人規模で受け入れられ、なかでもインドシナ難民は約6万人がカナダに定住することとなった。ちなみに、ヴェトナム戦争時に、第三国定住プログラムを通じてカナダに難民として移住した実体験を題材にした小説がある（写真）。著者のキム・チュイ氏は、ボートでのサイゴン脱出、マレーシアの難民キャンプでの日々、そしてケ

ヴェトナム系作家キム・チュイの小説『小川』（山出裕子訳、彩流社）。

ベック州での新生活について、過酷な経験を静かな筆致で綴っている。

カナダで難民認定を受けるには大きく2つのルートがある。第1はいわゆる第三国定住プログラムによる難民認定である。第三国定住難民とは、UNHCRの要請に従い、国籍国外に設置された難民キャンプなどに逃れた人々を政府がまとまった単位でカナダ国内に再移住させる方法である。第三国定住難民は、政府支援難民と民間引き受け難民の2つのカテゴリーがあり、両カテゴリーを合わせた年間の受け入れ幅が設定されている。第2のルートは、カナダ国内からの難民申請である。飛行機、船、陸路など何らかの手段によりまずカナダに入国し、庇護を申請するやり方である。難民は、カナダ到着後は3～5年以内の自立を目指した定住プログラムに組み入れられ、州ごとに用意されている経済的社会的支援サービスを受けることができる。

1980年代は、上述した第2のルートである国内で庇護を求めるタイプの難民申請の数が急増した時期だった。庇護申請者の急増は、世界の民族紛争、迫害、政変、自然災害などに起因する人の移動という国際問題の1つだったが、カナダには特に多くの庇護申請者が殺到した。その結果、カナダでは未処理案件が急増し、難民認定制度の悪用事例も増加したため、難民認定制度の管理運用の簡素化や厳格化が進められることとなった。

とはいえ、大きな流れとしては、人道主義的な移民受け入れの方向性が後退することはなかった。1978年移民法において、移民受け入れの原則の1つとして、「難民受け入れによる国際的責務の遂行」が明記された。さらに2002年、移民・難民保護法が成立し、難民条約の定義を満たす難民(条約難民)に加えて、「保護を必要とする者」というカナダ独自のカテゴリーが設けられた。これに

カナダに到着したシリア難民を迎えるジャスティン・トルドー首相
（写真：AP／アフロ）

より、国籍国において非人道的な処遇に晒される危険性を有する者にまで難民認定の範囲が広げられることとなった。

現代でもカナダは世界中から難民を受け入れている。1990年代以降にも、コソボ難民（1999～2001年）、ルワンダ難民（1994年）ミャンマーで迫害を受けているカレン（2000～2011年）やロヒンギャ（2017～2018年）、イラク難民（2009～2015年）、シリア難民（2015～2016年）などがカナダで受け入れられ、定住した。特にシリア難民については、ジャスティン・トルドー政権下において、2015年から2016年の1年間で4万人近い人々がカナダで受け入れられた。

難民政策は、移民の受け入れを通じて国を発展させてきたカナダにとって、国史を貫く中心軸の1つでもある。また、難民の受入れを通じた国際人道支援への貢献は、カナダのアイデンティティの一部ともなっている。

（仲村 愛）

VII

経済・社会保障

40

カナダの企業と産業構造

★経済成長の担い手★

一国の産業構造は、農業などの第一次産業、製造業などの第二次産業、サービス業などの第三次産業から成る。これら3つの産業は経済成長の進展により、第一次産業から第二次産業、第二次産業から第三次産業へ構造が変化する。

カナダの経済成長は、この国特有の成長要因である天然資源の役割を無視できない。15世紀の大航海時代、ニューファンドランド沖のタラ漁場が発見され注目を集めた。当時カトリックの国では獣肉を断つ習慣がありタラの需要は大きかった。タラは毛皮、木材、小麦、鉱産物に先立つステープル（主要輸出商品）であった。

タラに代わる交易品がビーバーの毛皮である。毛皮は先住民との取引で銃器類等と交換された。一方、毛皮は縁広の帽子に使用されて需要が増え、英仏の植民地内での毛皮を巡る利権争いが勃発する。1590年代、毛皮交易は植民地建設を推進する重要なステープルとなった。フランスはセントローレンス川沿いに毛皮交易所を設け、ヌーヴェル・フランス建設を開始する。ただ、この地の発展は緩慢で1627年でも人口は100人に満たない。1663年にフランス国王の直轄植民地となり、ようやく発展の足掛かりをつかむ。1670年代以降、毛皮輸出は急増するが、90年代には供給過剰になる。そして1720年代には1690年代の2倍の輸出額を記録しても、かつての利益は得られなくなった。このため植民地経済は次第に農業に移行し、1730年代には小麦の輸出がヌーヴェル・フランスの輸出の3分の1になる。当時の有力な企業家にはフランス北部の都市、ルーアンのデュガール商会の代理人であったフランソワ・アヴィやジャン・ルフェーヴルがいた。彼らはケベックやモントリオールに住み、全盛期にはヌーヴェル・フランス貿易の約3分の1を支配した。

他方、イギリスはセントローレンス川北方のハドソン湾一帯を支配し、1670年にハドソン湾会社を設立した。同社はカナダ北西部の毛皮交易を独占していたが、モントリオールの毛皮商人はオハイオ地域がアメリカ領になったため、北西部への進出を余儀なくされた。1780年代初め、ハドソン湾会社の強力なライバルとなるノースウェスト会社を設立した。カナダの毛皮輸出は1780年代でも総輸出の半分以上で、両社の間の熾烈な競争の結果、ハドソン湾会社は19世紀初めに無配となり、イギリス政府は1821年に両社を合併させた。

やがて、19世紀初頭には毛皮に代わり、イギリスの特恵関税を利用した木材や木造船等の輸出が全体の4分の3になった。だが、1850年代初めには農業が林業に代わって最大の輸出産業となり、タラ、毛皮、木材に続いて小麦の時代が始まろうとしていた。

1867年に自治領となったカナダは、19世紀半ばには工業化も進展した。更なる工業化を目指す新たな政策が1879年、ジョン・A・マクドナルド政権によって推進された。これが「ナショナル・ポリシー」だが、なかでも重要な政策の1つが国内産業保護のための高関税政策である。

高関税は、アメリカ企業のカナダ分工場を招来し、最大の貿易相手国であるイギリスに代わりアメリカが登場する。とはいえ19世紀末の「小麦ブーム」により、世紀末から20世紀の初めに、大量の移民がカナダ西部にも流入した。こうして1901～1914年の間に小麦輸出は大幅に増え、ほとんどがイギリス向けであった。

その後、第一次世界大戦までに工業化が本格的に進展した。その中心はオンタリオ州とケベック州である。オンタリオ州北部でのニッケルやコバルトの発見、石炭に代わる水力発電が工業化を推進した。なかでも大英帝国最大の農機具会社マッシー・ハリス（1891年）、水力発電のオンタリオ・ハイドロ公社（1906年）、11社を統合したカナダ・セメント（1909年）、製鉄業のステルコ（1910年）、そしてサービス業ではイートン百貨店などが誕生した。ケベック州では、豊富な木材と水力資源を利用したアメリカ向け新聞用紙の生産が急増し、1915年までに同州の紙・パルプ生産はカナダの全生産量の約半分、輸出量は3分の1に達した。また銀行業では、モントリオール、カナダロイヤル、カナダ商業銀行の3大銀行が突出し、短期の商業金融が中心業務であった。

一方、長期・大規模な資金はこの時期でもイギリスに依存していた。ただ、イギリス投資の多くは、利子取得を目的とする連邦・州・自治体政府の公債・鉄道債といった間接投資中心であった。他方、アメリカの投資額はイギリスに劣るが、多くが工業と鉱物資源に集中し、経営権を伴う普通株の取得や分工場を設立する直接投資であった。1913年までにカナダは着実にイギリスからアメリカの経済圏に移行しつつあった。

第一次世界大戦中、カナダは戦時品供給国として製造業が大きく成長し、1920年には第二次産業の生産額が初めて農業生産額を上回り、第一次産業経済から第二次産業経済へと変貌した。

両大戦間は経済的な好不況を経験する。大戦直後の経済的困難、20年代の好況、そして29年の大恐慌以降の混乱である。事実、29年以降カナダの輸出は67％減少した。特に輸出産業（小麦、木材、パルプ・紙など）は大打撃を受けた。また製造業も落ち込むが、第二次世界大戦に必要な車両や船舶等の軍需品を供給することで倒産を免れた。

戦後から1970年代、カナダは最長の経済的繁栄を謳歌する。アメリカの対カナダ投資は主要製造業やサービス産業に向けられ、アメリカ化の進展とともにカナダはこの時期、第三次産業経済に転換した。だが、当時こうしたアメリカ化の浸透を危惧するカナダ人は少なかった。

しかし、1970年代末、ピエール・E・トルドー政権はカナダ人所有企業の推進を図る。以前にも、政府はカナダ開発公社（71年）を通じて石油・鉱業などに投資し、国内で石油の探索・開発に乗り出していた。73年には石油の自給体制強化のため石油公社ペトロ・カナダを創設し、1980年にはカナダ石油産業のカナダ人所有比率の大幅引き上げを目指す国家エネルギー政策（NEP）を発表した。また、1973年には海外の対カナダ投資が同国に「顕著な利益」をもたらすか否かを審査する外国投資審査庁（FIRA）を設けた（表1および2参照）。

だが、1970年代の2度にわたる石油ショックはカナダ経済を動揺させ、これまでの保護主義的政策に対する反省を生み出した。代わって、自由貿易、規制緩和といった新自由主義的政策を採用し、1984年にはFIRAに代わるカナダ投資庁（Investment Canada）を創設し外国からの投資を受け入れ、89年加米自由貿易協定、94年北米自由貿易協定（NAFTA）、そして2020年新協定（USM

CA、第43章参照）の締結のように自由貿易を積極的に推進している。この結果、２０００年代になって、製造業の停滞と天然資源を輸出するステープル経済の特徴が再び現出し始めているように見える。

（榎本　悟）

表１　カナダの輸出・輸入、主要国別構成比（単位　%）

年	輸出	構成比	輸入	構成比
1985	製造品	51.1	製造品	73.0
	原・燃料品	48.0	原・燃料品	25.3
1990	製造品	51.0	製造品	71.5
	原・燃料品	47.3	原・燃料品	26.1
2010	製造品	46.6	製造品	71.3
	原・燃料品	45.2	原・燃料品	24.4
2015	製造品	49.9	製造品	72.8
	原・燃料品	42.0	原・燃料品	19.2
2018	製造品	47.2	製造品	72.2
	原・燃料品	45.5	原・燃料品	20.4

	地域別輸出			地域別輸入		
年	アメリカ	日本	中国	アメリカ	日本	中国
1985	78.0	4.9	1.1	70.9	5.8	0.4
1990	74.5	6.5	1.2	64.6	7.1	1.0
2010	74.7	2.4	3.4	50.4	3.3	11.0
2015	76.1	2.0	4.1	53.2	2.8	12.3
2018	74.3	2.4	5.0	57.3	2.8	12.7

1985年および1990年のデータのなかで、製造品とは食料品ならびに最終製品を合計したもの、また原・燃料は原材料と半製品を合計したもの。2010年、2015年および2018年のデータのなかで、製造品とは、化学工業製品、プラスチック・ゴム、パルプ、食料品、飲料、繊維製品を指す。原・燃料品とは鉱物性生産品、卑金属、動物性・植物性生産品、木材の構成比の合計である。その他は含まないので合計しても100%にはならない。なお注目すべきは、カナダの輸出、輸入について、製造品の比率は30年経過してもあまり変わらないということ、そして原・燃料品輸出も大きな変化がないということである。

出典:通商産業省編『昭和61年版　通商白書　各論』昭和61年、通商産業省編『平成３年版　通商白書　各論』平成３年、日本貿易振興機構『ジェトロ世界貿易投資報告』2011年版、2016年版、2019年版より筆者作成

表2　カナダにおける産業別付加価値（2012年価格）（単位　100万カナダドル）

年	財貨製造産業						サービス製造業
	総計	農林漁業	鉱業·石油·ガス	公益事業	建設	製造業	
1997	402,692	24,244	103,724	32,829	74,212	170,644	769,116
2000	468,313	28,119	108,450	32,798	81,868	211,108	878,840
2010	482,992	31,389	118,700	38,060	120,344	174,409	1,141,773
2015	547,349	37,745	137,783	40,538	141,176	188,979	1,271,585
2016	541,116	39,298	136,007	41,427	134,398	188,962	1,295,803
2017	564,364	39,787	147,352	42,385	140,337	195,927	1,332,155
2018	577,802	40,182	155,016	43,285	141,851	200,856	1,360,769
2019	574,549	41,031	147,740	43,940	141,131	201,143	1,394,075

製造業の付加価値額は2018年でも2000年の付加価値額に追い付いていないということが大きな特徴といえる。

出典：Statistics Canada,Table 36-10-0434-03 Gross Domestic Product (GDP) at basic prices, by industry, annual average (x1,000,000); https://doi.org/10.25318/3610043401-eng accessed on Sept, 20, 2020

カナダのAI・ICT産業

コラム6

佐藤信行

AIを含むICT産業は、GDPの4・8%にあたる941億カナダドル（2019年）を占め、年成長率も4・8%（同）を数えるカナダ経済の重要セクターであるが、しばしば、カナダの歴史にとって重要であるとも言われる。

今日のICT産業の隆盛は、19世紀の諸発明に遡ることができるが、その白眉（はくび）は、アレクサンダー・グラハム・ベルが発明した電話である。ベルは、1847年にスコットランドに生まれ、1870年にドミニオン・オブ・カナダ結成直後のオンタリオ州ブラントフォードに、家族とともに移住した。その後、アメリカ合衆国ボストンとブラントフォードの双方を拠点に研究を続けたベルは、1876年に電話の開発に成功し、アメリカの特許を得て、ビジネス化にも成功した。ベル自身は、1882年に合衆国市民権を取得して以来、アメリカ人を自認していたことが知られているが、電話を発明した時はまだ合衆国市民権を得ていなかったことから、しばしば「カナダ人ベルが電話を発明した」と言われ、そこから、カナダこそがICT産業の母国であるとの主張がなされることもある。

しかしこのエピソードは、皮肉なことに、カナダのICT産業が置かれている厳しいグローバルな競争環境をも象徴している。たとえば、トロントに本社があったノーテルネットワークス社は、2000年頃には世界最大の通信機器企業としてカナダのICT産業を牽引していたが、2013年に倒産した。実のところ、同社は、ベルの発明を事業化したアメリカン・ベル社の子会社であったベル・カナダ社の製造部門として出発した企業であるが、デジタル通信分野に進出して注目を集め、2001年のITバブル崩壊直前には、同社だけでトロント証券取引所全上場企業の株価総額の3分の1を占め、全世界に9万4500人の従業員を雇用していた。しかし、ITバブル崩壊の影響は深刻で、一旦は企業再生を試みたものの倒産に至り、その事業部門や知的財産は、アメリカ企業をはじめとする多くの企業に分割買収されていった。

現在、カナダのICT産業は、通信サービスとソフトウェアおよびコンピュータサービスの2つのセグメントが中心となっている。通信サービスの最大企業は、ベル・カナダ社などを保有するBCE社であり、フォーブスの世界企業ランキングでは、300位（2020年）に位置付けられている。同ランキング737位には、トムソン・ロイターがある。ロイター通信で知られるロイターを出版情報大手のトムソンが吸収した同グループは、トロントに本社を置く世界最大の情報産業の1つであり、ウエストローなどの専門情報データベースでも著名である。

AI分野では、研究開発がきわめて重要であるが、カナダ政府は、2017年に汎カナダ人工知能戦略を策定し、カナダ先端研究機構（CIFAR）を通じた研究支援を行っている。同機構と連携する中核3研究所がトロント、モントリオール、エドモントンにある。また、ヴァンクーヴァー、ウォータールーなどにもAIの核があって、これらが政府や企業体と連携して研究開発を進めるAIエコシステムと呼ばれるモデルを構築し、世界をリードしている。

またバーナビーにある量子コンピュータ企業D・ウェイブ・システムズ社は、2011年に「世界最初の商用量子コンピュータ」を謳う128量子ビットのシステムを発表して以来、機能拡張モデルを発表し続けている。最先端の技術であるために、その評価をめぐる議論も加熱しているが、2020年6月には日本のNECとの協業も発表され、今後が注目される。

41

カナダの財政と税制

★州が強い財政連邦主義★

財政とは、政府が租税により財源を調達して、現金給付とサービス給付を通じて「社会を統合する」制度である。特に、数ある連邦制国家のなかでも州の権限が強いカナダにおいて、連邦と州の財政関係すなわち財政連邦主義の実態はどのようなものだろうか。

政府間の権限配分は1867年憲法に規定されている。その第91条には連邦の権限が掲げられているが、特に財政との関係が深い事項としては、課税権、通商、防衛、海運、漁業、金融、先住民、外国人、刑法などが挙げられる。また、州の専管事項とされていないものは連邦の権限とされる。その後、憲法改正により失業保険と老齢年金が連邦権限に追加された。

これに対して、州の権限は第92条以下に規定されており、直接税課税権、病院・福祉、市町村、財産権・私権、専ら地方的・私的性質を有する事項、天然資源、教育などが州の所管事項とされる。市町村の種類と権限は州ごとに異なる。

つぎに、財政支出の面から政府間事務配分の現状を確認してみたい。表1－(1)に示したように、2018年の一般政府支出は、連邦3265億ドル、州・準州（大学、保健・社会サービス機

表1　カナダの一般政府財政収支［2018年（推計）、単位：百万ドル］（1/2）

	連邦	州・準州	地方	先住民自治体	拠出制年金	一般政府純計
（1）支出						
財・サービス消費支出（⇒サービス給付）	78,658	301,913	157,172	10,236	4,157	552,136
世帯への経常的移転支出（⇒現金給付）	110,970	45,579	3,433	1,641	59,744	221,367
うち　雇用保険給付	16,958					16,958
老齢保障年金	52,618					52,618
社会扶助		24,013	3,433			27,446
非営利組織への経常的移転支出	4,465	12,490	1,950			18,905
産業補助金	2,866	16,649	6,715			26,230
非居住者（国際機関等）への経常的移転支出	4,892				706	5,598
世帯・非営利組織・事業者・非居住者等への資本移転支出	2,416	5,713				8,129
他の一般政府部門への移転支出	98,568	75,118	376			-
うち　連邦政府へ		1,092				-
州・準州政府へ	87,134		376			-
（平衡交付金等）	(19,063)					-
（準州交付金）	(3,790)					-
（カナダ保健移転）	(35,697)					-
（カナダ社会移転）	(12,524)					-
地方政府へ	1,600	71,777				-
先住民自治体へ	9,834	2,249				-
公債利払い費	23,680	37,590	3,048		453	64,771
支出合計	326,515	495,052	172,694	11,877	65,060	897,136
うち　直接的政策経費	204,267	382,344	169,270	11,877	64,607	832,365
（構成比［%］）	(24.5)	(45.9)	(20.3)	(1.4)	(7.8)	(100.0)

（次ページに続く）

表1　カナダの一般政府財政収支［2018年（推計）、単位：百万ドル］（2/2）

	連邦	州・準州	地方	先住民自治体	拠出制年金	一般政府純計
（2）収入						
租税	286,612	276,992	73,933	322		637,859
うち　個人所得税	163,742	105,835				269,577
法人所得税	51,771	33,231				85,002
不動産税		7,316	64,065			71,381
一般売上税	41,852	62,796				104,648
社会保険料（年金、失業、労災等）	22,211	13,907		0	65,610	101,728
その他の経常的収入	734	15,726	1,308	0		17,768
投資所得（採掘免許料、利子所得、公営企業利益等）	12,902	32,500	3,853	175	10,879	60,309
財・サービスの販売	8,995	49,013	28,246	90		86,344
他の一般政府部門からの移転収入	1,092	87,510	73,377	12,083		-
うち　連邦政府より		87,134	1,600	9,834		-
州・準州政府より	1,092		71,777	2,249		-
収入合計	332,546	475,648	180,717	12,670	76,489	904,008
うち　自主財源	331,454	388,138	107,340	587	76,489	904,008
（構成比［%］）	(36.7)	(42.9)	(11.9)	(0.1)	(8.5)	(100.0)
（3）財政収支　（2）－（1）	6,031	-19,404	8,023	793	11,429	6,872

注1　「直接的政策経費」は，「支出合計」から「他の一般政府部門への移転」および「公債利払い費」を差し引いた金額。
注2　「自主財源」は，「収入合計」から「他の一般政府部門からの移転」を差し引いた金額。
注3　大学，保健医療・社会サービス機関は州・準州に，学校区は地方に，それぞれ含まれる。
注4　「拠出制年金」は，カナダ年金プラン（ケベック州以外で施行）およびケベック年金プラン。
（出典：Statistics Canada, Table: 36-10-0450-01 “Revenue, Expenditure and Budgetary Balance—General Governments, Provincial and Territorial Economic Accounts”［https://www150.statcan.gc.ca/t1/tbl1/en/tv.action?pid=3610045001］ 2020年9月13日閲覧）

関を含む）4951億ドル、地方（市町村・学校区など）1727億ドルであり、州・準州支出が最も多い。また支出から他政府部門への支出と公債利払い費を差し引いた額、すなわちその政府部門が直接担う政策経費をみると、連邦2043億ドル、州・準州3823億ドル、地方1693億ドルとなり、州・地方レベルの支出が3分の2を占める。カナダは「大きな州政府」をもつ国家なのである。

支出内容をみると、連邦は防衛・国境管理、司法・連邦警察、通商・運輸、金融などのサービス給付および老齢所得保障（日本の国民年金にあたる）・雇用保険などの社会保障給付を担う。また、他政府部門への支出のうち、平衡交付金は課税力が低い州に対する財政調整補助金であり、それは準州交付金とともに使途自由な交付金である。さらに、カナダ保健移転は保健医療を、カナダ社会移転は社会福祉および高等教育を、それぞれ使途とする補助金であるが、州・準州への交付額は1人当たり同額であり、州・準州が具体的な使途を独自に決定する一括交付金といえる。使途制限が厳格な特定目的補助金はわずかである。使途が自由な財源が多いことが、州・準州の権力を支えているのである。

州・準州のサービス支出は、医療が最も多く、高等教育がそれに次ぎ、産業補助、交通、資源、環境などが続く。また、州・準州は社会扶助（日本の生活保護にあたる）・労働災害などの社会保障給付を担っている。

地方支出は、学校区が初等中等教育を担い、市町村などが道路、都市計画、上下水道、廃棄物処理、治安・消防、文化などサービスを担う。ただし、いずれの場合も州・準州の政策が大きな影響を及ぼす構造になっている。

先住民自治体は、連邦と州・準州からの補助金により、地域住民サービスを行う。

拠出制年金制度（日本の厚生年金にあたる）は、保険料とその運用益により年金を給付する。2020年の保険料は、年間所得から3500ドルを控除した額の10・5％を雇用者と雇用主が折半するが、自営業者は全額負担する。

なお、すべてのレベルの政府が重複して役割を担う分野としては、移民、環境、警察、交通、住宅、危機・災害予防、芸術・文化、経済開発などがある。

憲法が州内の社会保障、教育、経済活動、環境などに関する広範な権限を州に与えているため、州・準州と地方の支出が多くなるのである。

財政収入に目を転じてみよう。表1－(2)に示したように、2018年の租税収入は、連邦2866億ドル、州・準州2770億ドル、地方739億ドルであり、州・準州税と地方税を合わせると連邦税を上回る。社会保険料は連邦と拠出制年金が多いものの、その他の経常的収入、投資所得、財・サービス販売（受益者負担）を含む自主財源総額は、連邦3314億ドル、州・準州3881億ドル、地方1073億ドルとなり、州・準州と地方を合わせると過半に達する。これは、州・準州が社会保障・教育などの主導権を握っているためである。

先進国のなかで、カナダの租税・社会保険料負担は比較的軽い。特にカナダ税制は個人所得税が中心であり、社会保険料の比重は小さいが、それは租税を主要な社会保障財源とするシステムが定着しているからである。たとえば、カナダでは州営の医療制度が州民全体に適用されるが、主な財源は租税であり、標準的医療に関する患者負担はない。国民は社会的セーフティネットとしての公的医療を高く評価している。

表2　連邦および州・準州の主要な税目の税率等（2020年）

	個人所得税（2019年所得に適用）		法人所得税	一般売上税
	基本税率 ［超過累進税率］	人的税額控除 ［本人分］ （カナダドル）	基本税率	標準税率
連　邦	15～33%（5段階）	1,810	15%	[GST] 5%
ニューファンドランド・ラブラドール州	8.7～18.3%（5段階）	819	15%	[HST] 10%
プリンス・エドワード・アイランド州	9.8～16.7%（3段階）	898	16%	[HST] 10%
ノヴァスコシア州	8.79～21%（5段階）	1,009	16%	[HST] 10%
ニューブランズウィック州	9.68～20.3%（5段階）	994	14%	[HST] 10%
ケベック州	15～25.75%（4段階）	2,290	11.5%	[QST] 9.975%
オンタリオ州	5.05～13.16%（5段階）	534	11.5%	[HST] 8%
マニトバ州	10.8～17.4%（3段階）	1,040	12%	[RST] 7%
サスカチュワン州	10.5～14.5%（3段階）	1,687	12%	[RST] 6%
アルバータ州	10～15%（5段階）	1,937	10%	（GSTのみ）
ブリティッシュ・コロンビア州	5.06～16.8%（6段階）	541	11%	[RST] 7%
ノースウェスト準州	5.9～14.05%（4段階）	874	11.5%	（GSTのみ）
ヌナヴト準州	4～11.5%（4段階）	640	12%	（GSTのみ）
ユーコン準州	6.4～15%（5段階）	772	12%	（GSTのみ）

注　州の一般売上税標準税率のうち、[HST]は連邦の財貨・サービス税（Goods and Services Tax［GST］）と州税とをまとめてカナダ歳入庁が徴収する調和型売上税（Harmonized Sales Tax）の州税部分、［QST］は州が徴収するケベック売上税（Quebec Sales Tax）、［RST］は小売売上税（Retail Sales Tax）。

（出典：カナダ歳入庁（Canada Revenue Agency［CRA］）および各州・準州のウェブサイト掲載情報により筆者作成）

カナダでは、連邦と州・準州が、それぞれ税目・課税標準・税率等を自由に決定しているとともに、個人所得税、法人所得税、一般売上税等の主要な税源を共有している。

表2に示したように、個人所得税について、連邦および州・準州は独自の税率を設定しており、基礎的生活費の保障を図る税額控除の金額も多様である。法人所得税の税率も多様である。1962年に始まる租税徴収協定は、州が課税権をもつことを前提として、徴税について個別協定を結ぶ方

式がとられている。２０２０年現在、個人所得税はケベック州を除く9州・3準州が、法人所得税はケベック州とアルバータ州を除く8州・3準州が、それぞれ連邦と協定を結び、課税所得を連邦税に合わせることを条件に、カナダ歳入庁（ＣＲＡ）が徴税を行う。

一般売上税については、表2に示したように、①連邦が賦課する財貨・サービス税（ＧＳＴ）およびそれと課税ベースを同じくする州の消費型付加価値税をカナダ歳入庁がまとめて徴収する調和型売上税（ＨＳＴ）に参加する5州、②ＧＳＴ込み価格に対して独自の付加価値税を賦課・徴収する1州（ＱＳＴを導入しているケベック）、③ＧＳＴとは別に小売売上税（ＲＳＴ）を賦課する3州、④一般売上税を賦課しない1州・3準州、と4つの制度が併存しており、「調和」の程度は所得税ほど高くない。

なお、ＧＳＴに対するカナダ特有の逆進性対策として、個人所得税のなかにＧＳＴ控除が設けられている。２０２０年現在、基本的な控除額は、19歳以上は２９６ドル、19歳未満は１５５ドルであるが、世帯所得が増えるにつれて控除額は逓減し、高所得者には恩恵が及ばない仕組みになっている。同様な税額控除を設けている州もある。これらの税額控除は、個人所得税が課されない低所得者については現金の形で給付される。

カナダの内政においては州が大きな役割を果たす。そのうえで、政府間の財源移転および州税と連邦税との「調和」が社会統合の焦点になっているのである。

（池上岳彦）

コラム7

カナダの消費税――生活者の視点から

木村裕子

カナダの消費税は複雑で、決して安くはない。しかし、生活者のことを考えた仕組みになっている。

全国どこへ行っても消費税率が同じ日本と違い、連邦制のカナダの消費税は州によって税率が違う。それればかりか、軽減税率が適用される対象も州によって違う。

カナダの消費税は3種類あり、財貨・サービス税（GST）、州売上税（PST。RSTとケベック州のQSTを含む）、調和型売上税（HST）に分けられる。GSTは5％で、連邦政府が徴収する。PSTは、主にカナダ西部で取り入れられており、サスカチュワン州の6％からケベック州の9.975％と幅がある。HSTは、GSTとPSTを一体化したもので、オンタリオ州（13％）やプリンス・エドワード・アイランド州（15％）などの大西洋沿海州で採用されている。アルバータ州は、州の管轄である石油や天然ガスといった天然資源に恵まれており、州の財源が比較的豊かであるため、GSTのみで州の消費税を徴収していない（2020年12月時点）。また、ユーコン、ノースウェスト、ヌナヴトの3準州もGSTのみである。

生活者への配慮についてくわしく紹介しよう。まず、食料品、処方薬、医療、家賃、水道代といった「生活に不可欠なもの」は、非課税である。ところが、全ての食料品が非課税というわけではない。オンタリオ州を例に挙げよう。オンタリオ州の場合、お菓子、ビタミン剤、炭酸飲料、一部の飲料水は課税対象となる。ただし、数量や材料、果汁比率などにより、非課税となる場合もあり、その仕組みは、複雑かつおもしろい。

よく例として挙げられるものにドーナツが

ある。4ドル未満のドーナツを1つ購入すると、連邦政府が徴収する5％のGSTがかかる（なお、1点4ドル以上は軽減税率の対象外となり、連邦およびオンタリオ州の消費税が一体化された13％のHSTがかかる）。しかし、6つ以上購入すると、「家庭での消費」とみなされ、消費税は0％になる。つまり、決められた数量より多いと非課税となるのだ。では、アイスキャンデー1本は課税対象であるが、12本のアイスキャンデーが1箱に入っていたらどうだろうか。この場合、1本ずつ個装されていると課税対象になるが、6本ずつまとまって袋に入っていると、「1本を食べるには6本入っている袋を開けなければならない」という理屈ゆえ、消費税は0％になる。

軽減税率もまた複雑である。本、新聞、子ども用衣類および靴、子ども用カーシート、おむつ、生理用品は、軽減税率の対象品目であり、5％のGSTのみがかかる。他に、美容院、弁護士、葬式の費用もGSTのみである。一方、生活に欠かせないと思われるトイレットペーパーや歯ブラシ、寒い冬を越すのに不可欠な光熱費や家の修繕費には、軽減税率が適用されず、13％のHSTが課税される。政府がどんなものを「生活に不可欠」と考えているのか、どのような政治的判断がなされたのか、垣間見ることができ、興味深い。

このような仕組みのため、何％の消費税が何にかかっているのか、きちんと把握している生活者はそれほど多くないのではないだろうか。また、州によっては15％という消費税率も負担になることもあるだろう。しかし、生活者は、日々の暮らしにおいて、「生活に不可欠」なものに対する軽減税率の適用や低所得者向けのGSTの還付といった、生活するための配慮も感じている。

42

日加経済とTPP 11

★新時代の幕が開けられた日加経済関係★

TPP（環太平洋パートナーシップ協定）は、アメリカ合衆国の離脱により一時は存続が危ぶまれた。しかし、日本主導により残りのTPP11カ国は2017年11月10日、カナダの早期合意への反対にもかかわらず、ヴェトナムのダナンにおいて凍結する項目などの話し合いを終了し、変更された自由貿易協定（TPP11）に大筋で合意した。そして、正式には包括的かつ先進的TPP協定（CPTPP）と名付けられ、日本、カナダ、メキシコ、シンガポール、オーストラリア、ニュージーランドなどの先行6カ国の間で2018年12月30日に発効した。

カナダがTPP11の早期合意に反対したのは、同協定のなかに文化財保護の例外や知的財産権および自動車の原産地規則（関税削減のため域内原産品であるかどうかを判断する基準）に関して、カナダの主張が十分に盛り込まれていないこと、さらには、アメリカの要求に応えカナダの鶏肉・乳製品の無税での関税割当枠（輸入枠）を他のTPPメンバー国にも広げたことに対して、不満を抱いていたことが背景にあった。

しかし、ダナンでの会合から2カ月後の2018年1月22～23日、東京で開かれた首席交渉官会合ではカナダは一転して協力的になった。これは、要求した通りではないが文化財保護の例外の記述を認められただけでなく、日本の用意周到な戦略がカナダの翻意につながったためであった。

当時の茂木敏充経済再生担当相は２０１７年12月25日から27日までヴェトナムのハノイを訪問し、同国のチャン・トゥアン・アイン商工相らと会談した。それから年が明けた２０１８年の１月８日から12日までメキシコを訪問し、イルデフォンソ・グアハルド経済大臣とＴＰＰ11の署名に向けた会談を行った。茂木大臣のヴェトナムに続くメキシコ訪問の目的は、ヴェトナムが求めている労働分野のルールの猶予に関してメキシコが歩み寄れる仲裁案を提示することと、カナダのＴＰＰ11の協議見直しの要求に対する対応策の相談であった。

つまり、日本は署名式に向けた速やかな合意のため、カナダの要求に同調しかねないメキシコから日本の立場への理解と支援を取り付けようとしたのだ。この結果、実際の東京での主席交渉官会合において、日本がカナダ抜きのＴＰＰ10での合意を迫った場合、メキシコの協力を得られることに成功したようだ。

もしも、加盟各国が反発するなかで、カナダの要求通りに文化財保護の例外で協定文の修正が行われれば、各国議会での修正案の承認が必要になり、その分だけＴＰＰ11の発効が遅れるし中断するかもしれない。しかしながら、メキシコの姿勢の変化により、ついにカナダは文化財保護の例外について協定文ではなくサイドレター（カナダが各国と特別な約束を交わす補足文書）で扱うことを容認した。日本の果敢で積極的な戦略が、カナダ側の譲歩を得た瞬間であった。

カナダ国内の論調を見ると、カナダがＴＰＰ11への異議を翻意した理由として、カナダのビジネス界からの強い要請に応えたことを挙げている。すなわち、カナダビジネス協議会のジョン・マンレー理事長（元副首相・財務大臣）は、カナダがＴＰＰ11への参加に遅れれば、日本市場やＡＳＥＡＮ市場への参入競争で不利になると強く主張し、ジャスティン・トルドー首相に翻意を迫ったようだ。

日本とカナダとの貿易は、長期にわたり日本のカナダへの自動車・機械の輸出と資源と農産物の輸入という相互補完的な関係（垂直的分業）を続けている。このような関係が長期にわたって続いていたのは、カナダの豊富な石油・天然ガス、銅、ウラン、石炭、木材などの資源とともに、菜種、豚肉、小麦、大豆などの農産物の輸出競争力が高いからだ。これに対して、日本は品質とコストパフォーマンスに優れる乗用車や同部品、ＴＶ、カメラ、飛行機部品などの機械機器をカナダに輸出している。

しかしながら、カナダの産業構造は既に資源や農産物に偏ったものではなく、自動車や航空宇宙機器、バイオ・医薬産業、医療機器、資源開発機器、ＩＴ通信機器などの先端技術分野の比重が高まっている。したがって、長年の垂直型の日加貿易構造を修正するには、ＴＰＰ11を活用した工業製品相互の分業である水平型の貿易構造への転換が期待される。

日加ＥＰＡ（日・カナダ経済連携協定）は交渉中断中であるが、カナダが加盟するＴＰＰ11は既に発効しており、その日加貿易への影響を業種別に示したのが次ページの表である。日本のカナダからの輸入では、ＴＰＰ11を活用することで関税削減額が大きくなる業種は、農水産品、食料品・アルコール、木材・パルプといったこれまで主流であった分野である。しかしながら、関税削減効果を表す関税削減率では、繊維製品・履物、雑製品（寝具、照明器具、ブラシ、ファスナー・ボタン等）、プラスチック・ゴム製品、皮革・ハンドバッグなどの業種が高く、こうした分野でのＴＰＰ11の活用を促すことで、日

表　日本とカナダのTPP 11の関税削減効果
（加重平均、発効から5年後）（単位：千ドル）

	日本のカナダからの輸入		カナダの日本からの輸入	
	関税削減額	関税削減率	関税削減額	関税削減率
農水産品	54,745	1.7%	800	1.7%
食料品・アルコール	17,006	10.3%	2,430	5.6%
鉱物性燃料	82	0.0%	6	0.1%
化学工業品	3,575	0.5%	3,036	0.7%
プラスチック・ゴム製品	2,028	2.6%	21,609	4.5%
皮革・毛皮・ハンドバッグ等	355	1.2%	115	7.2%
木材・パルプ	11,338	0.9%	51	0.2%
繊維製品・履物	2,980	7.4%	3,818	6.0%
窯業・貴金属・鉄鋼・アルミニウム製品	2,741	0.8%	6,534	0.6%
機械類・部品	0	0.0%	1,415	0.0%
電気機器・部品	4	0.0%	5,127	0.4%
輸送用機械・部品	0	0.0%	221,761	5.4%
光学機器・楽器	1	0.0%	5,103	0.6%
雑製品	985	2.9%	2,365	2.6%
全　体	95,839	1.1%	274,171	2.3%

注1　関税削減額は、輸入額×（MFN税率－TPP税率）、で計算。MFN税率は一般的にはWTO加盟国間で適用される関税率で、TPP税率はTPP 11を利用した時の関税率を指す。

注2　関税削減率は、関税削減額を輸入額で割った値で、大きければ大きいほど関税削減効果が高いことを意味する。関税削減率が2%であれば、1万ドルを輸入した時に、200ドルの関税を削減できることを示している。

（出典：各国関税率表、各国譲許表（TRS表：Tariff Reduction Schedule）、「マリタイム＆トレード」IHSグローバル株式会社より筆者作成）

本のカナダからの輸入が拡大する可能性がある。

逆に、カナダの日本からの輸入では、輸送用機械・部品の関税削減額が圧倒的に高く、次いでプラスチック・ゴム製品、窯業・貴金属・鉄鋼・アルミニウム製品が続く。関税削減効果が高い業種としては、皮革・ハンドバッグ、繊維製品・履物、食料品・アルコール、雑製品などが挙げられる。

品目別では、日本のカナダなどからのワインの輸入に対する関税がTPP11発効から各年においては段階的に削減され、最終的には8年目の2025年に撤廃される。牛肉の関税は発効から16年目に9%まで削減されるし、豚肉の関税は発効前には最大で1キログラム当たり482円であったが発効後は50円に切り下げられる。

一方、カナダでの乗用車の関税は6・1%であるが、TPP11活用で5年目の2022年に撤廃される。また、カナダの日本からの今治（いまばり）タオル、エアコン、旋盤、自転車、腕時計、ボールペン、ゴルフクラブなどの輸入への関税は即時撤廃されている。

TPP11を活用した将来のアジア市場の確保を目指し、タイ、インドネシア、フィリピン、韓国、台湾、イギリス、コロンビア等がTPP11への加盟に関心を表明している。そして、中国の習近平国家主席は2020年11月20日、TPP11への参加に積極的な姿勢を見せた。これは、米中貿易摩擦の激化を反映したものであり、日本にとってますますTPP11の重要性が高まりつつあることを示している。

（高橋俊樹）

43

NAFTA・USMCA

★自由貿易主義から「アメリカ第一主義」へ★

第二次世界大戦後、カナダとアメリカ合衆国の経済関係は貿易の面でも、海外直接投資の面でも密接な関係を維持している。2019年におけるカナダの輸出総額（再輸出額を含まない）5448億カナダドルのうち、アメリカへの輸出額は4066億カナダドルで全体の74・6％を占め（図1）、輸入総額6015億カナダドルのうちアメリカからの輸入額は3050億カナダドルで全体の50・7％を占めた。カナダにとってアメリカは最大の貿易相手国である。一方、同年、アメリカにとってもカナダは輸出入合計額では依然として第1位の貿易相手国である。

海外直接投資からみても、2019年末時点でアメリカの対加直接投資残高は4550億カナダドルで全体の46・7％を占め、第1位であった（図2）。また、同年、カナダの対米直接投資残高は6315億カナダドルで全体の45・4％を占め、第1位であった。これらの数字は、カナダが貿易ならびに直接投資を通してアメリカ経済と深く結びついていることを示している。

本章では、カナダのアメリカ経済との関係を、1965年の加米自動車製品協定（別名オートパクト）、1989年の加米自由貿易協定（CUSFTA）、1994年の北米自由貿易協定

（NAFTA）、およびアメリカ・メキシコ・カナダ協定（USMCA、新NAFTAとも称される）を通して見てみよう。

1950年代後半以降、カナダのアメリカへの輸出品は森林・鉱物・エネルギー資源が中心である一方、アメリカからの輸入品は自動車や工業用機械などが大半を占めていた。カナダの対米貿易収支は赤字基調で、特に、自動車貿易の収支が大きく影響していた。この状況を打開するために、カナダ側のイニシアチブで交渉が開始され、自動車部門に限定した自由貿易協定が1965年に結ばれた。これによって、ある一定の条件のもとに乗用車、トラック、部品などの関税が加米間で撤廃され、第

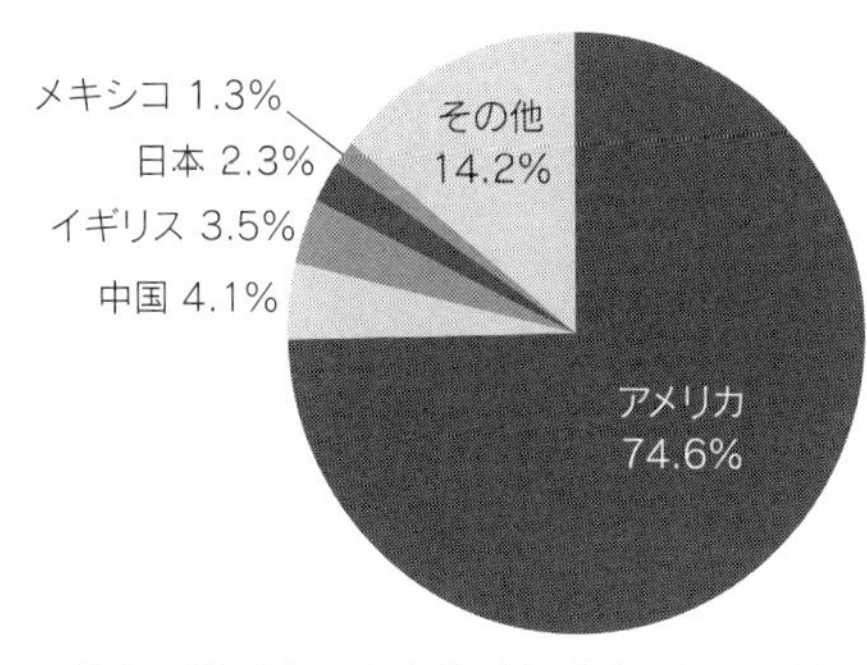

図1　2019年のカナダの輸出総額（5448億カナダドル）（出典：Innovation, Science and Economic Development Canada,Trade Data Onlineより筆者作成、2020年8月24日アクセス）

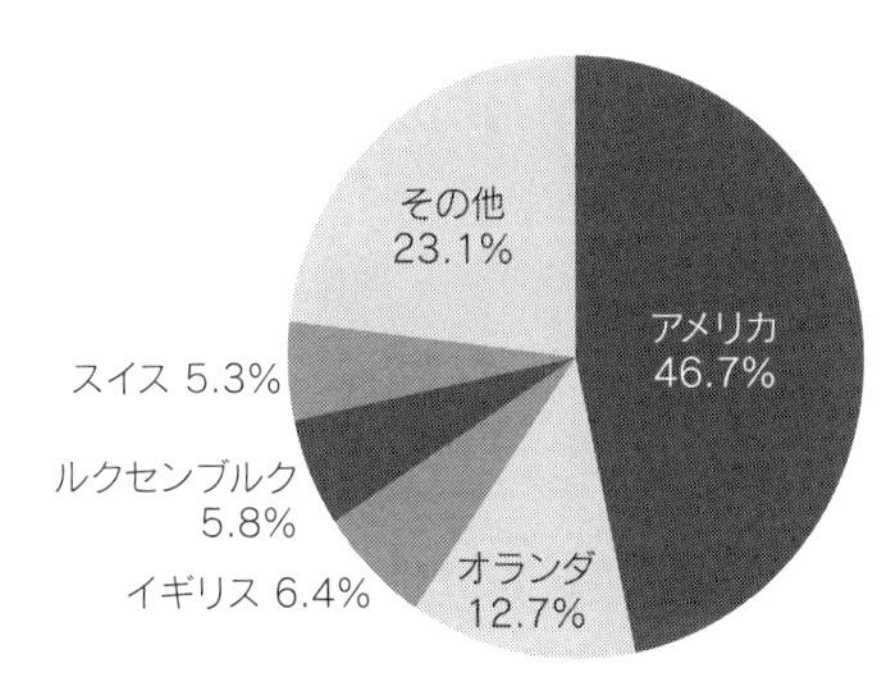

図2　2019年末の対加直接投資残高（9738億カナダドル）（出典：Statistics Canada, Table 36-10-0008-01より筆者作成、2020年8月24日アクセス）

三国からも無関税で部品を輸入することができるようになった。優遇措置を受けたカナダのビッグスリー子会社は、車種を絞って大量生産に転じ、カナダからアメリカへの製品輸出が促進された。協定締結後、輸出に占める製品の割合も増加し、対米貿易赤字も改善された。

１９８０年代に入り、アメリカは保護主義の傾向を強めていった。カナダにとっては巨大なアメリカ市場への自由なアクセスを確保するために、アメリカとの自由貿易協定を結ぶことが必至の課題となった。１９８９年、カナダ進歩保守党（現・カナダ保守党）のブライアン・マルルーニー政権のもとで、ＣＵＳＦＴＡが発効した。同協定は包括的な内容で、１９８９年から10年間に加米間の関税の撤廃、輸入制限措置の改善、サービス貿易や農業に関する規定、投資自由化条件の拡大、二国間の紛争処理手続き規定などを含むものであった。

１９９０年にアメリカとメキシコで自由貿易交渉を開始する同意がなされ、カナダも防衛的な立場から米墨間交渉へ参加することを表明した。その理由は、加米間、米墨間でそれぞれ自由貿易協定が締結され、加墨間で締結されない場合にはアメリカを中軸国とし、加墨がアメリカのみとつながる関係（「ハブ・アンド・スポークス」）が樹立され、加墨両国はお互いに有利な貿易協定から排除されることを危惧したからであった。結局、アメリカ、カナダ、メキシコの三国間でＮＡＦＴＡが調印され、１９９４年1月に発効した。

その内容は、ＣＵＳＦＴＡの内容よりもいっそう包括的なものであった。関税については、例外品目を除くと15年間で撤廃することになった。そのために、ＮＡＦＴＡでは詳細なルールが設けられた。繊維・衣服については、原糸または繊維の段階からの完成品が北米産と認められた。自動車については、現地調達率が62・5％以上を達成したものが北米産と認定され、関税が免除される。投資の自由化と外資系企業の内国民待遇、知的所有権の規定、サービス貿易の自由化規定、貿易紛争メカニズムについても明示されている。さらに、環境と労働に関する補完協定も同時に結ばれた。

ところが、こうした自由貿易主義に異を唱え、「アメリカ第一主義」を訴えるアメリカのドナルド・トランプ大統領（当時）は、NAFTAのもとでアメリカの対墨貿易赤字拡大、製造業雇用の喪失、企業の閉鎖や移転が生じたと主張した。同大統領は、製造業の回帰推奨による国内における雇用創出をその政策の中心に据え、2017年8月カナダおよびメキシコとのNAFTA再交渉を開始した。2018年11月に3カ国首脳が新協定USMCAに署名し、新協定は2020年7月に発効した。USMCAはデジタル貿易のルールを定めたり為替条項を採り入れたりと、旧協定を包括的に見直し「現代化」された。乳製品市場の開放のほか、医薬品特許や著作権の保護期間の延長に関してカナダ側はアメリカに譲歩した。一方、アンチダンピング税および相殺関税に関する審査や紛争解決、ならびに文化産業保護の例外措置はカナダ側の主張通り維持されることとなった。

NAFTAの見直しで焦点となったのが自動車・同部品の原産地規制であった。従来は現地調達率（域内原産比率）62・5％以上を満たせば関税が免除されたが、USMCAでは発効日に66％へ変更し、その後3年かけて75％まで段階的に引き上げられることになった。また、エンジンなど7種類のスーパーコア部品については原則すべて北米原産品でないと完成車が原産品にならないというルールが導入された。さらに、完成車メーカーが前年度に北米で購入した鉄鋼とアルミの70％以上が域内原産品であることが義務付けられた。

この他に新たに賃金条項が導入された。それは労働価値生産比率（ＬＶＣ）要求と呼ばれるもので、ＵＳＭＣＡ発効日に少なくとも乗用車の価値の30％以上（その後3年かけて段階的に比率を引き上げて40％以上）、および小型トラックの価値の45％以上は、労働者の基本給が時給16米ドル以上である北米の工場によって生産することが求められている。現状では時給16米ドル以上の賃金条項を満たすのはアメリカとカナダであり、両国での完成車や部品生産に有利に働くとみられている。また、アメリカはサイドレター（第42章参照）で、メキシコとカナダから輸入される小型トラックと年間２６０万台までの乗用車を関税賦課の対象外とすると約束した。

ＵＳＭＣＡによって従来のメキシコで生産しアメリカへ自動車を輸出するという体制は変更を迫られ、メキシコからアメリカへの生産回帰が起こるだけでなく、ヨーロッパや日本の自動車メーカーも対米新規投資による北米全体の生産体制の見直しを始めている。アメリカを中心とする自動車生産はコストの上昇と競争力の低下に帰結することになるであろう。新型コロナウイルス感染症の影響で世界経済が著しく低迷しているなか、アメリカの保護貿易主義の色彩の強いＵＳＭＣＡがカナダの経済活動にどのような影響をもたらすことになるか、今後の動向を見守りたい。

（栗原武美子）

44

カナダの社会保障

★年金と医療★

この章では、カナダの社会保障の理念と特徴をよく表していると思われる年金制度と医療保障制度に的を絞って概説したい。

カナダ連邦結成時の定めで社会保障分野の管轄権は州政府にあるが、連邦政府は補助金を出すことで介入していき、現在の制度になった。

カナダの年金は「3階建て」と称される。1階部分は、連邦政府が管掌し普通税を財源とする老齢所得保障である。老齢所得保障は、一般的にOAS年金と呼ばれ、65歳から毎月支給される。18歳からのカナダ在住期間が40年以上あれば、OAS年金の上限月額613・53ドル（2020年7~9月期）が支給される。この支給額は、四半期毎に消費者物価指数の変化に合わせて調整され、同指数がマイナスの時は据え置かれる。

低所得受給者には、OAS年金に加えて一般的にGISと呼ばれる補足所得保障が補足給付される。また、配偶者手当に相当する普通加給手当と遺族手当が該当者に支給される。表1は、老齢所得保障の上限給付月額と受給者数を示す。

OAS年金の大きな特徴として、年間課税対象所得の高い者には、OAS年金の一部または全額がOAS年金回収税として

表1　老齢所得保障の給付月額（2020年7月～9月期）

給付内容	上限給付月額（カナダドル）	受給者数（人）
老齢所得保障（OAS年金）（65歳で受給）	613.53	6,511,860
補足所得保障（GIS）：		
・OAS年金受給の単身者	916.38	1,257,008
・配偶者 / 同居のパートナーが、		
・OAS年金を受給していない	916.38	110,218
・OAS年金を受給している	551.63	690,553
・加給手当を受給している	551.63	52,013
加給手当	1165.16	52,013
遺族手当	1388.92	21,487

注1　OAS年金を65歳から繰り下げた場合、1カ月につき0.6%増額、70歳を限度とし36%の増額になる。
注2　OAS年金の減額（OAS年金回収税）は年間課税所得が7万9054ドル以上に適用され、12万8137ドル以上は全額カットになる。
注3　GISは、年間課税所得が1万8600ドル未満（単身者の場合）であれば、減額されるが受給できる。
注4　受給者数は2020年3月現在。
（出典：連邦政府資料より筆者作成）

減額して支給される。2020年は、同所得が7万9054ドル以上で減額が始まり、12万8137ドル以上は全額カットになる。

2階部分は、所得比例の年金制度で、連邦政府の管掌するCPPと略称されるカナダ年金プランとケベック州の管掌するQPPと略称されるケベック年金プランの2制度がある。両制度間にほとんど違いはなく、遺族給付、障害給付もある。

CPPの財源は、雇用主と労働者が折半で拠出する保険料（自営業者は全額負担すれば加入可能）と積立金運用益である。CPPやQPPには、OAS年金のような支給額の減額制度はない。また、政府からの補助金はない。1階部分と2階部分を合わせて、カナダ公的年金制度と呼ぶ。

2018年までのCPPは、平均勤労所得の4分の1に置き換わるように設計されていた。しかし、2019年の保険料から平均勤労所得の3分の1に置き換わるように引き上げられた。保険料率も2018年末までの年間稼得所得の上限額（カナダ平均賃金に相当）の9・9％（労使で折半、自営業者は9・9％）から、2025年には14％（労使で折半、自営業者は14％）にまで制度調整の上、段階的に引き上げられる。2020年のCPPおよびQPPの上限拠出額は、年間稼得所得5万8700ドルの10・5％である。

CPP支給額は、毎年1回、12月に消費者物価指数の変化に合わせて調整され、2020年は月額1175・83ドルである（QPPも同額）。もちろん、個人の受給額は、保険料の支払期間と支払額、および受給開始年齢によって決まる。

3階部分は、個人積立の私的年金および企業年金である。金融機関に口座を開設するRRSPと略称される登録退職貯蓄プランは、年間所得の18％まで積立可能であり、2019年は年間積立限度額の2万6500ドルまで非課税扱いである（物価スライドされる）。カナダでは、この3階建ての年金制度によって勤労時代の所得の約70％を確保するよう国民に助言してきた。

2020年初頭からの新型コロナウイルス感染症の流行に鑑み、連邦政府が実施した緊急所得保障施策の連邦緊急対応給付に絡み、ベーシックインカムへの関心が再び高まっている（コラム8参照）。ベーシックインカムは、社会保障体系を一変させるが、その理念を考慮すれば、カナダは実現化への良い位置にいると筆者は考えている。

次に、カナダ国民統合の象徴と称され、カナダで最も成功し人気のある公的制度と言われている医療保障制度を見てみよう。各州政府が直接管掌し、全州民を対象とする州健康保険制度（一般的にはメディケアと呼ばれる）の財源は税金である。オンタリオ州のみが保険料も徴収している。ちなみに、2020年の上限年間保険料は900ドルで、年間課税対象所得が2万ドル未満の者は保険料が免除されている。なお、ブリティッシュ・コロンビア州（以下、BC州）は、2020年から健康保険料の徴収を廃止した。連邦政府は、州への現金移転等で同制度の財源を支援している。

医学的に必要な医療サービス（入院を含む）はすべて無料である。1984年のカナダ保健法に基づき、医師や医療機関が患者負担を徴収することは禁じられている。これはカナダの健康保険制度の大きな特徴の1つである。患者負担は、定率（あるいは定額）であるため、低所得者には逆進的となり公平性に欠け、受診の容易さも妨げられるとカナダでは考えられている。

もう1つの大きな特徴は、州健康保険が給付対象とする医療サービスと同じ医療サービスを給付対象とする民間保険および私的診療を禁じていることである。これらは、貧富による医療サービス格差につながり、公平性を欠くと考えられている。2020年9月に、BC州最高裁は私的診療を認めるように求めた外科医の訴えを却下した。

カナダの医療保障制度の弱点は、白内障など急を要さない手術の患者待機期間が長いことと言われる。フレーザー研究所によれば、2019年の診療分野全体の平均で、専門医に紹介されてから治療（手術）までの待機期間は平均10・8週である。このことが私的診療を認めるべきという主張に結びつくようであるが、多くの国民は現行制度の維持を支持している。

カナダには、わが国のような公的介護保険制度はない。介護サービスは、各州で公私の施設で提供されているが、州政府が提供する介護サービス内容は地域によって異なっている。

表2　カナダ医療事情

総医療費の規模（2019年）	2644億ドル（GDPの11.9%）
対前年比3.8%増加の原因	インフレーション（1.6%）、人口増加（1.0%）、高齢化（0.8%）、その他（0.4%）
総医療費の主要項目	病院費（給与医師の報酬を含む）（26.6%）、薬剤費（15.3%）、医師サービス費（歯科医を含まない）（15.1%）
総医療費の公私の負担割合	公費（70%）、私費（30%）
医師数（2019年）	9万1375人（人口1万人当たり24.1人）
専門別の医師数の割合（2018年）	家庭医（50.6%）、専門医（49.4%）
女性医師の割合（2018年）	家庭医（46.6%）、専門医（37.5%）
看護師数（2019年）	43万9975人

（出典：CIHIの資料より筆者作成）

2019年のカナダの総医療費の規模は、2644億ドルでGDPの11・9%である。総医療費の70%が公費で賄われ、残りの30%は私費（私的保険を含む）となっている（表2）。

カナダの州健康保険制度では入院や外来診療が無料なのに、なぜ公費負担が総医療費の70%に過ぎないのか。理由は、薬剤費（入院中は無料）と通常の歯科治療が州健康保険の給付対象でないためである。もっとも、多くの州において慢性疾患者、高齢者、若年者等に対しては、公費負担が実施されている。オンタリオ州では、25歳以下の患者および65歳以上の患者に対する外来処方薬のほぼすべて、および65歳以上の低所得高齢者（年収1万9300ドル以下）の歯科治療の無料化が実現している。また、ケベック州は、民間薬剤保険に加入できない人を対象に州単独の薬剤保険を管掌している。

2019年以降、カナダでは外来処方薬剤を無料にするための国民薬剤保険の実現への気運が高まっている。

（岩﨑利彦）

ベーシックインカム――カナダでの議論

コラム8

田中俊弘

ベーシックインカム（以下BI）をめぐる議論が日本でも高まって久しい。BIとは、社会の成員全員に所得を保障する制度を指す。コロナ禍の日本で、2020年に1人一律10万円の定額給付金が支給されたが、そのような給付を無審査で永続的に実施するのがBIの理想形（ユニバーサルBI）である。働く意志や資力を確認して受給資格を判定する手間やコストをかけずに、つまり行政の役割は小さくしながら、国民の生活を保障できるならば、社会的弱者の生存権を求める人々にも、国家の個人への干渉を減らすべきだと主張する新自由主義者にも受け入れられる制度になりうる。なお、給付を定額化せずに累進課税と逆に所得に応じて低所得者に給付を行う「負の所得税」なども、BIの亜種もしくは「部分BI」とみなされる。

もちろん、BIに対しては、財政的な対応や福祉制度の大転換が本当に可能なのかと疑う意見も多いし、そもそも働く気のない「怠け者」に無条件でお金を渡すのが善かを倫理面から問う指摘も見られる。それらを巡って、カナダを含む世界各国で、これまでに様々な実験が行われてきた。

福祉に力点を置いてきたカナダは、BI的な考え方とも親和性が高く、早くも第二次世界大戦前から実施に向けた議論が見られた。世界大恐慌期にカナダ西部を中心に各州で成長し、特にアルバータ州では長期政権を実現した社会信用党は、社会信用論を掲げて躍進した。経済発展には購買力の上昇が必須として、州民に一律の基本手当を無条件で配布するという公約は、実行されることはなかったが、後のBIに連なる議論が、既に1930年代に見られたのだ。

1960年代末から1970年代には、アメリカ合衆国でも「貧困の撲滅」が叫ばれて、負の所得税の導入が真剣に議論されたが、カナダのマニトバ州でもミンカム（MINCOME）と称される実験が1974年から行われた。低所得者への所得保障が彼らの労働意欲や健康に及ぼす影響を検証する実験は、不況による財政難と政権交代で打ち切られ、公式の報告書すら刊行されなかったが、後の研究で、労働意欲の深刻な低下は見られず、他方で健康面での状況が改善されたことが明らかになった。

BIへの認知や理解が高まった2017年には、オンタリオ州のキャサリン・ウィン自由党政権下で部分BIの実験が始まった。州政府は3年間で計1億5千万カナダドルの予算を計上して、ハミルトン市など州内3拠点で貧困線以下の生活を送る人々を対象にパイロット・プロジェクトに着手した。BIが人々の労働状況、教育、食事、健康にどのような影響を及ぼすかを調査するためのこの実験は、しかし翌年の政権交代で打ち切られた。ダグ・フォード進歩保守党州政権は、これを増税目的の無駄な支出とみなし、仕事の創出こそが最大の貧困対策だと主張して、実験に幕を引いた。

このように、1930年代以降の社会信用給付は実現しなかったし、1970年代のミンカムと2017年からのオンタリオ州BI実験も途中で放棄されてしまった。しかし、その後もカナダ国内で所得保障を希求する声が高まっており、特にコロナ禍を経て、その議論は活性化していくだろう。現時点でもカナダの児童手当や老齢所得保障制度はBI的とみなせるし、それらを含め、複数のBI的制度を組み合わせるのか、それとも包括的な単一の制度を作るべきなのかという争点もある。今後もBIをめぐる議論に要注目である。

45

カナダにおける障害のある人の福祉

★障害のある人のインクルージョンへの取り組みを通した社会連帯★

カナダにおける障害のある人の福祉は、インクルージョンに向かい進んでいる。インクルージョンは、雇用、教育、福祉等様々な分野で使われ、社会的少数派を社会に包含することを意味する。障害のある人についてみると、社会が彼らを自立した社会の一員と認めかつ彼らに他の市民と同じ権利を保障し、彼らの完全な社会参加を目指すことで、そのために、障害ゆえに必要な特別かつ個別な対応ができるような社会への転換が求められる。カナダ社会はこの転換過程をみせてくれている。

連邦、州、準州の政府の共同文書「結束して――ディスアビリティという課題へのカナダアプローチ」（1997年）で政策ビジョンにインクルージョンを、政策課題にディスアビリティを掲げた。また、カナダ政府は、心身機能の不全や制限の障害は社会における自然の営みにおいて誰にでも起こりうること、そして、ディスアビリティは、こうした心身の特徴と社会状況を反映した障害と捉えている。つまり、社会にある態度、偏見等文化や政治とそのシステム等社会の状況と個別の障害が互いに関連し合い、障害のある人の社会参加を阻む障壁になる。除去すべきはこの障壁とみている。

大きな障壁の1つの差別には、人種、国籍、民族的出自、肌の色、宗教、性別、年齢、知的・身体的障害にかかわらず、差別を受けないことを規定するカナダの権利自由憲章（第15条）等の人権法を通して取り組もうとしている。取り組みの実態は医療・福祉サービス等を州が法律を定め、実施しているので州によって異なる。以下、ケベック州における障害のある人のインクルージョンへの取り組み事例をみることにする。

進行性筋ジストロフィーの為に自力呼吸が難しくなり、自らの意思で、人工呼吸器で生きることを決めた直後のM・ロバートさんを、1996年3月に、非営利の権利擁護団体「障害のある人の生活と尊厳」のJ・ラヴェンダさんと訪ねた（写真1）。彼は、腎結石で酷い痛みに苦しんでいた時に、医師が重度障害ゆえに生活の質の向上が見込めないと積極的治療をしようとしないことをこの組織に相談した。ラヴェンダさんらは、他の市民と同水準の医療を受ける彼の権利を支持できると見極めた医師を彼に紹介して、彼は手術を受けることができた。苦痛から解放された彼は、筆者の訪問時に口にくわえた鉛筆で創作活動に励み自己実現を果たしていた。

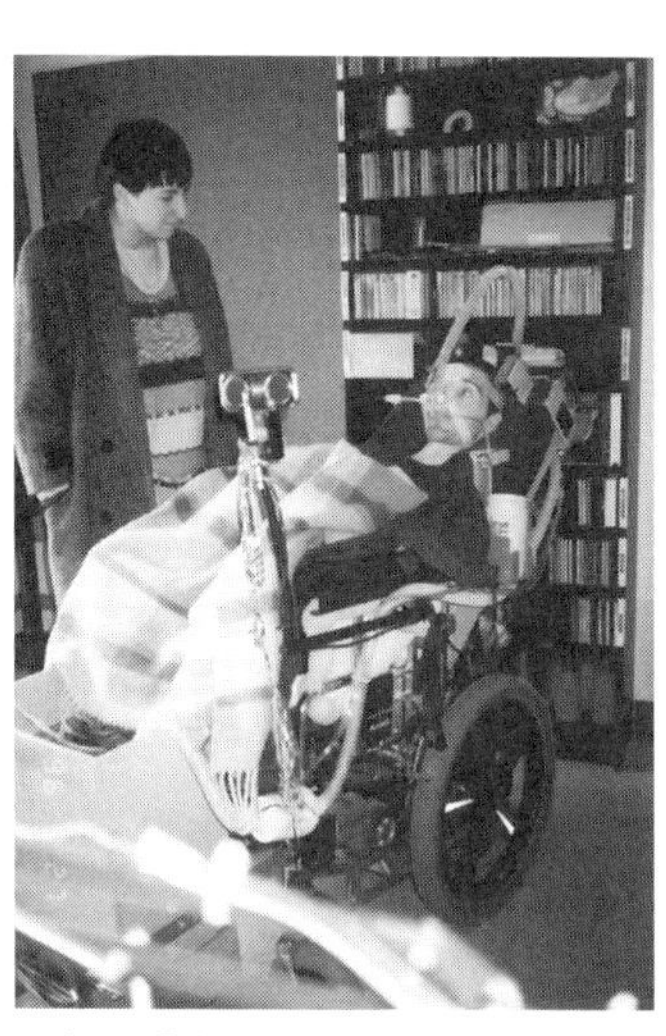

写真1　「障害のある人の生活と尊厳」のJ・ラヴェンダさん（左）とM・ロバートさん（1996年3月27日モントリオールにて筆者撮影）

ロバートさんの住居はモントリオールの身体障害を対象にするリハビリテーションセンターが運営する地域にあるグループ

ホームであった。ケベック州は、地域ごとに、身体障害、知的障害、アルコールやギャンブル等の依存症等障害別にリハビリテーションセンターを設置している。こうしたリハビリテーションセンターが、家族単位で居住できる住宅や一般住宅に移行するための中間住宅等を運営している場合がある。一般の住宅政策として障害のある人等多様な状況の人が住めるユニバーサル住宅もある。

ロバートさんの居住環境は、彼の能力の開発や維持を重視しつつ心身機能の制限を補完する住宅設備、福祉用具の調整や付属品の開発等の対応が行われていた。彼は電動車いすに取り付けたスティックを口で操作して、自力で自由な移動、電動式のドアとカーテンの開閉等を行っていた。この対応はリハビリテーションセンターの多様な専門職や地域の他の機関との協働によるものである。人権意識に裏打ちされたサービスの質が障害のある人の権利の保障に影響することが見える事例である。

『レブド・ジュルナル』紙が2020年8月に報じた別のインクルージョンへの取り組み例を紹介する。モントリオールとケベック市の中間に位置するトロワ・リヴィエール市の障害のある人の親が設立した非営利団体「障害のある人の住宅と生活」が、親元で暮らしている知的障害のある人が地域の一員になるためのアパート建設プロジェクトについてである。建設場所は地域社会と関係がもてるように利便性や隣人付き合い等を考慮して選んだ。財源は州の住宅局とトロワ・リヴィエール市が補助し、インクルージョンを実現する方法、知的障害のある人向けの住宅設備や生活スキルの習得等専門対応はケベック大学や地域のリハビリテーションセンター等と協働で準備している。家事や日常活動等個別ニーズに合う支援と相談サービスの提供も準備している。このような地域の公的および民間の機関、研究教育機関、住民等の取り組みを報じたメディアは人権啓発の役割を果たした。

障害のある人が地域社会に住み地域社会の一員となるための例をみてきたが、生活を他者に依存せざるを得ないために長期ケア施設等施設で生活している社会的に最も脆弱な人も存在する。長期ケア施設の主な居住者は高齢者であるが、ケベック州の統計（2012年）によると、長期ケア施設の居住者総数3万7424人のうち64歳以下の障害のある人は4117人で64歳以下の障害のある人の0・01％に当たる。

「障害のある人の生活と尊厳」はマギル大学等の研究者やソーシャルワーカー、法律家等専門職らと協働して、長期ケア施設居住者の権利擁護活動としてケア人材育成の教材開発やカンファレンス等にも約30年間取り組んできた。2018年10月にも長期ケア施設の居住者の権利の実現を探るカンファレンスをモントリオールで開催し、家族介護者、施設居住者、老年学の研究者、法律家、施設長、地域の非営利団体、州立保健福祉機関の看護師やソーシャルワーカー等様々な分野の専門職と様々な立場の人が参加した。このカンファレンスのワークショップで議論したケアの改善策を基に「長期ケア施設のケア改善の提言書」をまとめ、2019年4月5日に融和的雰囲気のなかケベック州の保健・福祉省の高齢者・介護者担当大臣M・ブレイスに手交した（写真2）。

提言書では、自宅に住み続けるためのホームケアの充実を前提に、長期ケア施設に、あたかも地域にある自宅で暮らしているかのような環境を提供する新たなアプローチを提言した。それは、個人の尊厳、起床・就寝時刻等の日課や移動等の自由、居住者と家族との情緒的つながり、地域住民との社会的、文化的な活動等を重視し、人間らしい暮らしができるケア環境である。これを受けてブレイス大臣が、同年5月14日に長期ケア施設の今後の方向性等を発表した。同年11月には州内すべての既存

写真２　2019年４月５日に「長期ケア施設のケア改善の提言書」を提出した「障害のある人の生活と尊厳」のメンバーと、保健・福祉省高齢・介護者担当大臣Ｍ・ブレイス（左から２番目）
（「障害のある人の生活と尊厳」のFacebookより許諾を得て転載）

の長期ケア施設の改造と「シニアホーム」の新設の計画および新しいアプローチに沿う居住環境として、専用の洗面所・シャワー付き個室、時間を問わない家族の訪問と休息を可能にする介護者用スペース、居住者と家族・地域住民の活動のための屋内外スペース等を設けるとし、２０２０年11月には新設予定「シニアホーム」のうちの１つに着工したことを発表した。ケベック州政府は、障害のある人の自由や尊厳が侵されやすい環境の「施設」を、人間が暮らしを織りなす「住まい」へと改革しようとしているように読み取れる。しかし、提言書を提出した組織は、さらなる計画内容の改善を政府に求め、政府からの応答を待っている。

カナダ社会の障害のある人のインクルージョンは、非営利団体、政府、分野を超えた専門職、市民等の協働関係が推進力となり進展し、この進展過程から障害のある人への差別や社会参加を阻む障壁の除去への飽くなき闘いの姿と社会連帯の形が垣間見える。

（髙橋流里子）

Ⅷ

教育・言語

46

カナダの初等・中等教育

★州ごとに異なる多様な学校教育制度★

カナダでは、教育については「州自治」の原則が採られており、教育に関する第一次的管轄権限は州政府にある。そのため、そのあり様は州によって異なる。本章では全体的傾向を、いくつかの州の事情と併せて見ていくこととする。

カナダでは、就学前教育と併せて初等・中等教育は「K（kindergarten）－12」あるいは「JK（junior kindergarten）－12」と表現されることが多い。初等・中等教育はケベック州を除いて12学年から構成されることは共通しているが、学校段階による年数は州によって異なるし、また同じ州内であっても教育委員会や学校が立地する地域によって異なる。たとえば、オンタリオ州では法令上、学校は8年間の小学校と4年間の中等学校から成るとされているが、8年間の小学校の後期2年間を「中学校」として別の学校を設置している場合もある。いずれにせよ、小学校や中学校、高校、中等学校など一定の学年段階で学校を区切るところ（遠隔地においては12学年すべての子どもの教育を1つの学校で行う場合もあるが）は日本と同様であるが、学年の数え方は異なる。日本では学校段階が変わるごとにリセットする（小学校6年生の次は中学1年生）が、カナダでは通しで数える（日本の中学2年生・高校2年生に当たる学年をカナダではそれぞれ8年生・11年生と呼ぶ）のが一般的である。他方で、ケベック州のみが小学校6年・中等学校5年の11年となっている。それは、ケベック州の生徒は、中等学校の後、進学する場合、セジェップと呼ばれる中等後教育機関に進むからである。これには、大学への準備機関（2年制）と職業訓練機関（3年制）の2種類がある。このため、ケベック州のみ大学が3年制になっている。

学校の種類としては、英語を教授言語とする無宗派のいわゆる「公立学校」の他に、フランス語を教授言語とするフランス語系学校やカトリック系学校なども公費で運営されている州が多い。たとえばオンタリオ州では、英語系無宗派学校、英語系カトリック学校、フランス語系無宗派学校、フランス語系カトリック学校と、言語と宗教の観点から4種類の学校が存在し、それぞれを管轄するために4種類の教育委員会が別々に設置されている。特に公費で運営されている宗派的マイノリティの学校を「分離学校」と呼び、多くの州ではカトリック系学校がこれに当たるが、少ないながらもオンタリオ州にはプロテスタント系分離学校も存在する。他方でブリティッシュ・コロンビア州では、フランス語系学校は公費で運営されているが、カトリック系学校は私立であるなど、州によって異なる。ニューファンドランド・ラブラドール州やケベック州では教育委員会が宗派別から言語別に再編されており、全体としてみると言語別教育委員会制度を採用している州が多数である。また宗派や言語に限らず、たとえばアルバータ州ではオルタナティブ・プログラムを採用している学校もあり、イスラム教等の教義に基づくプログラムや中国系文化の継承を目的とするプログラムもある。また同州は、特殊な教育目的や方法を採り入れた公設民営型学校である「チャータースクール」をカナダで唯一制度化している州でもあり、宗教的教義は目的として認められていないが、アラビア語教育に重点を置いた学校やドロップアウトした子どもに焦点を絞った学校、音楽教育やテクノロジー教育を重視する学校など、多様な学校が公費で運営されている。その他の州でも、私立（独立）学校（公費補助の有無は州によって異なる）やホームスクーリングなど、多様な就学形態が準備されている場合が多い。

教員免許に関しても各州で異なり、ある州で教員免許を取得したからといって、そのまま他州でも教員ができるというわけではない。たとえばオンタリオ州では、教員免許は幼稚園＋12学年を４つの区分に分けて設定されており、それぞれプライマリー（K－3）、ジュニア（4－6）、インターミディエイト（7－10）、シニア（11－12）となっている。通常はプライマリー＆ジュニア（ＰＪ）、ジュニア＆インターミディエイト（ＪＩ）、インターミディエイト＆シニア（ＩＳ）というように、隣り合う２つの区分で免許を取得する。教員養成課程は、従来は専門学部を卒業した後に教育学部に入学し、１年間教育実習や講義等を受講したうえで卒業時に学士号と教員免許を取得することが多かった。しかし近年、教員養成プログラム改革が行われ、現在では従来のような他の専門学部を卒業した後に教育学部に入学し教員免許取得を目指す「連続型（consecutive）」プログラムと、大学入学時より他学部での学位取得と同時に教育学部での教員免許取得を目指す「併行型（concurrent）」プログラムが併存している。また、かつては1年であった教員養成プログラムが２０１５年から2年となった。そのため、単純計算すると上述の連続型・併行型いずれのプログラムを受講しても、免許取得までは６年かかるのが一般的となっている。

カリキュラムについても州ごとに異なるが、１９９０年代以降州統一カリキュラムを策定し、その

表　開かれた学校運営の仕組み

州　名	名称（必置／条件付必置／選択設置）
ニューファンドランド・ラブラドール州	学校協議会（必置）
プリンス・エドワード・アイランド州	学校協議会（選択設置）
ノヴァスコシア州	学校助言協議会（条件付必置）
ニューブランズウィック州	保護者学校支援委員会（必置）
ケベック州	管理委員会（必置）
オンタリオ州	学校協議会（必置）
マニトバ州	・学校リーダーシップのための助言協議会（条件付必置） ・保護者助言協議会（規定なし） ・家庭学校協会（規定なし） ・学校委員会（規定なし）
サスカチュワン州	・学校地域協議会（公立・分離学校、必置） ・仏語系学校協議会（仏語系学校、必置）
アルバータ州	学校協議会（必置）
ブリティッシュ・コロンビア州	保護者助言協議会（条件付必置）

（出典：平田淳（2020）『カナダの「開かれた」学校づくりと教育行政』東信堂、309頁掲載の表を本稿に合わせて修正）

到達度を測定するために州統一テストを実施していることでは、多くの州が一致している。他方で、大西洋沿海4州（ノヴァスコシア州、ニューブランズウィック州、プリンス・エドワード・アイランド州、ニューファンドランド・ラブラドール州）のように、公教育修了のための共通の能力要件を策定している場合もある。

学校運営に関しては、10の州すべてにおいて、保護者や地域住民、そして高校段階の場合は生徒も参加する合議制機関であるいわゆる「学校協議会（名称や構成メンバーは州によって異なる）」が制度化されている（表）。設置形態としては、州によって「必置」、「条件付必置（求められた場合設置しなければならない）」、「選択設置」のいずれかである。学校協議会はほとんどの州では協議機関あるいは校長への助言機関とされているが、ケベック州においてのみ意思決定機関となっている。

カナダには、隣国アメリカのように連邦政府に教育省はなく、より徹底した「教育の州自治」が貫かれている。他方で、教育に関する各州間の連絡調整機関として「カナダ州教育担当大臣協議会（CMEC）」が設置されている。CMECが各州教育省に指示を出すようなことはないが、各州教育省間の情報交換の機会を提供している他、全国学力テストである「汎カナダ学力調査（PCAP）」の実施や、OECDのPISA調査結果分析報告書の刊行など、カナダ全体の教育のあり様を国家規模で支える活動を行っている。

（平田 淳）

コラム9

カナダにルーツをもつミッション・スクール① プロテスタント
——東洋英和女学院

松本郁子

「私はよく半分冗談にカナダは『幸福なる中庸（ハッピー・ミディアム）』だと言うのだが……」と語っているのは、東洋英和女学院の卒業生であり、『赤毛のアン』の翻訳で知られる村岡花子である。東洋英和女学院（開校時は東洋英和女学校）は、カナダのプロテスタント教会であるカナダ・メソジスト教会（現カナダ合同教会）婦人ミッションから日本に派遣された宣教師マーサ・ジュリア・カートメルにより1884（明治17）年に創設された。それ以来東京の麻布東鳥居坂町（現港区六本木）に学校を構え、開校時から2006年までの間に教鞭を取ったカナダからの婦人宣教師たちは、約140名にのぼる。

日本において、カナダ・メソジスト教会にルーツをもつキリスト教学校には、東洋英和女学院、その姉妹校の静岡英和学院・山梨英和学院、そして関西学院がある。1873年、カナダのメソジスト教会はキリスト教の禁制が解かれた日本に宣教師を派遣し、主に東京、静岡、山梨、長野、北陸で伝道活動を行うとともに、キリスト教布教のため教育事業にも取り組み、学校が創設されていった。その最初が東洋英和女学校だった。

カナダと日本が正式に外交関係を結ぶ40年も前に、この小さな女学校を舞台にカナダ人と日本人との交流が始まった。東洋英和女学校は寄宿学校としてスタートしたので、日本人生徒や教師たちは婦人宣教師たちと共に暮らし、日本のなかにありながらキリスト教と英語と西洋文化に囲まれた学校生活を送った。一方、人によっては何十年にもわたり日本に滞在したカナ

村岡花子文庫展示コーナー（東洋英和女学院　本部・大学院棟１階）

ダ人宣教師たちもまた、日本の文物、風習、社会に触れ、それに対応しながら、立ち遅れていた日本の女子教育のために尽くした。

そのような東洋英和女学校の環境のもと、10年間にわたり寄宿生としての日々を過ごしたのが村岡花子だった。明治時代の１９０３年に東洋英和に編入学した花子は、カナダ人宣教師たちに時には厳しく指導されながら、徹底的な英語教育を受けることで高度な語学力と英文学の知識を身に付け、翻訳家、児童文学者、評論家として活躍した。

花子は、卒業後も母校の同窓会誌や年史の編集を担当した。そのため東洋英和には、優れた書き手だった花子によって、活き活きとしたカナダ人宣教師との交流の記録が残されている。そこから垣間見えてくるのは冒頭にあったように「幸福なる中庸」と形容された、アメリカ人ともイギリス人とも違った意味での明るさと素朴さを特徴とするカナダ人宣教師の気質だった。

「カナダの作家の作品を紹介したいという私の念願は、今日までに多くのカナダ人の教師や友人たちから受けた、あたたかい指導と友情への感謝からも出発している」（『アンの愛情』解説より）と語る花子の言葉から、『赤毛のアン』の翻訳と東洋英和での教育とが、いかに花子のなかで強い親和性を持っていたのかがうかがえるだろう。

現在において、村岡花子の時代とはカナダの在り方も、宣教師の役割も変わってきている。

けれども花子がカナダ人宣教師との交流を通じてカナダに見た「幸福なる中庸」という言葉は、分断や極端な思想が強まる昨今の世界のなかで、統合と多様性への模索を続けている現代カナダの姿勢にもあてはまるのではないだろうか。悲観せず、極論に走らず、様々な価値観のなかでバランスを探っていく。それはまた、カナダ人宣教師に教えを受けた村岡花子の生涯にも、東洋英和の教育にも通底しているように思えるのだ。

カナダにルーツをもつミッション・スクール②　カトリック――カリタス学園

コラム10

竹中　豊

カリタス学園（神奈川県川崎市）のルーツはカナダ・ケベックにある。建学の母体は「ケベック・カリタス修道女会」である。教育共同体としての同学園は、まずは戦後の日本の教育を支援することを使命として誕生した。学校法人として創立の経緯をみると、カリタス女子中学校・女子高等学校（1961年）から始まり、幼稚園（1962年）、小学校（1963年）、そして女子短期大学（1966年）へと至る。言い換えれば1960年代に、カリタス学園は幼児教育から高等教育まで、総合学園としての全体像が整ったことになる。

カリタス学園とケベックとの関わりの原点とはどのようなものか。ケベックは、17世紀以降フランス植民地として誕生・進展していった過去をもつ。そこは、長らく精神的基盤をカトリックにおいていた。こうしたなか、1737年にモントリオールで創設されたのが、「灰色の姉妹会」だった。創設者は後に「普遍的愛の母」と称されるマルグリット・デュービル（1701～1771年）である。その福音的使命は奉仕や慈善活動など、キリスト教的な「愛」の実践にあった。そして彼女の強い影響を受けたマルセル・マレ（1805～1871年）が、1849年にケベック市に創設したのが「ケベック・カリタス修道女会」である。

ならばカリタス学園は、どんな教育目標を掲げ、どんな雰囲気をもつ学校なのか。1つは、カトリック精神を基調に、普遍的「愛」（カリタス）の心をもつ人間をはぐくむことを目指してきた。詳細は省くが、要はそれを「信」「開花」「奉仕」「交わり」という標語に置く。今一つは、そこが、福音的「愛」の精神が宿る空間、

1953年、初来日した３人のシスターたち。左から Sr. グロリア・ボリュー、Sr. ロザンナ・バイヤルジョン、Sr. リタ・デシャエンヌ。油彩画制作 Sr. クローデット・ベルニエ（カリタス学園提供）

と感じさせる場でもあることだ。構内に一歩足を踏み入れると、マリア像・十字架・聖堂など、心を落ち着かせる雰囲気が醸し出されてくる。決して宗教を強要するわけではないが、純粋に人間理性の基盤にたつ理屈だけでは教育に限界がある、とするカトリシスム信仰が背景にある。

ひるがえって、日本での布教や教育活動が、なぜ20世紀になってケベックの修道会にも委ねられたのか。理由は様々だが、より直接的にはケベックのモリス・ロワ大司教や教皇ピオ11世（在位1922〜1939年）の意向が大きい。カトリックの深い福音的伝統にはぐくまれたケベックの修道会は、日本で宣教活動を行うのにふさわしい、とされたのだった。

それを受けて、１９２０年代から大戦で中断される１９３９年まで、複数の修道会が日本に到来する。戦後はさらなる修道会が日本での活動に加わる。こうした文脈のなかで登場したのが、ケベック・カリタス修道女会だった。１９

53年のことだ。初めて日本の土を踏んだ同修道女会のシスターは、福音的使命に燃えた3人だった。このシスターは、当初の仕事は、東京の世田谷区に女子学生のための寮の開設・運営などであった。この経験が、後の学校法人カリタス学園創立につながっていく。

カリタス学園は、かつては今以上にケベック的雰囲気が一杯だった。たとえば、幼稚園から短大まで所属長には、ケベックのシスターが就いていた。学園チャプレンにはケベック外国宣教会の神父もいた。しかし時の移りゆきとともに、カリタスの歴史も変化をまぬがれなかった。そして横浜市に移転（1981年）していた短大は、2017年の春、時の使命を果たしたかのようにその幕を閉じた。それを「聖なるあきらめ」と捉えるべきなのか。一面、そうかもしれない。しかし18世紀にケベックで時かれたデュービルの精神は、時代を超えて消え去ることなく、日本でも永遠に生き続けるに違いない。なぜならば、その神髄は「愛のあふれ」にあるからである。

47

カナダの多文化教育

★差別や偏見の解消を目指して★

カナダの子どもたちの学力は高い。経済協力開発機構（OECD）が2000年以降3年おきに実施している学習到達度調査（PISA）の読解リテラシーの平均点を見ても、カナダは日本と同様高得点グループに属し、かつ年度による違いが小さい国の1つである。この読解リテラシーでは、移民の子どもたちの得点はネイティヴの子どもたちと比べると概して低い傾向にある。しかしカナダでは35％の子どもが移民のバックグラウンドを持つにもかかわらず、ネイティヴとの間に違いはない。さらに移民第二世代（親が外国生まれで本人はカナダ生まれ）の読解リテラシー得点は、ネイティヴよりも高かった。このように両者に違いがなく高い学力を示す背景の1つに多文化教育の政策がある。

では多文化教育とはそもそもどのような教育なのだろうか。定義は確立されていないが、この分野の先駆者であるアメリカ合衆国のジェームズ・バンクスは、1980年代に多文化教育を少数民族および移民の子どもたちの学力を高め、またマジョリティの子どもたちに国内のエスニック・マイノリティ・グループの文化や経験について教えることを目指して、デザインされたプログラムや実践と定義した。導入当初の多文化教育は、

表　PISA 2018 の平均点

	読解リテラシー	数学リテラシー	科学リテラシー
1位	555 点（北京・上海・江蘇・浙江）	591 点（北京・上海・江蘇・浙江）	590 点（北京・上海・江蘇・浙江）
カナダ	520 点（6 位）	512 点（12 位）	518 点（8 位）
日　本	504 点（15 位）	527 点（6 位）	529 点（5 位）
OECD 加盟 37 国	487 点	489 点	489 点

（　）内は全 79 参加国・地域中の順位

出典：Andreas Schleicher (2019), PISA 2018: Insights and Interpretations, OECD を基に筆者作成

異なる文化の理解に重点が置かれ、食文化（food）、民族ファッション（fashion）、祭り（festival）の紹介が多かったこともあり、3F教育と批判されたこともある。その後、多文化教育は多民族国家のカリキュラムを支える理念として定着し、文学作品、教科書や教材を通じて、人種主義や自民族中心主義などの偏見に気づかせ、課題を解決する教育となっている。

多文化教育は多文化主義の思想が基盤となって成立した考えであり、カナダでも1971年の連邦政府による多文化主義宣言およびその後の各州政府の多文化主義政策の導入とともに、多文化教育政策が展開されていった。たとえば、オンタリオ州では1977年に連邦公用語の英語とフランス語以外の言語を小学校の通常授業以外の時間に学習する継承語（ヘリテージ・ランゲージ）プログラムに関する覚書を州教育省が発表している。

しかし、連邦政府の多文化主義政策では、現実の人種差別により生じる問題を解決できないことが指摘されるようになった。カナダでは、先住民を除く非白人をヴィジブル・マイノリティというが、「多文化」という言葉はあまりに多義的なので、先住民やヴィジブル・マイノリティを取り巻く現実の課題が見えにくくなり、差別問題を解決することはできない。そこで、人種差別解消を明確に打ち出す反人種差別教育という考え方が導入された。オンタリオ州トロント教育委員会は1979年に反人種差別教育政策の1つとして子どもたちが人種差別問題に

ついて学ぶようカリキュラム開発を促す政策を採択し、1993年にはオンタリオ州内の全教育委員会に反人種主義や公正教育の政策の開発と実施が義務付けられた。その後、多文化主義政策に対する批判に加え、教育政策としては子どもたちの学力向上に強い関心が寄せられるようになり、オンタリオ州の反人種差別教育関連の助成や支援は打ち切られていく。

21世紀に入るあたりから、オンタリオ州では、社会文化的構造が子どもたちに与える影響を学び、権力と特権の配分を理解することを学ぶ批判的多文化教育という考えも登場している。2009年、オンタリオ州政府は新たな多文化教育政策関連として、公正とインクルーシブ教育の開発と導入を発表した。この政策では、リーダーシップの共有と実行により差別を根絶し、子どもが学習に積極的に取り組み、居心地よく感じられる学習環境を整備し、公教育に対する信頼を維持、向上させることが目指された。さらに2017年に『オンタリオの教育　公正アクションプラン』を策定し、子どもたちの学力を保障するため、学校と教室から差別的な実践、制度的な障壁、偏見を取り除くことが目指されている。確かにこのアクションプランのなかに「多文化教育」という言葉は登場しないが、施策内容は、前述の批判的多文化教育そのものであり、マイノリティの学力向上とともに、差別や制度的な障壁を取り除く教育が実施されている。

このように多文化教育の内容は時代とともに変遷しているが、カナダが多文化教育を牽引してきた背景には、1971年の多文化主義宣言、1982年憲法、1988年の多文化主義法の存在がある。加えてカナダという国が出発した当初から認められてきた分離学校制度の存在も見逃せない。分離学校制度とは1867年憲法第93条により非宗派の公立学校と同様に、キリスト教の宗派学校に対する公費援助制度のことである。カトリックが少数派の州において公費で運営されるカトリック系の学校であり、プロテスタントが少数派の州において公費で運営されるプロテスタント系の学校を指す。ただし、この制度の運用は州により異なり、必ずしも全ての宗派学校が公費により援助されているわけではない。２０２０年現在、分離学校制度を認めている州は、オンタリオ、サスカチュワン、アルバータの３州である。いずれにせよ、カナダでは、マイノリティの子どもたちの学校教育は、国の歴史とともに憲法問題として論じられてきた経緯があり、多文化共生の伝統が多文化教育進展の背景にある。

とはいえ、多文化教育が何の批判もなくカナダで進められているわけではない。１９７７年にオンタリオ州で始まった継承語プログラムは、１９９０年代に「継承語」には後ろ向きのニュアンスがあるとして、「国際語プログラム」の一部になった。この事例は多文化教育が研究成果を踏まえて実践されるというよりも、イデオロギーに大きく左右されるものであることを示している。

ドイツのアンゲラ・メルケル首相が多文化主義は失敗と言った２０１０年の11月にカナダで約１０００人を対象に行った世論調査では、55％が多文化主義を支持し、30％が不支持だった。ただしカナダはモザイクであるべきという考えを支持する者は33％に過ぎず、むしろメルティング・ポットであるべきという考えを54％が支持していた。このように多文化社会カナダの自己認識が変化するなか、多文化教育の有り様も変化していく。多文化教育は、単に偏見をなくし調和を目指すための教育というよりも、社会における様々な差別を解消し、全ての子どもたちが公正に学習する機会を保障する教育の実現を目指している教育と言ったほうが良いかもしれない。

（溝上智恵子）

コラム11

少年矯正施設における教育機会について
――カルガリーの少年保護観察センター

岡部　敦

近年、日本国内では、少年犯罪に厳罰化をもって対処すべきという議論が起きている。しかし、少年たちが、どのような課題を抱え、なぜ犯罪行為に至ったのかを踏まえないと、この問題は解決できない。少年矯正施設は、若者の課題を大人がともに考え、向き合っていきながら、社会への復帰を目指す施設である。この点は、カナダも日本も同じである。ちなみに、日本の少年法の記載では、女子であっても少年という言葉を用いて表すため、ここでも、それに倣って、男女を問わず少年と記すことをあらかじめ断っておく。

罪を犯した少年は、日本と同様に、裁判所の判断によって、少年院送致や保護観察などの措置が下される。連邦の少年院に関する法令では、在院者の学習の機会を保障することを規定している。その方法および内容は、州によって多少の違いがみられるが、全てを法務省管轄の法務教官が担う日本のシステムと異なり、カナダでは、施設内に設置された学校に所属する免許を持った教員によって教育プログラムを提供していることが多い。

以下では、アルバータ州カルガリー市にあるカルガリー少年保護観察センターを紹介したい。カルガリー市の中心部から電車（LRT）で15分くらいのところにあるこの施設は、少年院を出院し保護観察下にある少年を希望に応じて受け入れている。セキュリティーの厳しい建物の中に入ると、すぐにキッチン兼教室があり、2名の優しそうな教員が笑顔で食事の準備をし、生徒たちと会話をしている。この施設では、学校が閉まる週末を除いて、朝食と昼食が提供される。その部屋の奥には、屈強そうな司法省矯

昼食の準備をする保護観察センター勤務の教員（筆者撮影）

正局の職員が控えている。何度か、私はこの施設を訪問したことがあるが、在籍生徒数は、大体5名から10名くらいである。少年らは、司法省の矯正プログラムを受けながら、カルガリー市教育委員会所属の2名の教員からチュータリング形式で学習指導を受けている。

生徒の多くは、貧困や薬物中毒などの課題を抱える保護者のもとで、自分たちもまた同じような課題に直面している。少年らが親から離れ、社会的かつ経済的に自立するためには、少なくとも高校の卒業資格が必要であり、いったん中断してしまった学びを継続することが必要となる。この施設では、生徒の学びに対する意欲を失わせないための工夫がなされている。まず1つ目は、教員と生徒との信頼関係である。食事の準備、生徒の悩み相談など、ささやかなことではあるが、こうした普通の大人と関わる機会は少年らにとって大切である。2つ目は、柔軟な教育課程である。特に、学びの場を学校内に限定せず、積極的に学校外での学びを正課の学びとして認定し単位を授与している。たとえば、自動車運転免許証取得、カウンセラーとの面談の内容についてのレポート執筆など、彼らの日常生活のなかでの学びが、州教育省の基準に合っていれば、そのまま単位が授与される。これは、現場の教師の判断で行われる。また、カルガリー市教育委員会が市内の職能組合（鉄工業組合、配管工組合など）と連携して実施しているオフキャンパス教育プログラムに参加することも許されている。ここで、親方のような大人から面倒を見てもらうことで、将来の職業社会での自分をイメージすることにつながり、高校卒業への意欲が高まったと発言する多くの生徒に出会った。

残念ながら、結果として再犯率が下がっているという明らかなデータはない。ただ、こうした個々の生徒の実態やニーズに合わせた教育方法は、矯正教育の分野だけではなく、不登校や精神的疾患などの困難を抱える若者に対しても適用される。全ての若者に公平な機会を与えようとする社会正義の思想を、カルガリー市の小さな施設にみることができた。

48

フランス語イマージョンプログラム

★学校教育における英仏バイリンガルの育成★

カナダは、英語とフランス語の二言語を連邦の公用語として定めている。そのため、居住地域で使用される第一公用語のみならず第二公用語にも価値が置かれ、英仏バイリンガルを目指す人も多い。フランス語イマージョンプログラムは、学校教育においてその育成に貢献してきた。

「イマージョン」とは「浸すこと」である。フランス語イマージョンプログラムは、英語母語話者を中心とする児童・生徒を対象とし、学校をフランス語使用環境にして、つまり算数や理科などの教科をフランス語で学ばせ、学力向上と共にフランス語を自然に習得させる。

フランス語イマージョンプログラムは、1965年にケベック州で開始された。1960年の政権交代を契機に進められた「静かな革命」において、フランス語はケベック州のアイデンティティのシンボルとして掲げられた。当時、英語母語話者の子どもはもちろん、移民の子どもの多くも英語が優先される州であったゆえ、英語を教授言語とする学校に通っていた。学校で実施される第二言語としてのフランス語の授業は文法中心であり、児童・生徒はフランス語によるコミュニケーションを困難としていた。そこで、モントリオール郊外サン・ランベールの保護者グループは、実践的なフランス語使用者を養成するための効率的な教育方法を探り始め、言語習得の臨界期仮説を唱えた脳外科医ウィルダー・ペンフィールドとマギル大学の言語心理学者ウォレス・E・ランバートからも助言を得た。そして、イマージョン方式が編み出され、1965年9月に開講されるに至った。ただし、州教育省と地元の教育委員会が新規の教育方法に難色を示したため公的支援は得られず、実験クラスという位置付けであった。それにもかかわらず、募集した幼稚園児26名は5分で定員に到達するほどの人気だった。保護者グループはその後も精力的に活動を続け、またランバート氏を中心とする研究グループが児童のフランス語能力、全般的な学力や英語能力の向上を報告したため、プログラムは継続され、他地域でも実施されるようになった。

連邦政府が1969年に英語とフランス語をカナダの公用語と定める公用語法を制定すると、フランス語に関心が低かった英語圏においてフランス語イマージョンプログラムが脚光を浴び、カナダ全土で徐々に開講されていった。それに応じて、選択制であるプログラムへの登録率も右肩上がりに上昇した。なお、2017年度の全国における公立の初等および中等教育機関における登録率は12%、46万人であった。

フランス語イマージョンプログラムでは、1年間に50%以上の授業がフランス語で実施される。実施形態は州や教育委員会により異なるが、開始時期により大きく3タイプに分類される。一般的なタイプは、幼稚園年長または小学校1年生から開始される「早期イマージョン」である。2年生までは全教科がフランス語のみで（ただし日本の「国語」に相当する「英語」の授業は英語で）、3年生から一部の

プリンス・エドワード・アイランド州のフランス語イマージョンプログラム実施校の教室（2018年6月、矢頭典枝撮影）

教科が英語で、最終学年ではフランス語と英語がほぼ半々で授業が実施される。「中期イマージョン」は5年生から、「後期イマージョン」は7年生または8年生から開始される。また、フランス語を使用する授業時間数も州により異なる。たとえば、オンタリオ州の早期イマージョンでは、8年生終了時までに少なくても3800時間の授業がフランス語で実施される。通常プログラムにおける第二言語としてのフランス語の授業は600時間であることから、イマージョンプログラムではフランス語への接触時間が非常に長い。

教授方法は、児童・生徒の学年やフランス語能力に応じて異なる。早期イマージョンプログラム開始時、ほとんどの児童はフランス語に接触したことがない。そのため、フランス語を一から学ぶようにカリキュラムは組まれており、教師はジェスチャーや視聴覚教材の多用など創意工夫しながら授業を進める。上級生については、フランス語のみならず英語力の向上も目指すため、フランス語で読んだ内容を英語でまとめたり、英語の語彙をフランス語に置き換えたりといった活動も行う。

各能力の到達度についても高い評価を得ている。フランス語については、中等教育終了時、実践的なコミュニケーション能力をもつ自立した言語使用者となることが目標とされ、多くの生徒はそのレベルにまで到達する。フランス語接触時間が長いこと、内容中心教授法であり年齢相当の内容を扱うこと、意味があるコミュニケーションを行うため児童・生徒のフランス語習得への動機づけが高いことが主な理由として挙げられる。英語については、通常プログラムの児童・生徒に比べて最初は少々遅れが生じるが、後に同等レベルとなることが報告されている。学外では英語環境に浸かり、日常的に英語を使用しているためである。また、各教科も通常プログラムの児童・生徒と同様、年齢相当の学力を身につける。

在籍児童・生徒については、プログラム開始時は教育に関心が高い中流階級以上の家庭出身の英語母語話者が中心であったため、フランス語イマージョンプログラムはエリート教育とも言われた。しかし、今日、児童・生徒の言語的背景は多様性に富む。たとえば、中国系やヴェトナム系などの移民子弟や二世が在籍する。この子どもたちは、二言語公用語政策を採るカナダに住むことを生かし、家庭で母語を、フランス語イマージョンプログラムでフランス語を、社会や友人から英語を習得し、トライリンガルになることを目指す。また、地域によってはフランス語母語話者も在籍する。１９８２年憲法第23条が定める少数言語教育権により英語圏居住者はフランス語で初等・中等教育を受ける権

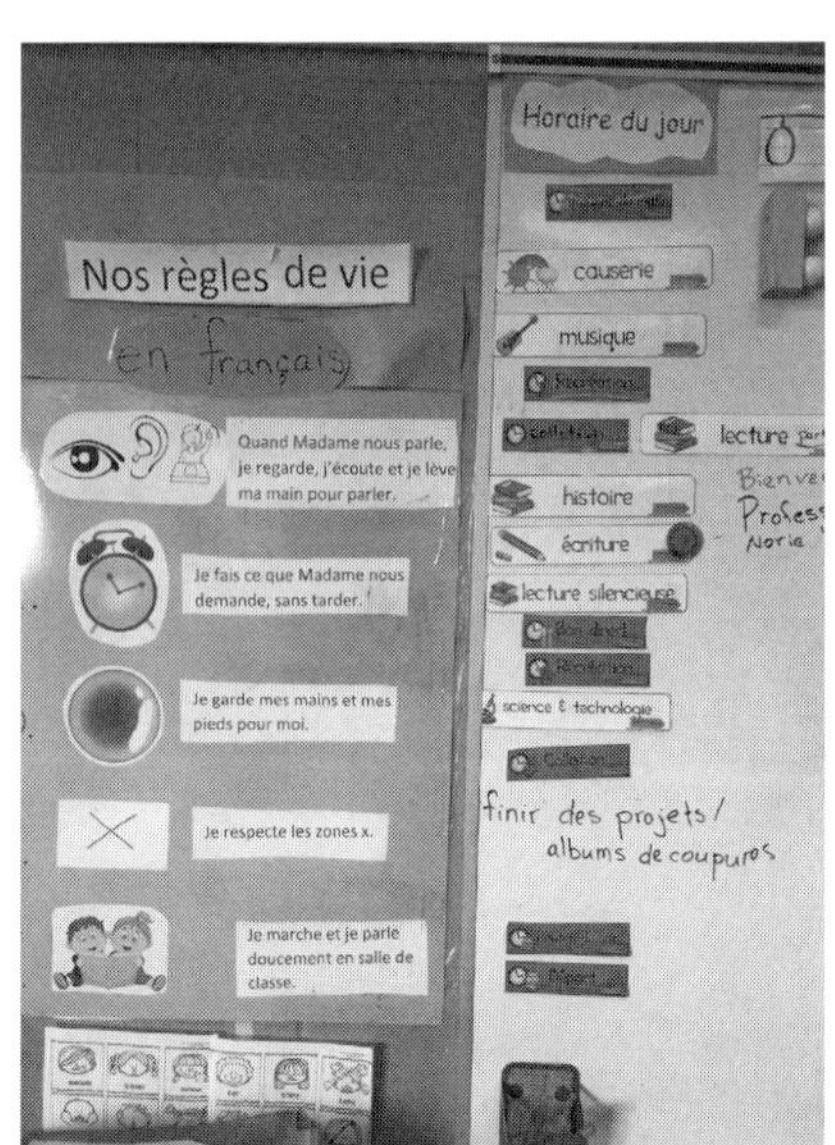

フランス語イマージョンプログラム実施校の１年生の教室にて。掲示板などはすべてフランス語（2018年6月、矢頭典枝撮影）

利を持つが、フランス語を教授言語とする学校が存在しない地域も多い。そこで、フランス語イマージョンプログラムを選択し、フランス語で教育を受けるのである。

ただし、課題もある。常に直面してきたのは、教員不足である。教員は、各教科を担当し、かつフランス語と英語を流暢に使用することが求められるが、この条件を満たす人物は少ない。この問題は、ニーズに反し、イマージョンプログラムの拡大を困難としている。近年は、参加申し込みのために保護者が夜通し学校前に並ぶ光景が各地で見られるほど、イマージョンプログラムの人気は高いのである。

フランス語イマージョンプログラムは、カナダの言語政策・状況を背景に開発され発展してきた。英語圏の児童・生徒は、このプログラムを通して、個人差はあるものの流暢なフランス語使用者となり、英語と全般的な学力も年齢相応に向上させる。この成功により、イマージョンプログラムは日本を含む世界中の第二言語や外国語教育の現場においても実施されている。

（時田朋子）

49

カナダの高等教育機関

★大学の特色と留学先としての魅力★

海外留学先としてカナダは非常に人気がある。新型コロナウイルス感染症の世界的流行により2020年度は激減したが、日本学生支援機構の調査によるとその前年度には、11万人以上の日本人が海外に留学し、その内2万人弱がアメリカ合衆国へ、続いて1万人強がオーストラリアとカナダに留学している。そこで本章では、カナダの大学の特色を紹介したのち、カナダの留学の魅力は何なのかについて考察する。

カナダでは憲法の規定により、教育は連邦政府ではなく、州や準州の政府が管轄する。このため国防大学など特殊な機関を除き、国立大学はなく、100弱ある大学のほとんどは州立大学である。カナダ統計局によると在籍学生数は年々増加し、2017〜18年は約210万人に達した。日本ではここ10数年ほど290万人前後で伸びてはいない。人口比でいえば、カナダの人口は日本の3分の1ほどであるが、大学生数は非常に多いといえる。

カナダの大学の大きな課題の1つは、増加する学生のためにいかにコストを抑え、良質の教育を提供し、将来必要とされる人材を十分養成することができるかということである。急増する需要に応えるために、既存の大学が入学者数を増やすとともに、新設大学も増えている。日本では学生の定員割れで閉鎖を余儀無くされる大学も出てきているが、実はカナダでも少子高齢化が進んでおり、日本と同じ悩みを抱えている。しかし、カナダの大学は多くの学生を留学生として惹きつけ成長することに大成功している。

イギリスやフランスの植民地としてスタートしたカナダの高等教育制度は両国の伝統と文化の多大なる影響のもとで発展してきた。1867年にカナダ連邦が成立するまでに、トロント大学など宗教とは関係のない4大学のほか、キリスト教系の13大学が設立された。当時の学生数は100名前後で小規模であったが、現在は主要大学となっているところが多い。たとえば、トロント大学は2万人強の大学院生と7万人以上の学部生が在籍するカナダ最大規模の、世界的にもトップ20に入る優れた高等教育機関として成長している。

第二次世界大戦の終戦直後、これらの大学は、大勢の帰還兵士を社会復帰させるための再教育の場として入学定員を大幅に拡大し、戦後復興のために重要な役割を果たした。また戦後の著しい経済発展に伴い、中産階級が増加すると、その子弟の高等教育の受け皿としてさらに重要な機能を担った。これを後押しするために、多くの州の政府はこれらの大学への財政的支援を強化するとともに、ヨーク大学（トロント）やサイモンフレーザー大学（ヴァンクーヴァー）などを新設し、将来の人材養成を支援した。最近では、公立のみならず様々な使命を持った私立大学が認可されている。多くはクリスチャンのミッション系であるが、レジャイナ大学と協定を結び、1976年に開設されたサスカチュワン・インディアン連合カレッジは、先住民の教育や研究に力を入れている。2003年に

トロント大学法学部の建物（矢頭典枝提供）

ザ・ファースト・ネーションズ・ユニバーシティ・オブ・カナダと改名されたが、レジャイナ大学の一部となっている。大学や連邦政府や産業界は多くの奨学金を提供し、その使命である先住民の子弟の教育の向上に力を注いでいる。最近設立された大学には私立大学もあるが、小規模で教育中心型の機関が多い。カナダの大学生のほとんどは、戦前あるいは戦後の成長期に設立された研究と教育に力を入れている州立総合大学で学んでいる。

ところで、少子高齢化社会であるにも関わらず、カナダで大学生の数が増加しているのはなぜであろうか。実は、この増加は、カナダ人学生の増加というよりも、留学生の急増による。カナダの人口は、移民や難民の受け入れにより、過去10年の間に11％ほど増加したが、大学生である18歳から24歳の人口はこの間4％しか伸びていない。しかしカナダは非常に人気のある留学先となり、留学生の受け入れ数では、世界で3番目に多い国となった。ユネスコによると、世界的な経済成長により中流階級が増加し、留学生は2000年から20年間で200万人から500万人以上に増えた。しかしカナダの留学生の数はこの間、世界平均の2・5倍どころか6倍になっている。

その魅力は何なのか。これには様々な理由がある。まず日本語ができないと学ぶことが難しい日本の大学に比べて、カナダは英語とフランス語という世界的に学習者の多い言語を公用語としているため、カナダで学ぶことのできる外国人は非常に多い。また、世界で最も留学生数の多いお隣、アメリカに比べて、大学の授業料は格段に安いのも魅力であろう。カナダの大学の授業料はアメリカのそれの3分の2から3分の1ほどである。

カナダ国際教育局の調査によると、次のような理由もある。まず治安が良く多民族・多文化主義が浸透しているため、人種差別が少なく、多くの留学生にとって安全で住みやすい社会であるからだ。また、カナダの高等教育機関が優れたコースを提供していることも大きな理由である。たとえば、カナダの大学の1割弱である8大学が権威ある『タイムズ』紙の国際ランキングで世界のトップ200に位置付けられている。これに対して770を超える日本の大学のうち、同ランキングでトップ200に入っているのは2校のみである。また調査に応じた留学生の6割は、カナダ永住の魅力を掲げている。カナダ政府の政策として、同国の大学や大学院の卒業生は、外国人であっても卒業後2年間、カナダで就労や滞在する機会が保証されている。この間、良い会社などに雇用されれば、カナダに定住し市民権を獲得する道が確立されている。少子高齢化で悩む同国にとって、同国に留学し、その文化や社会をよく理解できるようになった人材は適応性もあり貴重な移民となりえる。
留学生の出身国としては従来、中国が圧倒的に多かったが、インドが２０１８年に突如、中国を追い越した。２０１９年末現在で、カナダの留学ビザ発行数は64万強であり、最も多いのはインド国籍の約22万、続いて中国の約14万、そして韓国、フランス、ヴェトナム、アメリカ国籍が2万強、そしてイラン、ブラジル、ナイジェリア国籍が1万強と続いている。このような出身国の若者がカナダの市民権を獲得することにより、カナダの多民族化がはますます加速化されよう。この意味で、カナダの大学は多くの留学生を惹きつけることに成功しているだけではなく、カナダの少子高齢化を鈍化させ、ダイナミックな労働力を提供し、多文化主義を促進するという重要な機能も果たしている。さらに留学生の消費額は年間２２０億ドルに達し、これにより17万人以上の仕事も提供しているとカナダの政府は分析している。質の高い教育を提供し、多くの留学生の受け入れるカナダの大学は、持続可能なカナダの経済成長のための主要産業ともなっているのである。

（水戸考道）

日加大学間の交流

カナダには100校ほどの大学があるが、日本の大学はその多くと交流を活発に行っている。日本の約50の国立大学が、約180の私立大学が、また20以上の公立大学が、カナダの大学と協定を結び、研究協力やダブルディグリー、学生交換あるいは英語研修などを実施している。協定校が最も多いのは関西外国語大学で、約40のカナダの大学と交流し、次に多いのは早稲田大学で20校以上と協定を締結している。そのなかにはケベック大学連合も含まれており、実際の交流校はさらに多い。関西学院大学も15校ほどと協定を締結しているほか、日本とカナダでそれぞれ10校ほどが加盟している日加学術コンソーシアムにも加盟している。このため実際の交流校は、25校に近く、毎年500名ほどの学生を派遣している。

水戸考道　**コラム12**

ところで、カナダと日本が国交を正式に樹立したのは1928年であるが、両国間の交流は、それより遥か以前で、その契機となったのは1873年のキリシタン禁制の高札撤廃である。以後、カナダの多くの宗教団体は、日本に宣教師を派遣するようになった。欧米の言語を習得し、先進的技術や知識を学び、近代化と富国強兵政策を推進したい日本政府とキリスト教主義による教育を通して布教を目指すカナダの宗教団体の利害が一致し、派遣宣教師の指導のもとに東洋英和女学院や青山学院などミッション系大学の前身が各地に設立された。

私の所属する関西学院は1889年にアメリカ南メソジスト監督教会によって設立されたが、1910年よりカナダ・メソジスト教会がその教育と運営に共同参加した。その初期に同教会の派遣で教壇に立ったのはトロント大学院とヴィクトリア・カレッジ出身のR・アームス

コラム 12

日加大学間の交流

ヴィクトリア・カレッジの N. バーワッシュ学長の原田の森（現在の神戸市灘区）の関西学院訪問時の全職員と全校生との記念写真（1913 年 2 月　同大学学院史編纂室所蔵）

トロング、マウントアリソン大学出身のＨ・アウターブリッジ、クイーンズ大学および現在マギル大学になっている神学校で学んだＣ・Ｊ・Ｌ・ベーツなどである。ヴィクトリア・カレッジのＮ・バーワッシュ学長の１９１３年２月の関西学院訪問が立証しているように、彼らを通して、出身校との深い人的交流の歴史が始まった。彼らは、教育プログラムと財政的基盤を強化し、関西学院の大学への昇格とさらなる発展に尽力を惜しまなかった。日米開戦が危ぶまれるようになると自らの意に反して帰国せざるを得なかったが、戦後、再来日し、日本の高等教育の発展に大きく寄与した者も多く、それが戦後の交流を復活させる大きな原動力となった。

　関西学院が１９３２年に大学として昇格した際、その初代学長はベーツであった。彼の出身校であるマギル大学と関西学院大学は１９９６年１月に学生交換協定を締結したが、その陰には、彼の孫であるＡ・デメストラル・マギル大学法学大学院教授・関西学院大学元客員教授の尽力があった。さらにトロント大学のヴィクトリア・ユニバーシティ、マウント・アリソン大学そしてクィーンズ大学とも交流協定を締結したが、これら3校とは、２０１１年にクロス・カルチュラル・カレッジ（ＣＣＣ）を文部科学省の助成金で共同設立し運営している。４大学の学生が寝食を共にして協働研究を行ったり、インターンシップを行う。規定に従い、16単位以上を履修すると４大学が共同発行する修了証が授与される。このため、４大学は５００以上の授業科目をＣＣＣの選択科目として提供し、２０２０年の春までに延べ９００名以上の学生が参加した。２０２０年後半からはウェスタン大学のキングズ・ユニバシーティ・カレッジも正式メンバーとして加わり、また新型コロナウイルス感染症に対応するため、オンラインによる共同プログラムを開発・提供し、５大学間の協働交流を推進している。

50

カナダの公用語政策

★英語とフランス語のバイリンガル国家運営★

カナダは英語とフランス語という2つの公用語を持つことで知られる。しかし、両公用語を話せるカナダ人は少なく、17・9％にすぎない（2016年国勢調査）。州別にみれば、両公用語を話せる人口の比率が最も高いのは、フランス語圏のケベック州（44・5％）であり、フランコフォン（フランス語話者）が多く住むニューブランズウィック州（33・9％）も多い。この2つの州とオタワ首都圏以外では、フランス語はほとんど必要とされないにもかかわらず、カナダ人は全国で日常的に両公用語による表示、放送やサービスに遭遇する。通貨や切手をはじめ、カナダで販売される商品も両公用語で表示され、連邦政府機関あるいは国立公園に行けば、両公用語で書かれた看板や掲示物が目に飛び込んでくる。また、主要な空港や鉄道の駅の構内、あるいはカナダの航空会社の便に乗れば、英語とフランス語のアナウンスが聞こえてくる。

カナダが公用語法を制定し、英語とフランス語を国家の公用語として宣言したのは1969年であった。同法制定の目的は、当時懸念されていたケベック州のカナダからの分離独立の回避であった。当時のピエール・E・トルドー連邦首相は、ケ

連邦議会議事堂前の両公用語で書かれた「止まれ」の標識（筆者撮影）

ベック州のフランコフォンの政治的疎外感を取り除き、カナダの二大建国民族が平和裏に共存する社会を構築するには、英語とフランス語の対等性を確立し、それを象徴的に示す法律を制定する必要があると考えたのである。

公用語法の制定に伴い、その適用を監督する目的で「公用語局」、その長として省庁の大臣級の「公用語局コミッショナー」職が新設された。公用語法は1988年に全面改定され、国民への両公用語による行政サービスの提供地域・部局の指定基準や連邦公務員の仕事言語などについての詳細な規定が設定された。

公用語法の適用範囲は基本的には立法、司法、行政の連邦公的部門であるが、公共性の高い民間部門（その多くが元国営企業）、すなわち航空、鉄道などの運輸業、空港や鉄道の駅などの民間の運営会社なども該当する。カナダの航空会社の便で英語とフランス語のアナウンスがあるのはこのためである。同法でとりわけ強調されているのが、公用語少数派（ケベック州内のアングロフォン（英語話者）、ケベック州外のフランコフォン）の言語教育権の保障であり、彼らが自分たちの言語で教育を受けられるための詳細な規定も設定された。これにより、オタワ首都圏および公用語少数派による「相当な需要」があると判断された地域に存在する連邦政府機関は「バイリンガル指定部局」に認定され、バイリンガル行政サービスを国民に提供することとなった。ここで働く職員は、バイリンガル挨拶（"Hello, bonjour."）を発し、それに続いて利用者が発した方の公用語に合わせて、会話を続けることになっている。

また、１９８８年公用語法は連邦政府の新しい方針として「カナダ社会における英語とフランス語の両方の完全な承認と使用を促進すること」（公用語法第7部41条b）を打ち出し、連邦公的部門の枠を超えて展開されるようになった。最も強調されたのが、公用語教育の推進であり、カナダ国民が英語とフランス語を学び、公用語としてこれらを認知、尊重することが奨励された。そのため、カナダの公立学校の義務教育において、通常、学校の科目として、英語圏ではフランス語が、フランス語圏では英語が教えられる。第２に、民間のビジネスに対しては両公用語による国民へのサービスの提供が「奨励」される。このため、たとえば大手銀行など社会的に影響力を持つ民間企業の多くは、顧客の要求に応じて両公用語によるサービスを提供できる体制をとっている。第３に、内外にカナダの「英仏バイリンガルな特性」を認知、推進させるため、国家的・国際的イベントは両公用語で執り行われる。そのため、カナダで開催される全国レベルのス

オタワの連邦政府機関の受付にて。両公用語で対応できることを示すサインが置かれている。（筆者撮影）

ポーツイベントなどは徹底的に両公用語で運営される。

なお、カナダで販売されている商品や製品は英語とフランス語で表示されているが、これは公用語法の規定ではなく、1974年に制定された「消費者のためのパッケージ・ラベル法」の規定による。

カナダの公用語政策は「制度上のバイリンガリズム」であり、公用語法で規定する連邦公務員には英語とフランス語のバイリンガルになることを要求するが、一般の国民1人1人にはそれを要求していない。連邦政府は必要に応じて国民に両公用語によるサービスを提供し、国民はできる方の公用語を使えばいいのである。

両公用語で表示されるメープルシロップの瓶のラベル。ケベック州では、フランス語が英語より先に表示される。（筆者撮影）

公用語政策はカナダに様々な変化をもたらした。公用語の効力を最も実感できるのは英語圏（ケベック州以外）に住むフランコフォンである。公用語法に基づき、公用語少数派による「相当の需要」があると認定された地域では、その少数派の公用語による学校教育と行政サービスが提供されるようになった。また、連邦公務員に占めるフランコフォンの比率は飛躍的に上昇し、連邦政府機関では英語とフランス語がともに仕事言語となった。首相や総督を筆頭とする国家の政治的指導者には両公用語能力が求められるようになり、連邦首相のテレビ演説は、通常、英語とフランスを織り交ぜて行われる。国営放送については英語放送だけでなく、フランス語放送も全国的に普及するようになった。さらに、義務教育では英語圏でフランス語、フランス語圏では英語が教えられるため、カナダの子どもたちは普段使わない方の公用語に親しむようになった。高度なバイリンガルになるため、フランス語で様々な教科を学ぶフランス語イマージョンプログラム（第48章参照）実施校に通学するアングロフォンの子どもたちも年々増加している。

公用語政策には問題点もある。毎年、公用語局に寄せられる苦情は1500以上にのぼる。その多くが英語圏に住むフランコフォンからであり、バイリンガル指定部局や交通機関から十分なフランス語のサービスが受けられない、という内容のものが多い。公用語局はオンブズマンとしてこうした状況を是正するために継続的に検査を行い、公用語法の遵守を徹底させている。

移民の増加が加速する現在、公用語政策は公用語教育の面で、カナダ国民の統合（ユニティ）に貢献してきたといえるだろう。様々な言語を母語に持つ移民たちが、無料で運営される公用語教育を通して英語あるいはフランス語を身につける環境が作られている。こうしてカナダ連邦政府は多言語社会を尊重しつつ、アングロフォンとフランコフォンの相互理解、そして移民たちのカナダ社会への言語的統合を推進し、隣国アメリカにはない「英仏バイリンガル性」をカナダ人のアイデンティティとして強化しよう、というメッセージを発信しているのである。

（矢頭典枝）

51

カナダ英語

★二重の基準をもつ英語★

カナダ英語について「聞きやすい」といった印象を日本人からよく聞く。では、カナダ英語はどのように聞きやすいか、という点を教室で尋ねると漠然とした答えしか返ってこない。また、他のどの英語に似ているのか、という点を尋ねると、「アメリカ英語に似ている」、「イギリス英語に似ている」、「アメリカ英語とイギリス英語の中間」といった様々な答えが返ってくる。本章で扱う「カナダ英語」として知られる英語は、都市部に住むカナダ生まれ、カナダ育ちのカナダ人が話す標準的かつ均質的な英語を指し、今や人口の20％超を占める外国生まれのカナダ人の英語は含まない。

世界で話されている多くの種類の英語は発音面で2つのカテゴリーに大別される。1つは、carやcartといった語で、母音のあとの/r/を発音する部類の英語であり、もう1つはそれらの語で/r/を発音しない部類の英語である。アメリカ英語、カナダ英語、アイルランド英語は前者、イギリス英語（規範とされる許容発音〈Received Pronunciation〉）とオーストラリア英語は後者に入る。また、bathやaskの下線の母音については、カナダ英語はアメリカ英語と同じ/æ/，イギリス英語は/ɑː/を有する。子音で顕著な特徴としてカナダ英語とアメリカ英語で共通するのは、インフォーマルな会話において、better や water といった語の /t/ がいわゆる「たたき音」となり、日本語の「ラ行」のように聞こえることである。カナダ英語が日本人にとって聞きやすいのは、日本の英語教育の規範として教えられているアメリカ英語がカナダ英語と共通した発音の特徴を有していることが1つの理由として挙げられる。

このようになったのは、1776〜1793年の間、アメリカ独立革命を逃れてカナダ（当時は英領北アメリカ）に大量流入した政治亡命集団、いわゆるロイヤリストの英語がカナダ英語の基盤になっているからである。つまり、カナダ英語とアメリカ英語は同じ起源をもつのである。その後、英領北アメリカでは、1816〜1857年をピークに植民地政府はイギリス本国から大量の移民と学校教員をカナダに迎え入れ、植民地の「ヤンキー」な英語の払拭に努めた。学校では、子どもたちは、イギリス式の発音、語彙、綴り字を学ばされた。発音では、イギリス式の発音の方が「正しい」とする教育が行われた——schedule の最初の子音は /ʃ/, tomato や rather の下線の母音は /ɑː/ と指導された。その結果、カナダ英語には語によっては両方の発音が残ることになった。結果として、エリート層はイギリス的な言語的・文化的特徴に価値を見出し、それを真似たが、一般のカナダ人は基本的には北アメリカ的な発音で話し続ける、という二元性が生み出された。しかし、それは20世紀前半まであり、イギリス的な発音の多くは20世紀後半より消失し、近年聞かれなくなっている。現在でも発音上の二元性がみられる少ない例として、either の下線の母音がアメリカ式の /iː/ とイギリス式の /aɪ/, Z の発音としてアメリカ式の /ziː/ とイギリス式の /zed/ が残っている、といった点が挙げられる。

とはいえ、数は少ないが、アメリカ音とは区別されるカナダ英語の発音の特徴として指摘されるものもある。よく挙げられるのは「カナディアン・レイジング（Canadian raising）」である。これは、house, about, out, mouth, couch などの語の二重母音/aʊ/の出発点が通常のアメリカ音よりも高く、[ʌʊ]と発音される言語現象である。つまり、二重母音の幅が狭いため、極端にいえば about が「アボゥト」のように聞こえる。

語彙の面では、特に飲食物、衣服、住関係などの生活用語については、カナダ英語のほとんどの語彙はアメリカ英語と同じである。たとえば、「ゴミ」と「ガソリン」はアメリカ英語とカナダ英語では、それぞれ garbage と gas(oline) だが、イギリス英語では rubbish と petrol が一般的である。

生活用語でイギリス英語と同じものは少ないが、最も引き合いに出される例を挙げれば、「蛇口」はカナダではイギリス英語と同じ tap が使われ、アメリカ英語の faucet が使われることはほとんどない。また、「旅行鞄」と「（レストランでの）お勘定」は、アメリカ英語で優勢な baggage と check よりもイギリス英語の luggage と bill が支配的であるが、両方存在する。アメリカ英語とイギリス英語の語が混在する場合、若年層を中心に、アメリカ英語の方が支配的になる傾向が見られる。たとえば、「輪ゴム」と「消しゴム」は、かつてはイギリス英語の elastic と rubber が支配的であったが、現在ではアメリカ英語の rubber band と eraser が使われるようになっている。

カナダ特有の語も存在する。1998年に創刊された Oxford Canadian Dictionary には約2000語をカナダ特有のカナディアニズムとして記載している。その多くはカナダ国内に広く生息、分布する動植物（caribou「カリブー」や moose「ムース」）、あるいはカナダ発祥のもの（toboggan「トボガンソリ」）であり、先住民起源の語が多い。フランス語由来の語（dépanneur「〈ケベック州の〉コンビニ」やtuque「冬の毛糸の帽子」）もある。カナダにしかないものとして、カナダ硬貨の愛称が挙げられる。北アメリカに生息する鳥loon（アビ）の絵がモチーフになっているカナダ1ドル硬貨はloonie、それをもじって2ドル硬貨はtoonie（twoとloonieを合体させた語）と呼ばれ、カナディアニズムの代表例である。

他方で、他の英語圏にも存在するもので、カナダでは異なる語が使われるものもある。代表例として、「トイレ」はカナダ英語ではwashroomが支配的だが、アメリカ英語では、bathroomやrest-room, イギリス英語ではlavatoryやlooが一般的に使われる。

綴り字の面では、アメリカ式とイギリス式で綴り字が異なる場合、カナダ英語は多くの場合、イギリス式の綴り字を規範としている。たとえば、カナダ英語では、アメリカ式のcolorやcenterではなく、イギリス式のcolourやcentreと綴る。他方で、アメリカ式の綴り字が規範とされる語もある。-ize/ -iseで終わる動詞については、カナダ英語ではアメリカ式の-izeを規範とする。したがって、この部類に属する語として、カナダ英語ではrealizeやrecognizeが支配的であり、イギリス式のrealiseやrecogniseはみられない。

カナダ人にはイギリス的な要素とアメリカ的な要素の両方を許容する伝統、つまり「カナダ的な二重の基準」がある。これは既にみた発音、語彙、綴り字のすべての面について当てはまる。動詞の変化で両方を許容する語もある。dive（潜る）の過去形と過去分詞は、アメリカ式はdove, dived, イギリス式はdived, divedであるが、カナダ人は両方を許容する。sneak（こっそり入る）もアメリカ式のsnuck, snuckとイギリス式のsneaked, sneakedの両方を許容する。「どちらが正しいかを争うより、

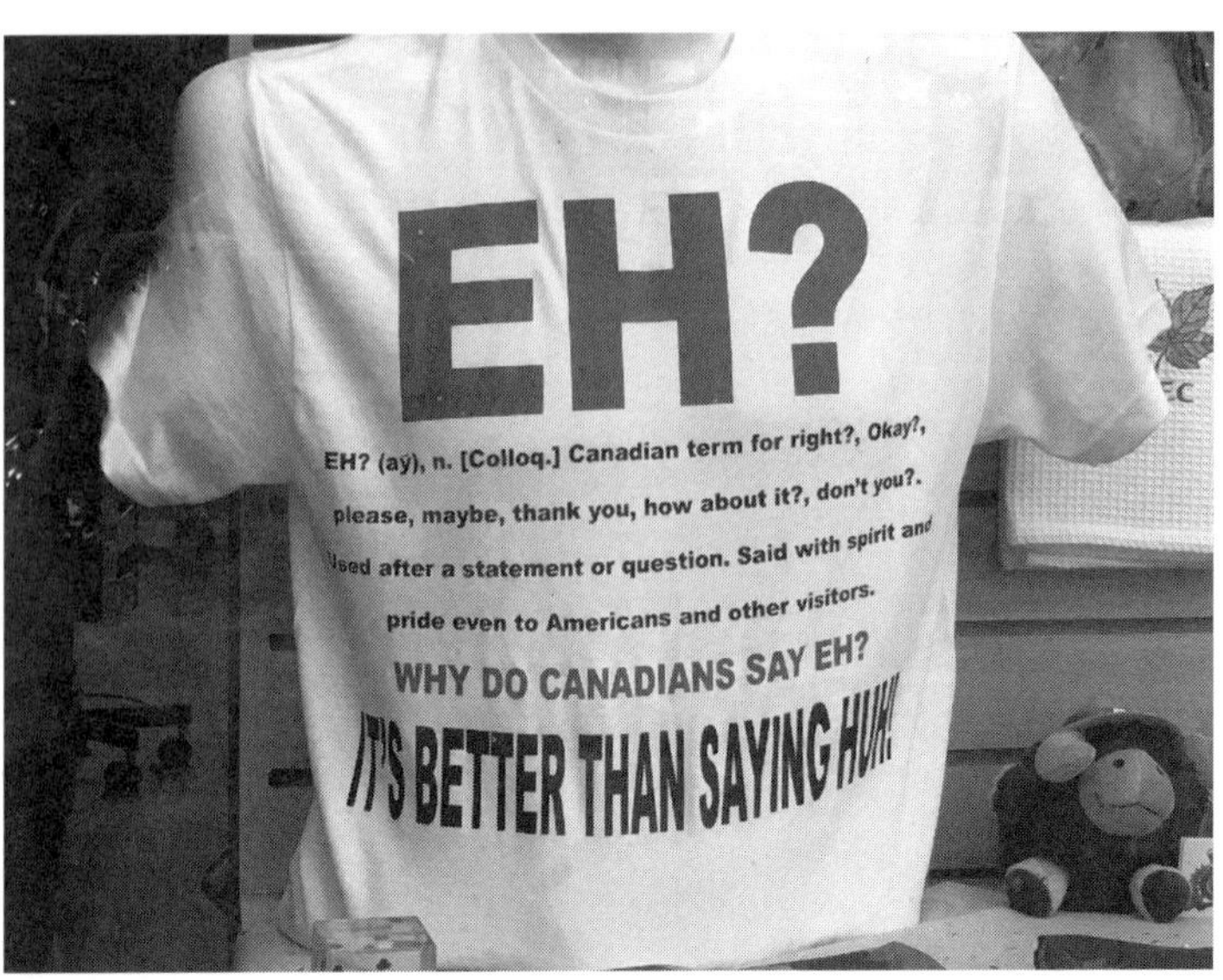

"eh?" をモチーフにしたTシャツ（筆者撮影）

2つとも受け入れる」この状況について、社会言語学者J・K・チェンバーズは「カナダ人には言語的寛容性がある」と論じている。

カナダ人のアイデンティティは「アメリカ人ではないという意識」である、と指摘される。言語面においてもカナダ英語はアメリカ英語とは異なると主張するカナダ人は多い。しかし、実際にはカナダ英語とアメリカ英語の違いはあまりない。その少ない代表的な言語項目は間投詞の"eh?"であり、カナダ人はこれを意識的に使うことがある。たとえば付加疑問の代わりに"It's a nice day, eh?"感嘆文の後に"What a beautiful view, eh?"さらに、何かについて語る時に文中あるいは文末に"eh?"を言うこともある。今日、"eh?"はカナダ人のアイデンティティのシンボルとして認識され、商品や新聞の見出しなどのメディアにも使われている。

（矢頭典枝）

52

カナダのフランス語

★ケベック・フランス語を中心に★

カナダは英語とフランス語を公用語としており、総人口の約2割がフランス語を母語とする。今日のカナダのフランス語話者の多くはフランス語を唯一の州公用語とするケベック州に居住しており、ケベック州に住む人々の約8割がフランス語を母語として話している。もちろん、ケベック州以外でもフランス語は話されている。東部のニューブランズウィック州は英語とフランス語を州公用語としており、州人口の約3割がフランス語を母語とする。他にも、オンタリオ州にはケベック州に次いで多くのフランス語系住民が暮らしており、それ以外の州にもフランス語を話す人々は存在する。

カナダのフランス語には、主にケベック州で話されるフランス語と、現在のノヴァスコシア州に建設されたアカディア植民地に暮らした人々にルーツがあるアカディア・フランス語という2つの大きな変種があり、どちらもフランスのフランス語とは異なる特徴を持っている。本章では、特にケベック州で話されるケベック・フランス語について解説したい。

1608年に現在のケベックシティにフランス領ヌーヴェル・フランス植民地が建設され、発展していく過程で、フランスの様々な地方から入植者がやってきた。それぞれのお国言葉ともいえる方言をお互いに話しながら、さらにパリやパリ周辺からやってきた人々のフランス語も混じり、徐々にその地のフランス語が形成されていった。新大陸での生活が年月を経るなかで、日々の暮らしに必要な語彙や表現が創出されていき、これが今日のケベック・フランス語を特徴づけるものとなった。

フランスがイギリスとの戦いに敗北した1759年以降、ヌーヴェル・フランス植民地は消滅し、フランス系住民たちはイギリスの支配下に置かれた。1867年の連邦結成以降も、ケベック州内においてフランス系住民は多数派であったにもかかわらず、政治・経済的には劣勢な立場に置かれた。1960年代の静かな革命以降、1974年にフランス語をケベック州における唯一の公用語とする「公用語法」、1977年には、ケベック社会のフランス語化を目的とした「フランス語憲章」が制定された。これらの法整備によって、フランス語はケベック州での安定的な地位を徐々に確立していった。一連の言語政策は、英語に囲まれた環境下でフランス語の地位を維持していくために、そしてケベック人としてのアイデンティティを積極的に保持していくために重要なものだった。1960年に発表されたウォレス・E・ランバートらの言語意識に関する心理学実験の結果から、ケベックの人々が自分たちの話すフランス語に対して少なからず劣等感を抱いている事実が明らかになった。このような言語的コンプレックスの原因には、静かな革命以前のケベック社会では社会的・経済的な成功が常に英語に結び付き、対外的な面では20世紀後半のマスメディアの発達によってフランスで話されるフランス語に接触する機会が増え、自分たちのフランス語がフランスのそれとは異なるという事実にショックを受けたことが挙げられる。言語意識の根底にある劣等感を克服し、次世代に自信をもってフランス語を話してもらうための要ともなる言語規範の明確化が目指された。ケベック・フランス語の規範には諸説あり、「国際的な標準フランス語の規範」に従うとする意見と「ケベック・フランス語特有の規範」が存在するという意見がある。専門家の間でも意見の一致が見られない難しい問題であるが、ケベックのエリート層が話す標準的なケベック・フランス語は、フランスのフランス語と比較すると特に発音・語彙の点で異なっており、文法的にはほとんど違いがないと言われている。

さて、ケベック・フランス語の特徴をみてみよう。現在のケベック・フランス語の発音には、17世紀から18世紀にかけてフランスの文法家たちが規範として書き記した発音と類似する点があり、それは特に長母音の発音である。ケベック・フランス語の独特なリズムは、この長母音によるものでもある。昔のフランスの宮廷でも王侯貴族たちは、同じようなリズムでフランス語を話していたのだろう。/i/や/y/などの口の開きが狭い母音の前で、/t/や/d/が$[t^s]$, $[d^z]$と発音されるが（petit「小さい」はたとえばプティではなくプツィと発音される）、これはケベック・フランス語の特徴である。

語彙についても、標準的なケベック・フランス語はケベック特有の語彙（ケベシスム）によって特徴づけられている。フランスのフランス語に該当する語がない例には、cabane à sucre（メープルシロップ小屋）、tuque（毛糸で編まれた帽子）、semaine de

スクールバスにはECOLIERS（学童）と表示されている。（筆者撮影）

ケベック州のコンビニ dépanneur の看板。（筆者撮影）

relâche（学期中の中間休み）などがある。英語の語をフランス語に直訳したものには、autopatrouille（パトカー、patrol car）、fin de semaine（週末、weekend）、maïs-éclaté（ポップコーン、popcorn）などがある。caribou（トナカイ）、ouaouaron（北米のウシガエル）、carcajou（クロアナグマ）といったフランスには存在しない動物の呼び方は、先住民の言語から借用されたものである。ケベック・フランス語の語彙には、同じ物を指す場合であっても、フランスのフランス語とは異なる呼び方をする場合が多々ある。そのような例には、foulard（フランスでは écharpe,「マフラー」）、souffleuse à neige（フランスでは fraise à neige,「除雪機」）、dépanneur（フランスでは supérette,「コンビニ」）などがある。また、ケベック・フランス語では déjeuner は「朝食」、dîner は「昼食」、souper は「夕食」を意味するが、フランスのフランス語では déjeuner は「昼食」、dîner は「夕食」を意味する。ケベックで造られた語が、国際的なフランス語の語彙として定着する場合もある。たとえば、courriel（電子メール）、écotourisme（エコツーリズム）、hameçonnage（フィッシング）などがそれに当たる。さらに、職業名詞の女性形化（例：une écrivaine「作家」、une gouverneure「総督・知事」）や通性的な書き方についてのガイドラインがケベック州フランス語局によって発行され、書き言葉における男女平等の実現を目指す取り組みが行われている。

ケベックの人々が日常的に話すフランス語にも特有の表現や語彙が豊かにあり、英語からの借用語（アングリシスム）の多用も目立つ。たとえば、接続詞の pi（puis「それから」、et「そして」などに当たる）、間投詞の là や tsé（tu sais「〜でしょ」）、niaiser（からかう）、アングリシスムの checker（「確かめる」、英語の check から派生）、fun（「楽しい」、英語の fun）などは、ケベックの人々の日常的な会話のなかで頻繁に耳にする。実際には、このような表現を知らなければ、彼らの日常会話を理解することが難しいのも事実である。そして、そのような日常的な話し方こそが、ケベックの人々の話すフランス語を彩ってきたのである。

（近藤野里）

コラム13

カナダ研究国際協議会

下村雄紀

カナダ研究国際協議会（International Council for Canadian Studies. ICCS）は1981年にノヴァスコシア州のハリファックスにおいて「すべての分野およびすべての国でカナダについての世界的な学術研究、教育および出版を促進すること」を目的として創設され、英仏両公用語で運営される国際的なカナダ研究の学術連盟である。現在は、創設学会の9学会を含む39カ国、22正規参加学会と5準参加団体とで構成され、そのネットワークはアフリカや東南アジアを除く広範な地域に広がっている。日本カナダ学会（JACS）は、カナダ、アメリカ合衆国、イギリス、フランス、イタリアの各学会と共に、創設メンバーのひとつである。年次総会は毎年5月に開催され、各国学会の代表による活動報告とICCSの委員会報告、運営方針の決定、役員選挙（隔年）、研究促進に関する協議、優れたカナダ研究に対する表彰対象者や各種奨学金等の選考に加えて、著名人のゲストスピーチ、各種表彰式や受賞講演なども行われる。

2021年に創立40周年を迎えるICCSの苦境は、設立当初からカナダ研究における最大の支援者であったカナダ外務・国際貿易省（現・グローバル連携省）が、カナダ保守党政権下で政府財政支出の見直しを理由に、2012年に研究支援の機軸を「平和と安全」「経済発展と繁栄」「環境問題」へと大きく舵取りしたことに始まる。結果として人文系の国際研究プログラムを段階的に廃止し、国際奨学金プログラムとその対象領域を縮小するものであった。この廃止は、発足当初から各国学会と協力して政府の文化外交政策の一端を担ってきたICCSの存続意義を問うものでもあった。ICCS参加学会はそれぞれの運営基盤の縮小を余儀なくされ、小規模学会のなかには活動を停止したものも少なくない。プログラム廃止後の歴代会長のもとで、政府支援の復活と民間寄付などの支援枠の拡大を模索しているが、ジャスティン・トルドー政権に移行しても以前のような蜜月の関係に戻るまでには至っていない。

しかしながら、最近では、世界的作家であるマーガレット・アトウッドなどの著名な文化人が国際的なカナダ研究の母体としてのＩＣＣＳの存在意義を各界に訴える動きも見られる。また、２０１９年には連邦上院外交・国際貿易常設委員会もカナダ研究プログラムが海外においてカナダへの知識と理解の向上に有意義な取り組みであることを認め、「世界の中のカナダ」と「カナダの価値観」に関する知識を拡大するための「文化外交」は外交の柱のひとつとして重要であるとの答申をまとめ、「近代化されたカナダ研究プログラム」の作成を推奨している。

ＩＣＣＳは現在、非営利法人組織として活動範囲を縮小しつつ独立した運営を行っているが、多様な目的のうち最優先事項として次世代研究者の育成を掲げるブライアン・アダムス最優秀博士論文賞は、その姿勢を示すものである。また、海外の優れたカナダ研究書を対象に贈られるカナダ総督国際賞や対象年度に書かれた優れた書籍（英仏語とその他の言語の2部門）に贈られるピエール・サヴァール賞など困難な運営の中においても海外におけるカナダ研究を奨励するというＩＣＣＳの設立理念も維持している。

このように、「学問の自由」の堅持と各国の研究者を孤立させないという揺るぎない信念に基づき、カナダ研究の国際的ネットワークを維持・促進しようとしているＩＣＣＳの存在は我々カナダ研究者にとって不可欠である。創設団体のひとつとしてＪＡＣＳの積極的な貢献もこれまで以上に期待されるところである。

IX

文学・文化

53

英語系カナダ文学

★今、カナダの文学がおもしろい★

カナダには2つの公用語がある。英語とフランス語である。よってカナダの文学は英語系カナダ文学、フランス語系カナダ文学に分けられる。しかし、グローバル化が進む今日、多様性を強調するカナダでは、英語、フランス語を母語としない第三言語グループの移民作家たちが多く誕生し、カナダ文学界を活気づけている。

カナダ文学の歴史は浅いといわれているがそうではない。氷河期の終わりにアジア大陸から到来したと思われるカナダ先住民であるファースト・ネーションズの口承文学がある。書き言葉を持たなかった彼らの口頭伝承は単なる〈お話〉ではなく、語り部によって脈々と伝えられてきた民族の歴史であり、苛酷な大自然界のなかで暮らしていくための大切な案内であった。その後、カナダにやってきた宣教師等によって物語は文字化され、母なる大地(マザー・アース)との共生を謳う彼らの物語は、地球規模で破壊が加速する昨今の環境問題に新たな英知を提示している。カナダ文学を考える時、カナダ先住民の口承文学をカナダ文学の始原とみることができよう。現代に目を向ければ、オカナガン出身のジャネット・アームストロングやクリーのトムソン・ハイウェイ等の先住民作家は、先住民文化や伝統の回復が重要であることを作品で全面的に示している。

英語系カナダ文学は、1610年にニューファンドランドにイギリス植民地が最初に建設された頃に書かれた詩から始まったといわれている。その後長い間、探検家や宣教師等によるカナダの記録の物語があるが、「想像の文学というよりも、情報の文学」といえるものであった。小説形式を備えた最初のカナダ小説はフランシス・ブルックの『エミリー・モンタギューの物語』（1769年）である。イギリスの支配下に入ったケベックに1763年から1768年まで住んだブルックは、当時のイギリスで流行った感傷的な書簡体小説形式で、カナダの自然や植民地社会での生活を主にイギリスの読者に向けて綴った。ブルックとは違い、1832年に移民者として一家でカナダにやって来たスザンナ・ムーディは、未開の荒野での過酷な開拓生活を『未開地で苦難に耐えて』（1852年）と『開拓地での生活』（1853年）で綴っている。カナダの開拓時代の文学を代表するこれら2冊は、マーガレット・アトウッドの詩集『スザナ・ムーディの日記』（1970年）の執筆動機となった。

イギリスの植民地であったカナダは、1867年にドミニオン・オブ・カナダとなった。現在のカナダの出発点である。自治領になると愛国心も高まり、カナダ東部を中心に次第に文学活動も盛んになり、チャールズ・ロバーツ、ブリス・カーマン、アーチボルド・ランプマン、ダンカン・スコット等の「コンフェデレーション詩人」と呼ばれる詩人たちが登場した。彼らは新しい風土を旧世界からの借り物ではない表現で創作することで、カナダの詩人として成長していった。また、イギリスからカナダに移民し、その後アメリカに渡った動物記で知られるアーネスト・シートンや日本でも多くの読者を持つ『赤毛のアン』（1908年）のルーシー・モンゴメリ等が国際的な人気を得た。

20世紀初頭には文化的にも社会変動が起こり、近代社会への批判と実験的な作法を駆使したモダニズムの詩人たちであるフレデリク・スコットやアーサー・スミスらが現れた。モダニズム詩の勢いは1940年代まで続き、その後のカナダ文学の活性化に貢献した。また若い作家たちは、左翼的な扇動劇を上演したり、国家主義的なショーを揶揄するドラマを書き、それまでの社会的価値を否定した。

小説の分野では、リアリズム小説が1920年代になってようやくカナダで開花した。『ワイルド・ギース』（1925年）で知られるノルウェー移民のマーサ・オステンソウは、マニトバ州を中心に、プレーリー（平原）地方における移民者たちの厳しい開拓生活を描き、「プレーリー文学の開祖」と言われている。その流れは、人間の心理を深く洞察し、「カナダ文学で分析対象になる高い作品」と称されたシンクレア・ロスの『私と私の家に関して』（1941年）や、ウイリアム・ミッチェルがプレーリーの小さな町の社会的偽善を風刺口調で語った『誰が風を見たでしょう』（1947年）に続く。プレーリー出身の作家にはまた、「国民作家」と称された『石の天使』（1964年）のマーガレット・ローレンスがいる。一方、西部に目を向けると、『テイ・ジョン』（1939年）のハワード・オヘイガン、『クリー・ウィック』（1941年）のエミリー・カー、『ガブリオーラ行き10月のフェリー』（1970年／死後出版）のマルカム・ラウリー等が、モダニストの神話的領域を創造している。

東部には、ヒュー・マクレナン、モーリー・キャラハン等がいる。マクレナンは、最初の小説『気圧計上昇中』（1941年）以来、「カナダとは何か」というテーマに取り組んできた。20世紀で最も影響力のある「文学理論家」として称され、アトウッドらに多大な影響を与えた英文学者のノースロップ・フライは、『批評の解剖』（1957年）で「カナダ性」を模索するテーマ批評を広めた。その

英語系カナダ文学

後、1967年のカナダ連邦結成100周年を機に、「カナダ性」を求める機運が高まった。現代カナダ文学を牽引するアトウッドは、評論『サバイバル』（1972年）でカナダ文学を読み解く手がかりとして「生き残り」の精神を挙げ、カナダ国民に自国の文学を再認識させた。この「生き残り」のテーマは、最近の3部作「マッドアダムの物語」をはじめ、アトウッドの様々な作品に込められている。1970年代後半から始まったカナダ文学の開花は、アトウッドによってもたらされたといわれている。

1960年代後半から70年代前半の北米大陸で盛んだったフェミニズム運動は、アトウッドをはじめ、女性作家たちの活躍に拍車をかけた。「現代短篇小説の達人」と称され、2013年ノーベル文学賞を受賞したアリス・マンローや、「本物の作家に出会った時の、あの身震いを感じた」とマンローが絶賛する『小さな儀式』（1976年）のキャロル・シールズ等である。マンローは、少女から若い女性そして中年女、老女へと向かう女たちの生き方を、家族、男女、友人といった関係性のなかで深く洞察し、研ぎ澄まされた言語で描いてきた。マンローが短編で描いてきた女たちをつなぎ合わせると長編でもかなわない壮大な女の叙事詩となる。

さらに、1971年の連邦政府による多文化主義政策宣言、そして1980年代以降の非白人系移民の増加に伴い、カナダ以外の国で生まれ育った多色の文化背景を持つトランスナショナルな移民作家が、カナダの作家として受け入れられるようになる。『イギリス人の患者』（1992年）で名声を得たセイロン（現・スリランカ）出身のマイケル・オンダーチェやインド出身のロヒントン・ミストリー等である。オンダーチェは、1980年代以降の「カナダ文学の顔」となった。舞台の中心を出身地のボンベイ（現・ムンバイ）に置いたミストリーの『ボンベイの不思議なアパート』（1987年）は、「新しい小説世界を示す注目の短篇小説集」と評価された。

さらに、アロフォンと呼ばれる英語とフランス語を母語としない移民一世作家の活躍も今日のカナダ文学界に活気をもたらしている。英語、フランス語を母語としない第三言語グループの移民が溶け込むことによって社会変容が生じ、いっそうトランスナショナルな文学環境を作り出している。カナダに生きる日系人家族3世代の女たちを描いた日系移民一世作家のヒロミ・ゴトーの『コーラス・オブ・マッシュルーム』（1994年）、小説家で児童書作家であるルイ・ウメザワ等がこの範疇に入る。

グローバル化により複雑化するカナダの民族構成。ますます混沌としているカナダの文化。英語系、フランス語系を問わず、そのような立ち位置からの作家の活動が、現代のカナダ文学をいっそうおもしろいものにしている。

（佐藤アヤ子）

54

フランス語系カナダ文学

★ケベック文学の変遷を中心に★

カナダは二言語主義の国であり、英語とともにフランス語が公用語として用いられている。750万人余りのフランス語系住民が住み多数派を占めるケベック州をはじめ、ニューブランズウィック州やノヴァスコシア州の一部にも独自の歴史を経たアカディアンと呼ばれたフランス系の人々が住んでいる。マニトバやオンタリオの一部にも、フランコ・マニトバンやフランコ・オンタリアンと呼ばれる少数派のフランス系の人々がいる。そうしたカナダの各地で、たどった歴史もアイデンティティの意識も大きく異なる人々から生まれた文学を、公用語の一翼を担うフランス語で表現された文学として、一括りにして「フランス語系カナダ文学」と呼ぶことがあるとしても、そこに多様性以外の何かを見出すことは難しいであろう。その点に留意しながら、この章では主にケベック文学の変遷と特徴について概観しアカディアの文学についても言及する。

ケベックほど「生き残り」という言葉にふさわしい命運をたどった地域はないであろう。フランス系の人々は、18世紀にイギリスとの植民地抗争に敗れ、本国フランスからも見放され、イギリス系に支配され抑圧された第二級市民として生き延びざるを得なかった。1837年ダラム卿によって「歴史も文学もない人々」と評されながら、英語系の北米大陸の只中で孤児となったフランス系の人々は、この言葉に抗うように自らの言語で歴史と文学を創り上げていく。

フランス系の人々が生き延びるうえで、フランス語とともにカトリック教会は求心力となって働いた。カトリック教会は人々を産業化から遠ざけ、田園的な農村での生活を励行した。このような状況において、19世紀、文学の黎明期には、たとえばルイ・フレチェットの『ある民の伝説』（1887年）など「郷土小説」と呼ばれる郷土礼賛と民族的伝統を称揚する文学が生まれた。後年フランス人でありながらケベックに移住し、この極寒の地の自然と人々を描いた異色の作家、ルイ・エモンの『マリア・シャプドレーヌ』（1914年）もこの系譜に連なる作品であろう。

一方、ケベックの文学のアイデンティティの模索において「詩」はきわめて重要な役割を果たした。共同体的なテーマが主流であったフランス系の文学において、初めて個人の内奥から憂愁を帯びた象徴性にみちた詩を書いたのは、19世紀末彗星のように現れたエミール・ネリガンであった。この詩人は早熟な才能と狂気に沈んだ生涯からしばしばフランスの詩人ランボーと並び評される。20世紀前半、この時代の最も重要な詩人で夭折したサン＝ドニ・ガルノーは、残された唯一の詩集『空間への眼差しと戯れ』（1937年）において、「私は鳥籠である　骨でできた鳥籠の中の鳥　それは鳥籠に巣くう死そのもの」（鳥籠）と歌い、カトリック教会の支配による内的な疎外と閉塞感に苦しむケベック社会を鋭く映し出しフランス系の文学に近代化をもたらした。ガルノーと遠縁にあたるアンヌ・エベールは詩人として出発し、ケベック近代詩の代表作の1つである「王の墓」（1953年）を発表し大きな成功を収める。パリに生活拠点を移し小説家として数多くの作品を発表する。映画化された『カムラスカ』（1970年）や『シロカツオドリ』（1982年）など、ケベック社会の孤独や疎外を鋭く反映し、揺れ動く夢想の世界に閃光のように暴力が炸裂する独特の世界を構築した。

1960年代、ケベック社会に近代化をもたらした「静かな革命」とともに、ケベックの人々は、それまでのフランス系カナダ人という呼称を脱ぎ捨て、フランス系のアイデンティティを強く主張するケベコワ（ケベック人）として生まれ変わる。文学は政治とともに重要な役割を担い、生前に出版した唯一の詩集『寄せあつめの男』（1970年）によって、伝説的で国民的な詩人となったガストン・ミロンは、詩の出版社レグザゴンを立ち上げ、ケベックのアイデンティティの模索と確立において中核的な役割を果たした。ミシェル・ラロンドの記念碑的な詩「スピーク・ホワイト」（1968年、「白人のように話せ」）は、ケベック・ナショナリズムが沸騰するなか、ケベコワの結束を力強く謳い上げた。

その他、ケベックの俗語（joual）を多用した演劇作品で知られるミシェル・トランブレー、シュールレアリズムの影響を受けた先鋭な作品を発表した詩人で版画家のローラン・ジゲール、フェミニズムとポストモダンを反映した前衛的な作品を書いたニコル・ブロサール、ケベック文学におけるアメリカ性を追求した評論家で作家のジャック・ゴドブーや、やはりアメリカ性を反映した小説『フォルクスワーゲン・ブルース』（1984年）で知られるジャック・プーランなど、個性豊かな作家たちが輩出した。またガブリエル・ロワは、マニトバ州のフランス系に生まれ、後年ケベックに移住して次々と小説を発表した。1945年、モントリオールの英系と仏系との「2つの孤独」を背景に急速に近代化する社会のなかで翻弄される貧しい仏系の一家を描いた社会派の小説『束の間の幸福』（1945

年）で圧倒的な成功を収める。しかしその後180度作風を転じ、たとえば『わが心の子らよ』（1977年）にみられるように、さながらカナダの縮図のように多様な出自からなる人々とその共存を繊細な筆致で描き続け、フランス系のみならず20世紀カナダを代表する作家の1人とみなされている。

1980年代以降のケベック文学では、ハイチ系のエミール・オリヴィエ、中国系のイン・チェン、イタリア系のマルコ・ミコーネ、日系のアキ・シマザキなど、ケベックに移住した様々な出自の移民作家たちがフランス語で活発に創作活動を展開した。それらの作品は「移動文学」と呼ばれて1つの潮流をなし、ケベック社会の多元化と文化的雑種性の象徴として注目をあびた。

一方、アカディアの文学に目をやれば、1755年の民族の悲劇である「強制追放」と故郷アカディアへの帰還を叙事詩的な想像力と筆致で描いたアントニーヌ・マイエの『荷車のペラジー』（1979年）はフランスの権威ある文学賞の1つゴンクール賞を受賞した。

近年は、ケベックを中心に精力的に創作を続けているハイチ出身の作家で、アカデミー・フランセーズにフランス人以外で初めて選ばれたダニー・ラフェリエール、ボートピープルとしてケベックに移住したヴェトナム系のキム・チュイ、そしてアルバータ出身でフランスへ移住してフランス語表現作家となったナンシー・ヒューストンなど、カナダやケベックという地域の枠組みを超えて、フランス語圏文学の旗手として世界的に活躍する作家も輩出している。

このようにケベックを中心とするフランス語系カナダ文学は、苦難の歴史をくぐり抜け、言語やアイデンティティの問題を鋭く問いかけながらダイナミックに変容し、グローバル化の時代に新たな普遍性を獲得していると言えるであろう。

（真田桂子）

コラム14

ケベック文学におけるガスペジー
——地の果ての忘れられた故郷

佐々木菜緒

ガスペジー（またはガスペ半島）は、ケベック州の東部にある半島のことである。セントローレンス川の最下流にあるこの半島の東端にはガスペと呼ばれる町がある。「ガスペ」は先住民のミクマックのことばで「地の果て」を意味する。現在でも、モントリオールから車で約11時間かかり、ケベック州の中心部から見れば、遠い別の国のようなところである。しかし、ガスペは1534年にフランス人探検家ジャック・カルチエが上陸したところで、ケベックの歴史の「はじまり」を象徴する場所である。また、探検以来、ヨーロッパ人をひきつけた資源であるタラの漁業はガスペジーの歴史の一部をなしている。けれども、20世紀初頭に鉄道が開通されたガスペは、19世紀末に先に開通していた他の都市や町より遅れをとってしまったことや、20世紀になるとタラの冷蔵・保存方法が進化したことなど複数の要因が重なって徐々にガスペジーは忘れられた地域となっていった。

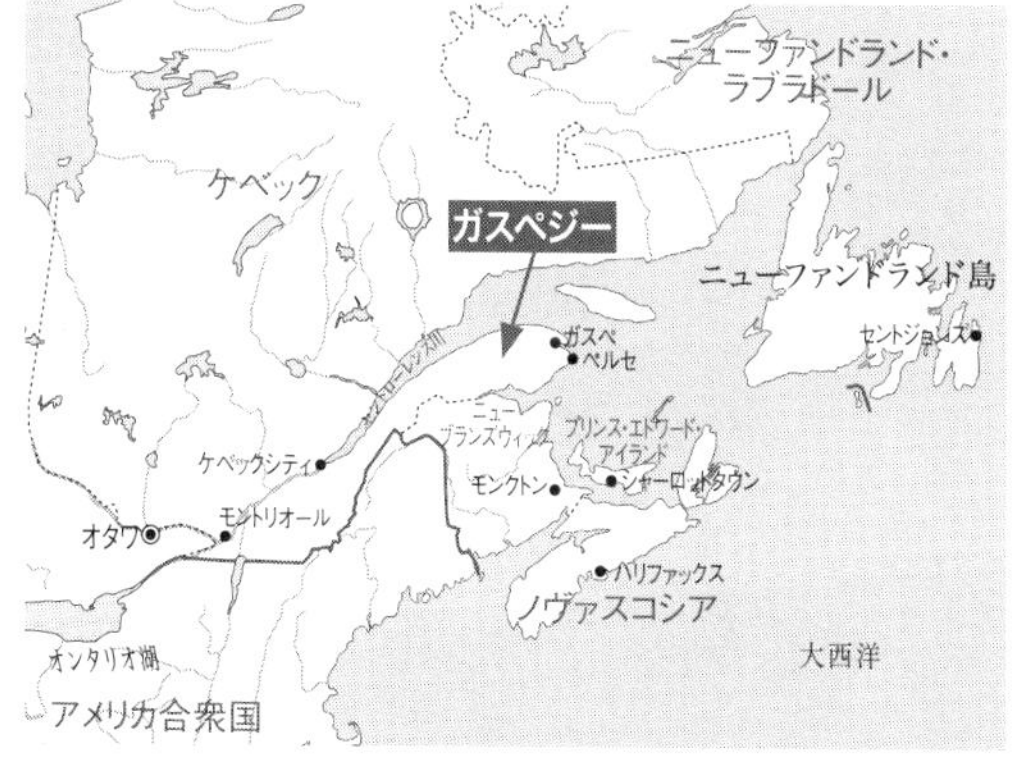

ガスペジーの位置

文学に目を向けても、ケベック小説の最初の傑作とされるフィリップ・オベール・ド・ガスペの『古いカナダ人』（1863年）をはじめとして、モントリオールやケベックシティとそれぞれの周辺地域を舞台にした作品が多く、果ての地のガスペジーはあまり描かれることがなかった。だが、果ての地だったがゆえに、ガスペジーにはフランス系カナダの伝統的な口承文化、民衆文化が色濃く残った。1930年代のラ・ボルデュックというガスペジー出身の歌手は、「民衆の声」を歌う「最初の女性フォーク歌手」として人気を博した。ちょうどこの頃からガスペジーは、フランス系の人々が歴史展開のなかで衰退していく自分たちらしさ、文化や過去を取り戻す地域の象徴となっていく。ラ・ボルデュックの歌のほかに、たとえば『束の間の幸福』（1945年）で有名なガブリエル・ロワはジャーナリスト時代にガスペジーを何度か訪れて、都会の人々にとって未知のケベックを「素敵なガスペジー冒険」という記事のなかで語った。1960年代に入るとナショナリズムの高揚に伴って、自分たちのルーツを探すかのように、さらに多くの作家や詩人、文芸人がガスペジーの地を訪れている。作家ジャック・フェロンの『不確かな国の小話』（1962年）はガスペジーを含めケベックの僻地に残る口承文化を物語のなかに織り込んでいる。ケベックの代表的な詩人で歌手のフェリックス・ルクレールもガスペジーについて文章をつづり、そして「ガスペジー」（1967年）と題した有名な歌を歌っている。

長い間ケベックの文学では、フランスの伝統と規範を象徴するカトリック信仰がアイデンティティの拠り所として描かれていたが、20世紀半ば頃から新大陸の土着的な民衆文化が自分たちらしさの支えとして捉えられていく。こうした流れをジャック・プーランの『フォルクスワーゲン・ブルース』（1984年）は象徴して

ガスペジーの風景（2011年、筆者撮影）

いる。同小説はフランス系の主人公がメイティと共にガスペを出発して入植の歴史を辿りながら大陸を横断する物語であり、ケベックの人々のアイデンティティ意識がフランスとの連続性よりもアメリカ大陸で生成されるものに向けられていることを示している。このように、ケベックの人々にとってガスペジーは歴史的にも文化的にも伝説の地のような空間となっていた。また、この地域で聞こえてくるフランス語はケベック州の大都市のモントリオールの人にとって独特な響きがあり、特に第二次世界大戦後に生まれた都会の若い世代はこのようなガスペジーに魅了されたのだ。そして21世紀の今でも、モントリオールの人が「ガスペジー人」に出会うと、一方では都会では忘れられたものを持っていることにどこか憧れのような感情を抱き、他方では自分たちの祖先のように懐かしい、郷愁に似た感情を抱くことがあるらしい。

55

『赤毛のアン』に描かれなかったカナダ

★晴天率90%のアヴォンリー★

1908年にルーシー・M・モンゴメリによって書かれた『赤毛のアン』は、現在でも英語版、日本語版ともに新版が出版されているだけでなく、新しい映像作品も作られ、人気の高さを示している。晴天率90%というのは、『赤毛のアン』のなかで、舞台となるアヴォンリーの天気が良かった日の割合である。逆に、残りの10%は雨、雪、曇など悪天候の日である。物語の舞台であるアヴォンリーは、モンゴメリが育ったプリンス・エドワード島のキャヴェンディッシュをモデルにした架空の村だが、注意して作品を読んでいくと、そこに住む人々はカナダの凍てつくような寒さや長雨に悩まされていないことに気づく。実は『赤毛のアン』には、実際のプリンス・エドワード島の自然や社会状況から抜け落ちている部分がいくつもあるのだ――たとえば厳しい気候、野生動物、先住民など。これらはなぜ描かれなかったのだろう。カナダ児童文学の視点も交えて見ていきたい。

カナダといえば真っ先に冬の厳しい気候が思い浮かぶ。19世紀後半に書かれた冒険物語には雪と氷に閉ざされた極北のカナダがふんだんに描かれている。一方、プリンス・エドワード

第55章

『赤毛のアン』に描かれなかったカナダ

アンが引き取られたとされる家グリーン・ゲイブルズ。（筆者撮影）

島はカナダのなかでは比較的穏やかな気候で知られ、『赤毛のアン』でも初夏から秋にかけての気候の良さと自然の美しさがたびたび言及されている。だが、冬の場面は限られており、唯一、冬の寒さに触れているのは、クループ（のどが腫れて呼吸困難になる病気）にかかった妹を心配したダイアナが夜の雪道を走ってアンに助けを求めてやってくる場面くらいだ。アンはすぐに雪のなかに飛び出していくが、雪道で立ち往生して凍えている描写はない。

ところが現実はどうだろうか。実際のプリンス・エドワード島の冬の寒さについては、モンゴメリ自身が日記にたびたび記している。10月には「雨と風がひどい」日が続き、11月には、「ペンも握れないほど手がかじかんでいる」とか、「窓からの美しい景色も、ベッドの中で凍死しそうな私を助けてはくれない」、などと嘆いている。ところが、『赤毛のアン』には厳しい寒さやうっとうしい秋の雨はほとんど登場しないのだ。逆に6月の「やわらかな日差し」や8月の「とろけるような日差し」、「すがすがしい」9月の朝、紅葉で「赤と金色に輝く」10月など……季節感豊かに情景が描かれ、読者は心地のよいカナダ・ワールドに酔いしれることができるのである。

もう1つ、カナダでよく話題になるのは野生動物である。ところが『赤毛のアン』には、ほとんど動物が登場しない。出てくるのはプディング・ソースのなかで溺れ死んだネズミくらいだ。実際のカナダは野生動物の宝庫であり、民家の近くでもその姿が目撃されることは珍しくない。しかし、『赤毛のアン』にはリスやウサギのような、ごく一般的に見かける小動物でさえ姿を見せない。かつては、プリンス・エドワード島にクマなどの大型動物も生息していたが、乱獲によって絶滅し、現在ではキツネ、リス、ウサギ、スカンクくらいしかいなくなってしまったそうだ。

文学的な観点から見ると、カナダ文学が世界の文学に貢献したのは野生動物の物語だといわれている。それを牽引したのが、カナダの野生動物を間近で観察をしてその壮絶な生き様を『私の知っている野生動物』（一般的には『シートン動物記』として知られる）に著したアーネスト・T・シートンと、『野生の一族』を書いたチャールズ・ロバーツである。共に19世紀末から20世紀初頭に活躍をした。現在では、シートンの『ロボ』などは児童文学として読まれることがほとんどだが、当時は「動物の伝記」という新しい文学ジャンルとして一世を風靡したのである。

彼らとほぼ同時代に生きたモンゴメリはネコが好きで、自分のサインにもネコをあしらっているが、ネコ以外の動物については日記や他の作品でも触れておらず、カナダ独自の文学世界を支えた野生動物たちには無関心だった。生死をかけた動物同士の戦いはあまりにも生々しく思えたのだろうか。野生動物と無縁のアヴォンリーはいつも平和である。

プリンス・エドワード島の歴史書をみると、必ず先住民ミクマックについての項目がある。今日まで、カナダ全土で多くの先住民が差別を受けてきたが、ミクマックも例外ではない。彼らに対する白人の対応はやや複雑だ。17世紀にカナダに入植したフランス人とは友好的な関係を保っていたが、18世紀の英仏戦争の結果、イギリスが勝利しカナダがイギリスの植民地になったことで、フランス人と繋がりの強かった島のミクマックは土地を追われてしまう。その後は島に戻った者も多く、現在ではその多くが先住民居留地で暮らしている。

20世紀半ばに白人作家のキャサリン・A・クラークが書いたカナダ児童文学『金の松かさ』（未訳）をみると、先住民は危険な存在として、あるいは白人とは異なる神話的な世界を持つ神秘的な存在として登場する。『赤毛のアン』の舞台となった19世紀後半のプリンス・エドワード島にも先住民はいたはずだが、作品にはまったく登場しない。それもそのはずで、モンゴメリは先住民にたいして偏見をもっていたことが、少女時代の日記からうかがえるからだ。15歳のモンゴメリが再婚した父を慕って本土のサスカチュワン州に移り住んだ頃の日記に、学校の級友のことを書いた部分があり、白人の子どもたちは好印象だが、先住民と白人の混血の子（彼女はnitchieという軽蔑語で呼んでいる）は「切り株で作った柵みたいに不細工だ」と書いている。モンゴメリの先住民に対する意識は、作品の執筆に際しても変わらなかったようだ。

こうしてみると、『赤毛のアン』からはカナダの現実の面がいくつか抜け落ちていることがわかる。

アヴォンリーには凍てつく寒さはなく、危険な野生動物もおらず、先住民も存在せず、あるのは緑豊かな森、湖、季節を彩る花々、明るい日差し、爽やかな風、美しい夕暮れである。まるで上質の風景写真のようなアヴォンリーで暮らす人々は個性的だが善良である。アヴォンリーは、その地名にアーサー王が戦いで負った傷を癒やすために赴いた常世の国アヴァロンを思わせる響きがあり、そのアヴォンリーでアンはマリラとマシュー・カスバート兄妹に見守られながら、赤毛コンプレックスを克服して伸び伸びと育っていく。モンゴメリの想像力の翼は、彼女が造り上げた爽やかに晴れたアヴォンリーという理想郷で読者を魅了し続けるのである。

そしてこれに一石を投じたのが、2017年からカナダ放送協会（CBC）とネットフリックス（Netflix）が制作・放映したTVシリーズ「アンという名の少女」である。ここには、作品に描かれなかった冬枯れの風景をはじめ、陰湿な虐め、先住民への迫害、アンの心理的なトラウマなど、『赤毛のアン』から抜け落ちていたトピックが描き込まれている。モンゴメリが見たら何と言うだろう。感想を聞いてみたいものだ。

（白井澄子）

56

カナダの演劇

★多民族国家におけるアイデンティティの探求★

カナダ演劇の発展においては、かつての宗主国イギリスとフランスの文化的影響が大きい。特に18世紀後半頃までは、シェイクスピアやモリエールなど、イギリスとフランスの劇作家による作品の上演が中心であった。シェイクスピアにおいては、今でもその名を冠する演劇フェスティヴァルが各地で開催されている。また、ブロードウェイ・ミュージカルを含む隣国アメリカ合衆国の作品もしばしば上演されてきた。このような他国の文化的影響に加えて、移民からなる多民族国家であるという事実ゆえに、一見、カナダ独自の演劇の樹立は困難であるように思われる。しかしながら、あるいは、だからこそ、近年のカナダ演劇には、多様性が共存するなかでのアイデンティティの探求という点に独自性を見出すことができる。

とりわけ１９８０年代以降からは、様々な出自の移民やＬＧＢＴ（レズビアン、ゲイ、バイセクシュアル、トランスジェンダーの頭文字からなる言葉）など、カナダ人であると同時に民族的アイデンティティや性的アイデンティティを主張する劇作家の台頭が以前にも増して顕著になる。その要因のひとつに、１９７１年に当時の連邦首相ピエール・Ｅ・トルドーが掲げた政策である

『887』
Photo by Érick Labbé（写真提供：Ex Machina / Robert Lepage, 東京芸術劇場）

多文化主義を後ろ盾として、１９８０年代までに10州において多文化演劇協会やそれに相当する組織ができたことがある。

この傾向に先駆けて、フランス系カナダ人のアイデンティティを模索し続けている人物として、ケベック・シティ出身の演出家であり、劇作家、そして俳優でもあるロベール・ルパージュが挙げられる。ルパージュは、舞台となる場所をケベック州に設定したり、彼の分身ともいえるケベコワを登場させたりして、自らのアイデンティティを探求してきた。なかでも自伝的な作品となっている『８８７』（２０１５年）のタイトルは、ルパージュが子どもの頃に住んでいたケベックシティのアパートの番地に由来する。物語は、主人公ロベールの幼少期や家族とのエピソードが、ケベック州の歴史と重なりながら展開する。

さらに、今やカナダを代表する劇作家となったワジディ・ムアワッドは、戦禍を逃れてレバノンからカナダにやって来た移民である。彼の『炎　アンサンディ』

（２００３年）は、登場人物たちのルーツ探しの物語で、ギリシャ悲劇を彷彿とさせる劇構造を持ち、『灼熱の魂』（２０１０年）として映画化もされた。ムアワッドの他にも、韓国系カナダ人のインス・チョによる『キムさんのコンビニ』（２０１１年）では、トロントのコンビニエンス・ストアを舞台に、韓国の伝統文化のもとに育った第一世代の移民と、カナダで生まれ育った彼らの子どもである第二世代間との確執が、喜劇的に描かれている。この作品はトロント・フリンジ・フェスティヴァルの初演において大きな反響を呼んだ後、テレビドラマ化されてさらなる人気を博した。インド系のアノシュ・イラニとアヌスリー・ロイ、そして中国系のデーヴィッド・イーなども、自らの出自に根ざした作品を発表しており、注目すべき劇作家として挙げられる。また、日系カナダ人の劇作家で俳優のテツロウ・シゲマツの作品も特筆に値する。『息子の帝国』（２０１５年）と『ワン・アワー・フォト』（２０１７年）はともに一人芝居で、前者では実父との関係を、後者では第二次世界大戦中の日系カナダ人の強制収容所における実話を描いている。この他にも『黒子』（２０１９年）は、死に直面した父親と、６年間もの間部屋に引き籠もり、ヴァーチャル・リアリティの世界に夢中の娘を登場人物に据えた意欲作である。

　自国の伝統文化に照らし合わせながら、カナダ人としてのアイデンティティを見出そうとする作品は、カナダの演劇界をさらに多様にしているといっても過言ではない。オタワ出身のハナ・モスコヴィッチは、自らのルーツを作品の題材としている多作な劇作家だ。代表作『ベルリンの東』（２００７年）は、ナチス・ドイツ時代の戦争犯罪者を父に持つ男性主人公と、ユダヤ人の母を持つ女性が、ルーツを求めて訪れたドイツで出会う物語である。この他にも、ルーマニア系のユダヤ人であった曾

『ここ以外のどこかで』
Pictured: Alexandra Lainfiesta in *Anywhere But Here* by Carmen Aguirre with Shad / Produced by Electric Company Theatre / Directed by Juliette Carrillo, Scenic Design by Christopher Acebo, Costume Design by Carmen Alatorre, Lighting Design by Itai Erdal / Photo by Emily Cooper.

祖父母の体験から着想を得た『先祖――難民の恋愛物語』（2017年）や、ハナ・モスコヴィッチという同姓同名の主人公が登場する自伝的一人芝居『母の秘密の人生』（2018年）などの作品は、モスコヴィッチにとって、彼女のアイデンティティが創作の重要な源泉となっていることを示すものである。

1996年に創設され、ヴァンクーヴァーを拠点に活動しているエレクトリック・カンパニー・シアターの作品もまた、しばしばアイデンティティというテーマが鍵となっている。代表作のひとつである『逃がした魚』（2002年）は、ユダヤ人の信仰や伝統的な儀式などから着想を得た物語で、ユダヤ系コミュニティ・センターのプールで上演され、視聴覚に訴える舞台で観客を魅了した。この他にも、エレクトリック・カンパニー・シアターは、チリ系カナダ人の劇作家カルメン・

アギーレを迎え、『ここ以外のどこかで』（2020年）を上演した。この作品は、1970年代のアウグスト・ピノチェトのクーデターを逃れるために、チリからカナダへやって来た後、南アメリカでレジスタンス運動に参加するために戻ったアギーレ自身の経験に基づいた物語となっている。ラップ音楽やマジック・リアリズムという手法を取り入れながら、アメリカとメキシコの国境を舞台に、現代の社会問題を深く考察させる作品である。

これらの劇作家に加え、カナダを語るうえで欠くことができないのは、先住民の存在である。ジョージ・リガやトムソン・ハイウェイなどを筆頭に、マリー・クレメンツやイヴェット・ノーランなどが、精力的に作品を発表してきた。また、2019年には彼らにとって画期的な出来事が起こった。カナダの首都オタワにあるナショナル・アーツ・センター（1969年開場）には、カナダの2つの公用語を反映して英語演劇とフランス語演劇部門しかなかったが、新たに設置された先住民演劇部門の最初のシーズンが始まったのである。この記念すべき最初の芸術監督を務めるのは、『血の混ざる場所』（2008年）でカナダ総督賞を受賞した先住民のケヴィン・ローリングである。常設の演劇部門ができたことにより、先住民演劇の今後のさらなる発展が期待されている。

カナダがかつて植民地であり、比較的新しい国であること、さらに多民族国家であることから、カナダ演劇としての独自性はともすれば曖昧となりがちである。しかしながら、飽くなきアイデンティティの探求という内的葛藤こそがカナダらしさを生み出している。カナダ人にとって演劇は、それぞれの民族的アイデンティティに対する誇りを確認すると同時に、共存するために互いを尊重し合う交流の場として機能している。

（神崎 舞）

コラム15 大著『ケンブリッジ版カナダ文学史』の登場

堤　稔子

　コーラル・アン・ハウエルズ／エヴァ＝マリー・クローラー編、堤稔子／大矢タカヤス／佐藤アヤ子日本語版監修、日本カナダ文学会翻訳（彩流社、2016年、826ページ）。本書はケンブリッジ大学出版局がカナダ文学を初めて単独に取り上げた手引書（2004年）に続き、2009年に上梓した本格的文学史 *The Cambridge History of Canadian Literature* の全訳である。年代順とジャンル別の折衷で5部構成、31章から成り、カナダはじめ英・米・仏・独・西と国際色豊かな背景を持つ専門家32名が執筆に当たった。33ページに及ぶ年表、54ページの参考文献、63ページの索引を備え、邦語で読める初の包括的カナダ文学史として意義深い。

　本書の大きな特徴の1つは、二言語国家カナダの2つの文学を融合させようとの試みであろう。第5部（29、30、31章）が「仏語文学」に特定してあるため、バランス上不均衡との批判は免れないが、内容的には、先住民社会とフランスによる入植を扱った最初の2章や、英語と仏語による歴史を扱う第6章はじめ、建国百年祭に焦点を当てた第16章他でも仏語文献が多用されている点は評価される。

　ポストコロニアル時代にふさわしい視点の新しさも、本書の魅力の1つである。英語カナダ文学史の古典としては、トロント大学出版局が出した全4巻の『カナダの文学史――英語カナダ文学』があるが、本書はその包括的伝統を踏まえつつも、その後の文学界の流れを如実に反映する。第1章「先住民社会とフランスによる植民地化」では、探検家や宣教師の残した記述やスケッチを基に、先住民側の描写にかなりの

コラム15

大著『ケンブリッジ版カナダ文学史』の登場

紙幅を割き、その後の先住民文学を第25章「詩と散文」と第26章「現代先住民演劇」で詳述する。第28章「多文化主義とグローバリゼーション」では、アジア系、アフリカ系、カリブ系作家を含む「様々な種類の差異」に焦点を当てる。

年代順の区分と各部の章立てにも新しい試みが見られる。第1部「旧世界と新世界、ヌーヴェル・フランス、二つのカナダ、カナダ自治領」(1~6章)、第2部「ポスト・コンフェデレーション期」(7~12章)、第3部「現代性の諸相、第一次世界大戦後」(13~17章)、第4部「芸術的実験、1960年以降」(18~28章)、の大枠のもと、詩、小説、演劇といったジャンル別のほかにテーマ別の章も多く、たとえば第10章「ベストセラー作家、雑誌、国際市場」に登場する『赤毛のアン』のL・M・モンゴメリが、第13章「モダニズムとリアリズムの舞台——自己を演出する作家たち」に再登場する。大御所マーガレット・アトウッドなどは、第18章「四重奏——アトウッド、ギャラント、マンロー、シールズ」のほか、第19章「短編小説」、第21章「詩」などにも顔を出す。

斬新な見出しとして目を引くのは、第23章「漫画芸術とバンド・デシネ——漫画からグラフィックノヴェルへ」。共に漫画を意味する英語の〝コミック〟と仏語の〝バンド・デシネ〟が19世紀半ば以降、カナダの娯楽メディアの重要な要素だったとして、その展開を詳述する。

次の第24章「亡霊の歴史(ゴースト・ストーリーズ)——歴史と神話のフィクション」は、〝亡霊の物語〟を「公式の歴史から漏れている地域・民族集団の過去の歴史・神話を再構築しようとする試み」として、先住民その他のマイノリティを題材にしてこの問題と取り組んだ〝主流〟作家たちを論じる。先住民自身の作品を紹介する続く2章との対比も興味深い。

57

カナダの音楽事情

★保護政策との兼ね合いのなかで開花した才能★

カナダは、クラシック、ジャズ、ポピュラーなど、あらゆるジャンルの音楽が盛んであり、音楽教育も充実した国だ。移民や先住民の音楽文化も各地で大切にされ、それらに触れる機会も多い。たとえば、カナダ東部沿海州のスコットランドやアイルランド移民の音楽は、ケープ・ブレトンなど、地元の夏の音楽祭で楽しめるし、先住民のパフォーマンスは、カナダ各地のイベントやセレモニーの際に披露される機会も増えた。

カナダは魅力的なアーティストも次々に輩出していて、日本人にとって身近な人も少なくない。ともに故人のピアニストだが、クラシックでは、グレン・グールド（コラム16参照）、ジャズのオスカー・ピーターソン（1925～2007年）は格段に有名だ。加えてトロント出身でムード・ミュージックの巨匠パーシー・フェイス（1908～1976年）や1957年に「ダイアナ」が大ヒットしたオタワ出身のポール・アンカ（1941年～）もいる。映画『タイタニック』の歌姫セリーヌ・ディオン（1968年～）はケベック出身、アイドル的な歌手ジャスティン・ビーバー（1994年～）はオンタリオ州ロンドン出身だ。

だが、これらの著名人がカナダ人であるという認識はあまり持たれない。アメリカ合衆国の活躍ぶりが目立ったからで、北米大陸で活躍するのはアメリカ人という思い込みが私たちにはあるようだ。また、カナダ人アーティストの多くがアメリカでの成功を目標としてきた現実も否めない。他方、カナダは「国産」アーティストの保護・育成を目指す文化政策に熱心な国である。こうした現実がよくわかるのは20世紀後半のポピュラー音楽だと思われるので、ここでは英語圏を中心にそれを概観し、またぜひ聴いておきたいアーティストやその名曲を紹介していこう。

伝説的アーティストたち

アメリカでも認められた50年代のスーパースターには、前述のアンカのほかに、ノヴァスコシア州出身でアメリカのナッシュヴィルで成功したカントリー歌手ハンク・スノウ（1914〜1999年）がいる。続く60年代にはトロント出身のカントリー・フォーク・デュオのイアン&シルヴィアや、ウィニペグ発のロック・バンドのザ・ゲス・フーなどが現われ、アメリカでも注目される。また、フランス語圏には「わが故郷(モン・ペイ)」やケベコワの愛唱歌「故郷の人々(ジャン・デュ・ペイ)」で有名なジル・ヴィニョー（1928年〜）や、モントリオール出身のユダヤ系、レナード・コーエン（1934〜2016年）がいる。詩人で小説家のコーエンは60年代後半より歌手活動に専念し、カナダの顔と言うべきシンガー・ソングライターとなった。

今はおしゃれな街として有名なトロント市内のヨークヴィル地区は、60年代はヒッピー文化の中心地で、多くのシンガー・ソングライターを育み、70年代に開花させた。「心に秘めた思い」や「サンダウン」を歌ったゴードン・ライトフット（1939年〜）、アルバム『青春の光と影』や『ブルー』が代表作のジョニ・ミッチェル（1943年〜）、「ヘルプレス」や「ハーヴェスト・ムーン」などの名曲を発表したニール・ヤング（1945年〜）——この3人はヨークヴィルが生んだ世界的なレジェンドだ。

加えてカナダ発のロック・バンドでは、ボブ・ディランのバックを務め68年に独立したザ・バンドや、74年結成のラッシュが「国境の南」でも高い評価をされている。

保護政策と音楽賞

こうした自発的な音楽活動が旺盛である一方、カナダではその文化政策が特別だ。この国は商業主義的なアメリカ文化の席捲を阻み、「国産」音楽を保護・育成しようとしてきた。70年、連邦レベルにおいて「カナディアン・コンテント規則」が定められる。具体的には楓（メイプル）(maple) にかけて、メイプル・システム（MAPL System）と呼ばれる基準が用意された。カナダ人作曲家のミュージック（M）を、カナダ人アーティスト（A）が演奏し、カナダにおいて制作（プロデュース）（P）され、カナダ人の作った歌詞（リリックス）（L）が使われているかどうか——原則としてこの4要素のうち2つ以上を満たす音楽が「国産」とみなされる。各ラジオ局では音楽の放送時間の一定割合以上に「国産」を流さなければならない（当初の25%は上昇し、99年より35%になった）。

この規則の是非と実効性については議論が絶えないが、他方、音楽振興という意味で肯定されているのは、71年創設の「ジュノー賞」だ。いわばアメリカのグラミー賞のカナダ版で、多種多様なジャンルと部門で音楽賞の授与が毎年行われており、この賞へのノミネートがアーティストの経歴紹介に含められることも多い。

模倣から個性へ（80年代以降）

音楽ビデオが発達する80年代になると、カナダ人アーティストのアメリカ進出は増える。彼らは英米の模倣を斥け、自分たちの個性を探求し、歌詞にもカナダの地名やカナダ的な題材を積極的に取り入れ、アイデンティティを意識するようになっていった。また、90年代末以降、廉価な録音機材とインターネットの普及により、自主制作・発表も容易になり、カナダ各地の多様なアーティストが前面に出てきた。

２０１０年のヴァンクーヴァー冬季オリンピックはカナダの伝統芸能の紹介と最新の音楽シーン数十年の総括の場となった。開会式では先住民のパフォーマンスや各地の伝統音楽（フィドル・ミュージックなど）が披露されるとともに、ヴァンクーヴァー出身のロックンローラー、ブライアン・アダムズ（１９５９年〜）や、ハリファックス出身のサラ・マクラクラン（１９６８年〜）などが熱唱。クライマックスでは、ＬＧＢＴの権利擁護やエイズ問題などにもコミットするｋ・ｄ・ラングが「平和の象徴」として歌うコーエンの代表作「ハレルヤ」が観客の心を捉えた。閉会式ではヤングのような大御所ばかりか、若手バンドのニッケルバックやシンプル・プラン、ポップ・ロックのアヴリル・ラヴィーン（１９８４年〜）も新世代の代表として登場し、会場を沸かせた。

こうした名前はすぐれた才能の一部にすぎない。音楽配信が主流となった今日、オンラインで調べ

れば、さらに多くの歌手やグループが見つかり、音源・動画に手が届く。彼らとの偶然の出会いを求めて、カナダ放送協会（CBC）のウェブサイトにある音楽ページ（https://www.cbc.ca/music）を訪れてもよい。

最後に、先住民出身の新進として、喉歌（のどうた）のパンクを標榜するタニヤ・タガク（1975年〜）とエレクトロ・ポップ歌手イスクウェ（生年非公開）を紹介したい。特にイヌイットのタガクには、音楽の力強いメッセージ性に圧倒されるはずだ。

（宮澤淳一）

ヴァンクーヴァー冬季パラリンピック閉会式で歌唱するイヌイット出身の歌手タニヤ・タガク（写真：アフロ）

コラム16

グレン・グールド――演奏会を拒否し、カナダの「北」に魅せられたピアニスト

宮澤淳一

カナダの生んだ世界的な音楽家として最も輝いている人と言えば、クラシック音楽のピアニスト、グレン・グールドであろう。個性的な演奏解釈と挑発的な言動によって、賛否両論を呼ぶ存在だったが、死後、評価が確立し、20世紀を代表する演奏家に数えられる。著作、伝記、研究書は日本を含め世界中で出版されているが、日本での人気は生前から特に高い。

1932年9月25日、トロントの毛皮商の家に生まれる。幼時より楽才を発揮し、トロント音楽院（現在のロイヤル音楽院）で学ぶ。47年に国内デビュー、55年にアメリカ合衆国に進出。同年録音のデビュー盤、バッハの『ゴルトベルク変奏曲』を翌年に発表。駆け抜けるようなテンポと躍動感あふれるそのピアノ演奏は、斬新なバッハ解釈として音楽界を驚かせた。以後、諸外国にも客演し、個性的な選曲と大胆な解釈（バッハのほか、ベートーヴェンとモーツァルトが有名）に加え、数々の奇行によって物議をかもしつつ、名声を高めていった。

ところが、64年4月を最後に、グールドは演奏会活動を引退する。自由な時間を確保して作曲家に転身したい気持ちが動機にあったようだが、結果として彼は自分の決断を正当化する音楽メディア論を展開した。「演奏会は死んだ」と発言し、「一回性」を本質とする生演奏を「血みどろのスポーツ」として批判。時間的拘束から解放され、複数の解釈と編集作業の可能な録音活動の優位性を主張し、レコードで聴く音楽が「生演奏の代用品」ではなく、そこに独自の価値があることを訴えた。

「隠遁者」となったグールドは、録音と番組出演に絞って演奏活動を続けた。結局は作曲活

トロントの「グレン・グールド・スタジオ」前にあるグールド像（筆者撮影）

動には専念しなかったが、カナダ放送協会（CBC）に出入りし、ラジオ番組の制作（プロデュース）を手がけている。計7本の「対位法的ラジオ・ドキュメンタリー」がその代表作で、フーガや通奏低音、トリオ・ソナタといった、音楽の技法や形式を借用した一種の「作曲」であり、楽器に見立てた複数の人声が同時進行で響き合う。音楽家のストコフスキー、カザルス、シェーンベルク、リヒャルト・シュトラウスを扱った4本は「孤高の芸術家」像を描く。残りの3本は「孤独三部作」と呼ばれる。極北の体験者たちが独白する『北の理念』(67年放送)、ニューファンドランド島の人々を扱った『遅れてきた人々』(69年放送)、マニトバ州で暮らすメノナイト派教会の隔絶した共同体を描いた『大地の静かな人々』(77年放送)がそれで、「北」(the North)と総称されるカナダ辺境に生き、自省の機会を見出した人々や、孤立した生活や文化的価値を守ろうとする人々の姿が描かれる。音楽家を扱った4本を含め、全作に通底するテーマは「孤独」や「隔絶」の価値であり、グールド本人の生き方を肯定する内容だった。つまり、栄光と繁栄に満ちたアメリカ中心の音楽舞台に背を向け、カナダに回帰して、スタジオという隔絶した状況を選んだ彼の態度と呼応したのである。

1982年10月4日、グールドは脳卒中で急逝する。100枚近いアルバムの総決算として、前年に再録音した『ゴルトベルク変奏曲』を発売した直後のことであった。

グールドの墓碑(筆者撮影)

トロントに行ったら、中心部にあるカナダ放送協会のビルを訪ねてみよう。建物の一角は公開放送用のホール「グレン・グールド・スタジオ」になっている。フロント・ストリート・ウェストに面したその入り口の横にはベンチがあり、そこにブロンズ像のグールドが座って人通りを見つめている。

58

カナダのミュージアム

★誇りとアイデンティティ形成の場★

現在カナダには約2600のミュージアム関連施設がある。国立のほか、州・市・私立のミュージアムがある。州立のなかには、600万点を超すコレクションをもつロイヤル・オンタリオ博物館（トロント）のように、大規模博物館もある。ちなみに同館前身の教育博物館は、日本の国立科学博物館の前身である教育博物館建設時（1877年）にモデルとして選定されている。大学附属ミュージアムには、ブリティッシュ・コロンビア大学人類学博物館が充実した先住民コレクションで知られている。これらにはカナダ内外から年間およそ7530万人が訪れている。

ミュージアムには、市民の学習や娯楽施設といった側面だけではなく、人々の集団的記憶やアイデンティティを形成する役割もあるが、カナダでは、後者の機能が博物館法のなかでも明示されている。よって、この点を最も強く意識しているのが、同法によって設置されている国立のミュージアム群である。

もっとも、カナダ連邦政府がこれまでミュージアム建設を積極的に推進してきたわけではない。現在のカナダ歴史博物館の前身であるカナダ地質調査会が、連邦成立以前の1841年に

第58章
カナダのミュージアム

連合カナダ植民地議会によって設置され、1856年には地質調査会博物館の建設も法律に盛り込まれた。その後、地質調査会が連邦政府機関になったため、1881年にはモントリオールからオタワに移ったが、独立した博物館の建物をオタワに建設し開館したのは、1912年である。なお、1938年の時点でカナダ国内のミュージアムは約150館にすぎなかった。

第二次世界大戦後、カナダが国家としての独立性を強めていくなか、国立のミュージアムも整備され、州や地方自治体による建設が相次ぐようになったのである。ちなみに戦前、カナダ国立博物館と称した博物館は、その後、国立人類博物館、カナダ文明博物館へと名称を変え、2013年に現在のカナダ歴史博物館へと改称している。

長らく国立のミュージアムは、オタワ首都圏にカナダ国立美術館、カナダ歴史博物館（カナダ戦争博物館を含む）、カナダ自然博物館、および科学技術博物館（カナダ航空博物館とカナダ農業博物館を含む）の4館に限定されていた。しかし2008年に博物館法を改正して、マニトバ州ウィニペグにカナダ人権博物館が、国立博物館としては約40年ぶりに、かつオタワ首都圏以外で初の国立ミュージアムとしての設立が決定された。その後2009年にはノヴァスコシア州ハリファックスにピア21カナダ移民博物館が設立されるなど、21世紀に入って、国立ミュージアムをめぐる新たな動きが出ている。

さて、カナダが世界に誇るものとして、人権尊重の姿勢と多文化主義があるだろう。前者は、「カナダ権利自由憲章」として1982年憲法に規定されている。これを博物館のテーマにかかげ、世界的水準の博物館を建設するというカナダのメディア王・イズリアル・アスパーの考えから、カナダ人権博物館は始まった。そもそもアスパーは自らの財団を通して、1997年からウィニペグの9年生

カナダ人権博物館（ウィニペグ）（大石太郎撮影）

（中学校3年生）を対象に人権とホロコーストを学習するプログラムを推進しており、アメリカ合衆国のホロコースト博物館をカナダにも作りたいと考えたのである。同じ頃、オタワのカナダ戦争博物館がホロコースト・ギャラリーを含む寄付金計画を提案すると、退役軍人団体がホロコーストはカナダ軍の歴史とは関わりがないと反対するなど、大きな論争を巻き起こした。結果として、計画が発表された翌年の1998年、カナダ戦争博物館を傘下に置くカナダ文明博物館（当時）は、戦争博物館にホロコースト・ギャラリーを設置しないことを発表した。

一方アスパーはウィニペグにホロコースト博物館建設を提案したが、税金を支出する国立博物館のテーマは1つの民族のジェノサイドに限定すべきではないという意見が出され、テーマを人権とする博物館へと切り替えた。こうして連邦政府、マニトバ州、ウィニペグ市、カナダ人権博物館友の会、そして民間企業の5者によるプロジェクトがスタート

ピア21カナダ移民博物館（ハリファックス）（大石太郎撮影）

し、2014年にカナダ人権博物館はオープンした。同館は、人権問題にかかわってきたカナダの歴史とその発展を提示するというきわめてユニークな博物館である。開館前からジェノサイドはユダヤのホロコーストだけに限定されるものではないとして、1930年代のジェノサイドの記憶（ホロドモール）を持つウクライナ系と激しい議論を巻き起こし、先住民関連の展示でも議論を呼んでいる。人権をめぐる展示は重要であるが故に、同館に限らず各地の博物館で議論を巻き起こしている。カナダ人権博物館の展示は、これからどのように運営されていくのだろうか。

カナダが誇るもう1つの多文化主義をめぐっては、国内6番目の国立博物館として建設されたカナダ移民博物館を挙げることができる。同館の前身は、1997年に国の史跡として指定されたピア21（第21埠頭を意味する）である。

1749年にハリファックスの町がノヴァスコシ

ア植民地に建設されて以降、多くの移住者がヨーロッパから流入してきた。特にハリファックス港に1928年から1971年にかけて入国管理事務所がおかれたことから、百万人を超える人々がこの地から、カナダ大陸横断鉄道に乗り、カナダ国内へと移住していった。また第二次世界大戦中は50万人を超える兵士がここから戦地へ出向いており、今のカナダ人の5人に1人はピア21との関係をもつとされている場所である。カナダ移民博物館はハリファックスで最も人気のある史跡であり、大きな期待が寄せられている博物館である。

なお、オタワ首都圏以外に国立博物館を設けることが決まった時、ウィニペグに設置することも同時に支持・決定された。なぜならば、そこが広大なカナダの中央部に位置するからである。カナダ人権博物館の開館をめぐる紆余曲折のため、先に開館したカナダ移民博物館が位置するのはカナダ本土東端のハリファックスだった。カナダ的バランスから考えると当然の結果だったかもしれない。となると、次の国立博物館建設予定地はカナダ西部になるのだろうか。国立博物館建設という連邦資金の配分をめぐるパンドラの箱が開けられてしまったことは間違いない。

（溝上智恵子）

59

カナダのスポーツ

★多様化するカナダでアイスホッケーの人気はなぜ揺るがないのか★

「カナダで最も人気の高いスポーツは？」と聞かれると、カナダに住む人々は「アイスホッケー」とほぼ即答する。1994年に連邦法によって国技と認定されたのはあくまで形式上のことであり、その百年以上も前からホッケー（以下、カナダ流に従って「アイス」を省略する）は多くのカナダ人によって「OUR GAME 我々のスポーツ」として親しまれている。

1990年以降、計600万人（過去10年間に限っても年間30万人前後）の移民を受け入れているカナダでは、様々なスポーツに馴染んで育った人が増加してホッケーの人気に陰りが見えているのではないか、という議論が定期的に持ち上がる。だが2010年のヴァンクーヴァー冬季オリンピックの最終日、男子ホッケー決勝戦でカナダのシドニー・クロスビー選手の決めた優勝ゴールは「近年のカナダのスポーツ史上、最も記憶に残る瞬間」と讃えられた。それから10年経った2020年にもクロスビーの快挙が新聞の一面に回想記事として掲載されたところを見ると、未だにカナダ人のホッケーに対する思い入れは、他のスポーツにはなかなか見られないほど深いのだと実感できる。

ではホッケーの根強い人気は一体どのようなところに由来し

ているのだろうか。

1つには「冬型気候」が挙げられる。地域差はあれど、11月初旬から翌年の5月まで雪に覆われる国では冬型の競技が盛んになるのは当然である。オリンピックでもカナダは夏季より冬季の大会の方が断然、成績が良い。実は競技人口で言えば、100万人の登録選手のいるサッカーがカナダではトップに来るのだが、シーズンは夏の数カ月に限られている。気候の良い間、子どもたちが興じるスポーツというイメージが拭えないのはそのせいだろう。そこへ行くとホッケーのシーズンは10月から3月までの半年間に及び、長い冬の間、プレイする側にしても観戦する側にしても、常に身近にあるスポーツということになる。

同じく冬を連想させるスポーツであるスキーやスケートに比べ、ホッケーが「カナダを発祥の地とした競技」であるのも重要なポイントであろう。19世紀半ばにチーム競技として本格的に考案され、20世紀初頭にはすでに全国規模で連盟や対戦リーグが整備されていた。現在に至るまでカナダは常に世界一のホッケー競技人口を誇り（国際ホッケー連盟2019年調べでは64万人超の登録者）、設備面での充実ぶりも群を抜いている。屋内のリンク数が3300カ所、冬にはさらに屋外リンクが5000カ所加わり、「人口5000人当たりにリンクが1つ」という割合は他国に比べて桁違いである。また、プロ・アマチュアともに最高レベルの選手を多く輩出し、ワールド・ランキングの首位（女子はアメリカに次いで2位）を保っていることからも「カナダは世界最強のホッケー大国」であると胸を張れるのである。

国境のすぐ南に位置する大国アメリカとの関係も忘れてはならない。同じ植民地としてスタートしておきながらアメリカが早くに大英帝国から独立を果たしたのに比べ、カナダは未だにエリザベス二世を君主として据えている。また国際関係の場では政治的にも経済的にもアメリカの威厳に圧倒され、しばしば「アメリカの51番目の州」と称されるのを自虐ネタにするのがカナダなのである。前述のヴァンクーヴァー五輪で、クロスビーとチーム・カナダが戦った決勝戦の相手はアメリカだった。それを破って世界一の座を誇示できたことが、カナダ人にとってどれほど大きな喜びであったのか想像してほしい。

ホッケーが単なるスポーツ競技にとどまらず、「文化的シンボル」の機能を果たしているところにも注目したい。アメリカが移民たちを「メルティング・ポット（るつぼ）」に取り込んでアメリカ人に生まれ変わらせようとするのに対し、カナダは新参者の多様なバックグラウンドを尊重する「モザイク」なのだと自負したがる。しかし異文化に寛容であることを国のモットーとして掲げた場合、国民全体が共有できる文化的シンボルが見つけにくい、という皮肉な結果にも陥ってしまう。そこで宗教や政治の匂いのしないスポーツが大きな役割を担うことになるのである。

まだ娯楽がそれほど豊富ではなかった1970年代、土曜の夜にテレビで全国生中継されるホッケーの試合を観ることが典型的なカナダの「家族の団欒」とされていた。そのような習慣がすっかり過去のものとなった21世紀においても、カナダ中の小さな町では地元のリンクがコミュニティの中心的な集いの場となっていることが多い。子どもたちは歩けるようになるとスケート靴を履いて、公園や家の裏庭に自然に張った氷の上でホッケースティックを振り回す。少年も少女もいつか町の代表チームに入って、果てはオリンピックやプロチームでプレイすることを夢見る。年々、値上がりする

2002年版カナダ5ドル紙幣裏面（ホッケーテーマ）（Bank of Canada 許諾）

用具やリーグ年会費に文句を言いながらも、親や祖父母たちは練習や試合への送迎に勤しむ。

2002年から2013年の間に発行された5ドル紙幣の裏面に描かれている「（凍った池の上で遊ぶ）ポンド・ホッケー」の光景は、ややもすれば古き良き時代を理想化したステレオタイプだと思われるかもしれない。だがカナダの大手銀行、自動車メーカー、食品・飲食チェーンなどの企業が他のどのスポーツよりもホッケーを題材にしたキャンペーンを多く組み、コマーシャルを制作するからには何か実質的な根拠があると考えるのが妥当だろう。ホッケーは現在もカナダの各地で家族・コミュニティ・老若男女を巻き込んだ「記憶づくり」の基盤を提供しているのである。

ちなみにここ数年、カナダの若者の間ではバスケットボールの普及率が飛躍的に上がっている。2019年にカナダ唯一のプロチームであるトロント・ラプターズがリーグ優勝を果たしたことでちょっとしたブームが起こっているのも事実である。だが世界最高峰のバスケットボール選手の大半はアフリカ系アメリカ人であり、そのためにバスケットボールは（奇しくも発案したのはカナダ人であるとされているが）あくまで「アメリカのスポーツ」という印象が強い。

北国の厳しい気候のなかで生まれ、そこに住む勤勉で素朴な国民をイメージさせる競技。カナダ人が誰にも負けない世界一の実力を誇れるホッケーこそが、これからもこの国を代表するスポーツとして愛され続けるのにふさわしいのである。

（嘉納もも）

60

カナダの食文化

★豊かな自然の恩恵を受けて★

カナダの人々は仲間意識が培われる場における「食」を大切にしてきた。たとえば先住民は、トウモロコシの粥で時には肉、魚などを入れた「サガミテ」の鍋を焚火で温めながら客人をもてなした。17世紀のヨーロッパからの開拓移民の薪ストーブにも常に温かいシチューで満たされた鍋があり客人のための席があった。その習慣は感謝祭の七面鳥の丸焼き、クリスマスのジンジャー・クッキー、メープルシロップの収穫祭のタフィー（飴）やソバ粉のクレープ、教会のミサの後に出される小ぶりのサンドイッチや焼き菓子、野外で塊の肉を分け合うバーベキュー、そして各自が持ち寄るポットラックパーティーなどに引き継がれている。食を分け合うことによって仲間意識を培うという、サガミテから受け継いだもてなしの精神は、カナダの食文化のなかで大きな要素である。

遊牧生活を営む先住民は、森でトナカイ、ヘラジカなどの動物やキノコ、木の実などを、川や湖ではサケ、ウナギなどを得て暮らしていた。定住型先住民はトウモロコシ、豆類、カボチャなどを栽培した。ヨーロッパからの開拓移民にとって、厳しい自然環境のもとでの生活は困難を極めたが、友好的な先住

ケベック州でメープルシロップのタフィーを楽しむ人たち（筆者撮影）

民から狩猟の方法、干し肉や魚の燻製の加工法、メープルシロップの製法、薬用植物の知恵などを学んだ。17〜18世紀頃の毛皮交易時代、ヨーロッパの商人や探検家たちは、先住民が狩猟に出かける時に携行していたペミカン（加熱溶解した獣脂に天日乾燥し砕いたバイソンの肉片、乾燥したベリー類を混ぜて密封して固めたもの。そのまま、または湯で溶かして食した）などの保存食を先住民から習得したことで、カヌーで長い距離を内陸の奥深くまで毛皮を求めて移動することができた。

開拓移民はセントローレンス川流域や五大湖周辺で小麦を栽培し、家畜を飼育した。乾燥豆、塩蔵豚肉などに加えて、卵や乳製品などの酪農製品、キャベツ、ビーツなどの野菜やリンゴなど新鮮な農作物が安定供給された。そして、直火の炉に代わってオーブンを備えた薪ストーブが普及し、新たな香辛料を得て、下ごしらえをしてからローストした肉類、魚介類のクリーム煮など、調理法も工夫された。以下、地域別に食文化を眺めてみたい。

東端のニューファンドランド・ラブラドール州は、その南東沖の寒流と暖流のぶつかる海域で世界有数の好漁場であるグランドバンクに近く、かつては産卵の時に浅瀬に集まるタラがバケツで掬えるほどの地と形容された。タラのほかはジャガイモ、カブなどの根菜、ベリー類が食材であった。タラは浜で背開きにして板状にし、寒風にさらし、塩干し製品になった。イギリスやアイルランドからの漁師はその際に手に入るタラの舌（咽頭部）やほほ肉のフライを好んで食べ、このあたりの郷土料理として残る。

ノヴァスコシア州とニューブランズウィック州ではスコットランド移民による粗挽きオート麦のオートミール、堅焼きビスケット、さらにはドイツ移民によってニシンの酢漬けやザウアークラウト（塩漬けにして発酵させたキャベツ）が広まった。フランス系アカディアンのプティーン・ラペ（タマネギ、塩蔵豚肉をジャガイモの生地で包んで茹でた団子）はニューブランズウィック州南東部のモンクトンあたりの郷土料理である。フィドルヘッド（クサソテツの渦巻き状の新芽）は早春を知らせる山菜である。

プリンス・エドワード・アイランド州は18世紀初め、フランス北部からの漁師たちによって開拓された後にイギリスの支配下に入り、19世紀にはスコットランド移民が人口の半分を占めた。カナダのジャガイモの約30％を生産している。ロブスター漁が盛んで、茹でたてロブスターのバターソース、ムール貝やカキのチャウダー、コキール（ホワイトソースで和えた魚介類を貝殻に盛りオーブンで焼いたもの）などシーフード料理が多い。

ケベック州では、トナカイ、カモ、サケ、さらにキノコ、スグリやブルーベリーなどの果実、チーズなどの乳製品、リンゴの酒シードル、ソバ粉のクレープ、メープルシロップなどの特産品が伝統の食材である。フランス北西部からの移民の伝統食は、トルティエール（牛か豚のミンチ肉にジャガイモ、タマネギなどを混ぜたものを詰めたパイ）、クルトン（塩蔵豚肉のバラ、肩肉、腎臓のミンチとタマネギなどを煮込んだペースト状のもの）、フェーヴ・オ・ラール（白インゲン豆と少量の豚肉や鴨肉をラードでいためタマネギやニンニクと一緒に煮込んだもの）、乾燥エンドウのポタージュ、メープルシロップや粗糖のシュガーパイなどである。他には、セントローレンス湾に面したガスペ半島沖の魚介類のムニエルやクリームソースを合わせて詰めたタルトなども挙げられる。また、プティーン（フライドポテトの上に熟成前のチェダーチーズを散らしグレイビーソースをかけた軽食）、スモークサーモンとクリームチーズを挟んだベーグル（茹でることによって発酵させたドーナツ状のパン）や牛肩肉のスモークミートの山盛りを挟んだサンドイッチなどは観光客にも人気がある。

オンタリオ州はイギリスからの移民の集まる地となり、オートミール、ローストビーフ、ウサギのシチューなどイギリスの郷土料理が伝承されている。また、ティータイムの紅茶とともに味わうのはスコーン、アップルパイ、キャロットケーキなどである。オタワ発祥のビーバーテイル（ビーバーのしっぽに似せた揚げパン）は毛皮交易の歴史を今に伝える。カナダ随一の多民族都市トロントのエスニック料理・多国籍料理はスパイスの香り豊かに移民を、そして観光客を魅了する。

穀倉地帯のマニトバ、サスカチュワン、アルバータの平原三州では、ポーランドのロールキャベツ、ウクライナのピエロギ（ジャガイモ、チーズ入りの焼き団子）など東欧からの移民がもたらした料理が受け入れられた。大麦と小麦の産地ゆえに、バノック（イーストを使わない素朴なパン）、オートミール、パンケーキ、パンプディングなどは身近な軽食である。また、サスカチュワン州は、サスカトゥーンベリーをはじめとするベリー類の宝庫で、フルーツソースを添えた肉料理、湖で獲れた腹開きのマスにワイルドライスとドライフルーツを詰めた蒸し焼きなどが食卓に並ぶ。アルバータ州の、乱獲などによって絶滅の危機にさらされたバイソンは、現在は畜産が行われ、その低脂肪の肉のハンバーガーや、ボリュームのあるアルバータ牛のステーキ、ヘラジカなどのグリル料理が人気メニューである。

西岸のブリティッシュ・コロンビア州では、フレーザー川でサケが獲れる。また夏に高温多湿となるオカナガン地方の果樹栽培とワインの生産がある。ゴールドラッシュ時代の宿舎から広まったビーフシチューや、ベーコンと豆の煮込み、サワードゥから作ったパンが特徴的である。イギリス発祥のフィッシュ・アンド・チップス（白身魚の衣揚げとフライドポテト）の店が目立つ。

20世紀初頭には、家庭に伝わるメモ書きのレシピや聞き書きをもとにした料理本が出版され、それらは伝統料理の掘り起こしに貢献し、また新しい調理器具の普及とバラエティに富む食生活を実現し、ビスケット、ドーナツ、アイスクリームなどが家庭で作られるようになった。ショウガを香りづけにした炭酸飲料のカナダドライ・ジンジャーエールはトロントで１９０４年に商標登録された。また耐寒性小麦の新品種の普及で全粒粉などのパンが主食として一般化し、豊富な穀類を主材料に安価で健康志向の食べ物が好まれるようになった。１９１５年にコーンフレークが登場し、朝食にシリアルを食べる人が増えた。１９６４年にはカナダ最大のコーヒーとドーナツのファストフードチェーン「ティムホートンズ」第1号店がオンタリオ州ハミルトンに開店した。近代化で食生活が様変わりしたとは言え、先住民、開拓移民の知恵と工夫を基盤に、新しい移民がもたらした多種多様な食材、調理法が食卓を豊かなものにし、家族や仲間とともに味わい楽しんでいるところがカナダの食文化と言える。地域色豊かなカナダ料理は、自然の恩恵を受けてダイナミックで美味しい。

（友武栄理子）

コラム17

マーシャル・マクルーハン
――メディア論の元祖が見つめた世界

宮澤淳一

前世紀末よりインターネットが発達し、ＩＴが仕事や生活の多くの部分を担うようになった今日では、「メディア」との関わりが個々人や集団の行動を大きく左右し、時に予想外のトラブルにも巻き込む。この状況を海面に出現した「渦巻き」に喩え、その犠牲者にならないようにと１９６０年代に警告を発した人物こそが、マーシャル・マクルーハンである。

１９１１年7月21日、アルバータ州エドモントン生まれ。マニトバ大学、ケンブリッジ大学に学び、46年、トロント大学に赴任。博識で、英文学と修辞学を専門としたが、学生との意思疎通を図るべくアメリカ合衆国の大衆文化を研究したのを契機に、テレビを中心とした電子メディアの本質を探究し始める。

62年に『グーテンベルクの銀河系』を出版し、視覚偏重の「活字人間」の誕生を詳述したマクルーハンは、２年後に続編『メディアの理解』（邦訳『メディア論』）を発表。電子メディアによって中枢神経が「拡張」され、活字文化に抑圧されていた聴覚や触覚が復権し、人間の経験は非体系的で同時的になったと説いた。また、世界は情報の即時伝達と同時多発性を特徴とするグローバル・ヴィレッジ（地球村）に変容したと指摘。これは理想郷の「予言」ではなく、ヴェトナム戦争の泥沼化した60年代を捉えた現状認識に基づく想像だった。

"I don't explain — I explore."（「私は説明しない、探究あるのみ」）と述べたマクルーハンは、難解な表現で人々を挑発し続けた。「メディアはメッセージである」と訳されることの多い有名な標語"The medium is the message."は、「（内容がメッセージであるというよりは）メディアこそがメッセージである」と解釈でき、新しいメディアの出現自体から学ぶこと（メッセージを得ること）の重要性を説いたのである。また彼はあらゆるメディアを「ホット」と「クール」に分類した。これは、情報の精細度と、受け手の参加度による二分法である。高精細度で低参加度のメディアを「ホット」（ラジオ、映画、活字、写真、レクチャーなど）、低精細度で高参加度のメディアを「クール」（電話、テレビ、漫画、スピーチなど）と形容したが、今でも首を傾げる人は多い。

『ニューズウィーク』（1967年3月6日号）の表紙を飾ったマクルーハン

それでも巧みな言説が功を奏し、マクルーハンは「電気時代の予言者」として、60年代、北米を中心に世界的に注目された（評論家の竹村健一が火を付けた日本のブームは67～68年）。ただし本人はテレビ嫌いの活字人間で、文学のメタファーの営みを愛していた。

マクルーハンが個性的な洞察を発揮できたのは、彼が文学者である以前にカナダ人であったからかもしれない。メディアと社会の激変地はアメリカ合衆国であり、彼はそこから距離を置いたカナダで現象を超然と観察していたのだ。

80年12月31日に他界。69歳。進めていた総決算の著作『メディアの法則』は息子エリックに委ねられた。その頃には忘れられていたマクルーハンだが、インターネットの発達した90年代以降に再評価され、今ではコミュニケーション研究「トロント学派」の中心的人物として讃える声もカナダでは大きい。

カナダはメディア・リテラシー教育の先進国である。オンタリオ州から全州に発したその教授法の創始者の1人、バリー・ダンカン（1936〜2012年）がマクルーハンの教え子であったことも忘れてはならない。

エピローグ

カナダとは何か──歴史の窓からみた現代カナダ

カナダとは多面的なものの寄り集まった共同体である。しかも象のように、巨大である。ここでは、そんな巨大な象を相手に、歴史を顧みながら現代カナダに焦点をあててみよう。過去との対話なしに現代は語れないからである。

まず第1に、カナダは「深い多様性」の国である。カナダ人は先住民以外、すべてが外来者だ。世界中から様々な民族が集まってできた国である。その意味ではアメリカ合衆国と似た多民族国家だが、しかし民族構成の中身や多民族性への向かい合い方が、アメリカと基本的に異なる。カナダは世界で初めて「多文化主義法」（1988年）を施行した国であり、各民族の文化を尊重する政策を国是とする。「異なること」に価値が置かれ、それが積極的に評価され、画一化・同質化を目指さない。

反面、そのことは、政治的にみると中心としてのカナダが在るようで無いようで、どうもあやふやな印象を与えている。国としてのまとまりが希薄なのである。たとえば、カナダは立憲君主制に加え、政治制度としては10州と3準州からなる連邦制をとっている。これを「多様性」の視点から見ると、カナダはそれぞれ強い地域主義からなる多面的なお国柄、という顔が浮かびあがる。「州」（地方）は「国」（連邦）の権力に従属しない。両者は対等なのである。だから〝主権〟の相互不可侵性をめぐって、両者間での政争が絶えない。また地方レベルでの「英雄」はいても、全国的レベルでの「英雄」はきわめて少ない。そこはあたかも〝半独立国家〟（州）が集まって構成された集合的国家の観がする。だから皮肉屋はこう言う。「カナダは〈州〉あって〈国家〉なし」と。

これは極論だとしても、カナダの州というのは、政治的主張、経済構造、民族構成などの独自性を、それぞれ深いレベルで有している。身近な例でいえば、州が違えば交通法規も若干違うし、いわゆる消費税の税率も別々である。またカナダが抱える重要課題をみても、環境問題や気候変動を上位に挙げる州がある一方、雇用や経済あるいは移民を最優先課題とする州もある。日本とは比べものにならないほど、地域によって問題意識の根が違うのである。

要するに、カナダとは統一観念の弱い国である。広大な国土ということとも重なり、たとえば東部のフランス語圏ケベック州のことを、太平洋側の英語圏ブリティッシュ・コロンビア州のひとたちは、どれほど正しく理解していようか。その逆も真なり。あたかもそれは、ヒマラヤ山脈がロッキー山脈を知らないかのようである。

第2に、カナダは「フランス的事実」を深いレベルで根付かせている国である。「独自の社会」としてケベックの存在だ。この「フランス的事実」とは、「フランス語」、「フランス文化」、そして「カトリシスム」を指す。だが精神的基盤としてのカトリック教会の影響力は、1960年代以降、劇的に減退し、今日のケベックはまるで《神なき宗教心》（エルンスト・R・クルティウス）を有する地のようである。他方、ケベックの知識人にとって、程度の差こそあれ知的規範と仰ぐのは今でもフランスである。さらに、この州では「言語」に対するこだわりがきわめて強い。ケベックは、北米大陸（メキシコを除く）という圧倒的に優位な英語圏に囲まれているため、「英語の過剰」に対する警戒感が消え去らない。

こうした背景から登場したのが、「フランス語憲章」（1977年）である。その第1条はこうだ。《フランス語はケベックの公用語である》と。英語締め出しではないにせよ、ケベックにおけるフランス語の地位は、今日、「生きる手段」として絶対的優位性を占める。

翻ってカナダの歴史全体をながめてみると、そこは決して共通のバックグラウンドをもって一枚岩的に繰り広げられてきたわけでなかった。フランス語系カナダと英語系カナダという2つの歴史的集合体が、並行しながら別々に展開されていった。当然、両者の描くカナダ像は同じでない。カナダは共通の歴史認識を有しない国なのである。

まだある。19世紀後半以降の史的現象をみると、イギリス系カナダは大いなる西部に向けて、より大きく、より遠くまで拡大していく。それは、歴史の舞台が水平的に広がっていく物語であり、自然と人間とのかかわり合いをめぐる、有為転変の軌跡でもあった。それに比べ、フランス系カナダはまったく逆だった。より内向的に、より保守的に、ケベックという限られた領土と内的世界に留まり続ける。歴史のパターンが、両者できわめて非対称的なのである。そしてケベックが保守的な心性から大きく脱皮し、外の世界に目をむけ、近代化・産業化へと走りだすのは、やっと1960年以降だった。自我にめざめたこの州には、分離・独立をめざす政治的激動の時期もあった。しかし思うに、ケベックは現在も将来もカナダから離脱しないだろう。なぜならば、ケベックはすでに心理的に独立しているからである。

そして新しいケベックは、今や外に開かれた多元社会へと大きく変貌しつつある。中心としてのフランス系文化を堅持しつつ、マイノリティ文化といかに折り合いをつけていくか……、現代ケベックはそれを必死に模索している。

第3に、無いものねだりになるが、カナダは「深い古典主義と人文主義精神に欠けた」国である。カナダにはモリエールもシェイクスピアもいなかった。たとえばフランスやイギリスの知識人や政治指導者の場合、日常の会話や演説のなかで、大作家の言葉や古典からの引用がさりげなく出てくる。さしずめ中国なら、故事にまつわる警句といったところか。

だがカナダ人の場合、そうした現象はきわめてまれである。むしろそこでの会話の常套句はこうだ。「私の出身国では……」と。祖先を外国に持つ国と古典主義を持つ国との違いが、ハッキリと出てくる。

さらに広くカナダ文化の本質を考えてみると、1つ大きな特徴がみてとれる。カナダでは、歴史的には宗主国であるフランス文化やイギリス文化、あるいは他地域からの移民出身者が、その精神的「衣」を脱ぎ捨て、「丸裸」になって独自の文化を築いていったわけでない。これを「派生文化」と言ってよいだろう。

他方、歴史展開のパターンを振り返ると、カナダはフランスとイギリスの本国体制の外延的拡大という様相を帯びていた。その〝名残り〟の好例は、フランス植民地時代およびイギリス植民地時代から今日に至るまで、いずれも君主制が一貫して継承されていることにある。こうなると、文化的視座から見たカナダとは、「継承文化」と「派生文化」という2つの顔を持つ国と言える。

ならば、カナダは独創性に欠ける国だろうか。いや、そんなことはない。とりわけ20世紀に入って以降、現代カナダは反宗主国でない現象を帯びつつ、自国意識が徐々に高まっていく。広義にはそれが「カナディアン・アイデンティティ」の模索として現出し、その姿は多岐にわたる。ここでは、その発端を芸術活動に絞ってみてみよう。

20世紀前半に、「グループ・オブ・セブン」という画家集団が登場した。トロント・アート・センターにて共同で美術展を開催していたグループである。非常に興味をひくのは、彼らの美意識が、前例のないほど強烈なカナダ人意識で貫かれていた点である。最近の研究では、その芸術的技巧は北欧の画家たちの影響を受けていたとの指摘もある。しかしヨーロッパと明らかに違う大地を舞台とし、カナダ独自の風景・環境・自然をモチーフとしていた点で、それは「カナダ人のための紛れもない芸術」（美術史家デニス・リード）であった。

また豊富な過去と重厚な伝統主義を持たないカナダは、逆に因習的束縛から解放されている、という利点を持つ。創造力の自由である。敢えて一例をとればこうだ。フランス系ケベックの演劇の世界では、ロベール・ルパージュというユニークな劇作家・俳優を生んだ。彼はシェイクスピアの戯曲をフランス語に訳し、公演し、しかも好評を得る、という快挙をやってのけたのである。こんなことは他のフランス語圏諸国ではまず不可能だろう。前例主義にとらわれないカナダのユニークさがここにある。

そして最後になるが、足元のカナダに対する今さらながらの再認識である。それは、カナダ「先住民とその文化の存在」を指す。いささか誇張気味とはいえ、これこそカナダが内外に誇るべき真の独自性の象徴かもしれない。過去、長らくカナダの主役はフランス系とイギリス系だった。先住民の存在に関して、民族学者以外に関心度は低かった。ある時、私はカナダ政府当局者から、「カナダ政府の広報活動として、先住民特集はふさわしくない」と、ハッキリ聞かされたこともある。

だが、それも今は昔のこと。時期は特定できないが、また詳細は専門家に委ねたいが、20世紀末頃から、先住民に対するカナダ政府や一般カナダ人の認識度が驚くほど変わってきた。課題を残しつつも、先住民こそがルーツであり、独自の文化を有する人たちであり、そして彼ら・彼女らこそカナダが誇りうる存在なのだ、と。対先住民観が劇的に好転したのである。

思えば、国家的行事であるヴァンクーヴァーでの冬季オリンピック（2010年）の公式エンブレムは、石でできたイヌイットの伝統的モニュメント（イヌクシュク）だった。2015年には、先住民出身の連邦政府の女性司法大臣も誕生した。今や、7月1日のカナダ連邦結成記念日の首相のスピーチでは、必ず先住民への言及がある。この分だと、将来、先住民出身のカナダ総督（実質的なカナダ元首）の誕生もありうるかもしれない。

誠に現代カナダは寛容な国である。

（竹中 豊）

◆現代カナダを知るための文献・情報ガイド

＊原則として、２０００年以降の文献を中心とした。
＊雑誌論文および文学作品は割愛した。

❖カナダ全体

日本カナダ学会編『はじめて出会うカナダ』有斐閣、２００９年
水戸考道・大石太郎・大岡栄美編『総合研究カナダ』関西学院大学出版会、２０２０年
阿部齊・加藤普章・久保文明『北アメリカ――アメリカ・カナダ』（第2版）自由国民社、２００５年
小塩和人・岸上伸啓編『朝倉世界地理講座　大地と人間の物語13　アメリカ・カナダ』朝倉書店、２００６年
細川道久編『カナダの歴史を知るための50章』明石書店、２０１７年
竹中豊『カナダ 大いなる孤高の地―カナダ的想像力の展開』彩流社、２０００年
竹中豊『ケベックとカナダ――地域研究の愉しみ』彩流社、２０１４年
カナダ百科事典（The Canadian Encyclopedia）（英語／フランス語）▽https://www.thecanadianencyclopedia.ca/
外務省 国・地域 カナダ ▽https://www.mofa.go.jp/mofaj/area/canada/index.html
カナダ政府（英語／フランス語）▽http://canada.gc.ca/home.html
カナダ政府統計局（英語／フランス語）▽https://www.statcan.gc.ca/
ＣＩＡワールドファクトブック カナダ（英語）▽https://www.cia.gov/the-world-factbook/countries/canada/

❖自然環境・地理・地域

飯野正子・竹中豊編『カナダを旅する37章』明石書店、２０１２年
菅野峰明・久武哲也・正井泰夫編『世界地名大事典7 北アメリカⅠ（ア～テ）』『同8 北アメリカⅡ（ト～ワ）』朝倉書店、２０１３年

真壁知子『カナダ 「地域」と「国」を旅する』西田書店、２０１１年
上原善広『カナダ歴史街道をゆく』文藝春秋、２０１７年
林上『現代カナダの都市地域構造』原書房、２００４年
細川道久『ニューファンドランド――いちばん古くていちばん新しいカナダ』彩流社、２０１７年
市川慎一『アカディアンの過去と現在――知られざるフランス語系カナダ人』彩流社、２００７年
大矢タカヤス、Ｈ・Ｗ・ロングフェロー『「地図から消えた国、アカディの記憶」――「エヴァンジェリンヌ」とアカディアンの歴史』書肆心水、２００８年
小畑精和・竹中豊編『ケベックを知るための54章』明石書店、２００９年
香川貴志『バンクーバーはなぜ世界一住みやすい都市なのか』ナカニシヤ出版、２０１０年
田林明編『カナダにおける都市・農村共生システム――農村空間の商品化と地域振興』農林統計出版、２０２０年
オンタリオ州政府（英語／フランス語）▽https://www.ontario.ca/
ケベック州政府（フランス語／英語）▽https://www.quebec.ca/

❖社会・ジェンダー

加藤普章『カナダの多文化主義と移民統合』東京大学出版会、２０１８年
ジェラール・ブシャール、チャールズ・テイラー編『多文化社会ケベックの挑戦――文化的差異に関する調和の実践 ブシャール＝テイラー報告』竹中豊、飯笹佐代子、矢頭典枝訳、明石書店、２０１１年
ジェラール・ブシャール『ケベックの生成と「新世界」――「ネイション」と「アイデンティティ」をめぐる比較史』竹中豊・丹羽卓監修、立花英裕・丹羽卓・柴田道子・北原ルミ・古地順一郎訳、彩流社、２００７年
ジェラール・ブシャール『間文化主義（インターカルチュラリズム）――多文化共生の新しい可能性』丹羽卓監訳、荒木隆人・古地順一郎・小松祐子・伊達聖伸・仲村愛訳、彩流社、２０１７年
篠原ちえみ『移民のまちで暮らす――カナダ マルチカルチュラリズムの試み』社会評論社、２００３年

小山剛ほか編『日常のなかの〈自由と安全〉——生活安全をめぐる法・政策・実務』弘文堂、2020年
富井幸雄『共和主義・民兵・銃規制——合衆国憲法修正第二条の読み方』昭和堂、2002年
ドミニク・クレマン著『カナダ人権史——多文化共生社会はこうして築かれた』細川道久訳、明石書店、2018年
犬塚典子『カナダの女性政策と大学』東信堂、2017年
ジョン・ロード、シェリル・ハーン『地域に帰る知的障害者と脱施設化——カナダにおける州立施設トランキルの閉鎖過程』鈴木良訳、明石書店、2018年
サンダース宮松敬子『カナダのセクシュアル・マイノリティたち——人権を求めつづけて』教育史料出版会、2005年
加藤恵津子『「自分探し」の移民たち——カナダ、バンクーバー、さまよう日本の若者』彩流社、2009年

❖先住民・日系人・その他の民族

富田虎雄、スチュアート・ヘンリ編『講座世界の先住民族 ファースト・ピープルズの現在7 北米』明石書店、2005年
煎本孝『カナダ・インディアンの世界から』福音館書店、2002年
岸上伸啓『イヌイット——「極北の狩猟民」のいま』中央公論新社、2005年
岸上伸啓『カナダ・イヌイットの食文化と社会変化』世界思想社、2007年
大村敬一『カナダ・イヌイトの民族誌——日常的実践のダイナミクス』大阪大学出版会、2013年
浅井晃『カナダ先住民の世界——インディアン・イヌイット・メティスを知る』彩流社、2004年
立川陽仁『カナダ先住民と近代産業の民族誌——北西海岸におけるサケ漁業と先住民漁師による技術的適応』御茶の水書房、2009年
山口未花子『ヘラジカの贈り物——北方狩猟民カスカと動物の自然誌』春風社、2014年
長谷川瑞穂『先住・少数民族の言語保持と教育——カナダ・イヌイットの現実と未来』明石書店、2019年
齋藤玲子・大村敬一・岸上伸啓編『極北と森林の記憶——イヌイットと北西海岸インディアンの版画』昭和堂、2010年
国立民族学博物館ウェブサイト ▽ https://www.minpaku.ac.jp/

飯野正子『日系カナダ人の歴史』東京大学出版会、１９９７年
飯野正子、高村宏子、Ｐ・Ｅ・ロイ、Ｊ・Ｌ・グラナスティン『引き裂かれた忠誠心――第二次世界大戦中のカナダ人と日本人』ミネルヴァ書房、１９９４年
高村宏子『北米マイノリティと市民権――第一次大戦における日系人、女性、先住民』ミネルヴァ書房、２００９年
末永國紀『日系カナダ移民の社会史――太平洋を渡った近江商人の末裔たち』ミネルヴァ書房、２０１０年
フランツ・モリツグ編『ロッキーの麓の学校から――第２次世界大戦中の日系カナダ人収容所の学校教育』小川洋・溝上智恵子ほか訳、東信堂、２０１１年
田村紀雄『移民労働者は定着する――「ニュー・カナディアン」文化、情報、記号が伴に国境を横切る』社会評論社、２０１９年
和泉真澄『日系カナダ人の移動と運動――知られざる日本人の越境生活史』小鳥遊書房、２０２０年
河原典史・木下昭編『移民が紡ぐ日本――交錯する文化のはざまで』文理閣、２０１８年
細川道久『「白人」支配のカナダ史――移民・先住民・優生学』彩流社、２０１２年
ヴァレリー・ノールズ『カナダ移民史――多民族社会の形成』細川道久訳、明石書店、２０１４年
全カナダ日系人協会（英語）▽http://najc.ca/

❖政治・法律・経済・福祉

加藤普章『カナダ連邦政治――多様性と統一への模索』東京大学出版会、２００２年
櫻田大造『カナダ・アメリカ関係史――加米首脳会議１９４８～２００５年』明石書店、２００６年
吉田健正『カナダはなぜイラク戦争に参戦しなかったのか』高文研、２００５年
櫻田大造『対米交渉のすごい国――カナダ・メキシコ・ＮＺに学ぶ』光文社、２００９年
松井茂記『カナダの憲法――多文化主義の国のかたち』岩波書店、２０１２年
小川浩之『英連邦――王冠への忠誠と自由な連合』中央公論新社、２０１２年
水島治郎・君塚直隆編著『現代世界の陛下たち――デモクラシーと王室・皇室』ミネルヴァ書房、２０１８年

アラン＝G・ガニオン、ラファエル・イアコヴィーノ『マルチナショナリズム――ケベックとカナダ・連邦制・シティズンシップ』丹羽卓・古地順一郎・柳原克行訳、彩流社、2012年
荒木隆人『カナダ連邦政治とケベック政治闘争――憲法闘争を巡る政治過程』法律文化社、2015年
木村和男編『カナダ史』（新版世界各国史23）山川出版社、1999年
河村一『カナダ金融経済の形成――中央銀行の成立過程から見た』御茶の水書房、2007年
杉本公彦『カナダ銀行史――草創期から20世紀初頭まで』昭和堂、2008年
石川幸一・馬田啓一・木村福成・渡邊頼純編『TPPと日本の決断』文眞堂、2013年
高橋俊樹『カナダの経済発展と日本――米州地域経済圏誕生と日本の北米戦略』明石書店、2005年
国際貿易投資研究所（ITI）「平成30年度東アジア及びTPP11のFTA効果とそのインパクト調査事業結果・報告書」2019年
栗原武美子『現代カナダ経済研究――州経済の多様性と自動車産業』東京大学出版会、2011年
矢口芳生編集代表『新大陸型資本主義国の共生農業システム――アメリカとカナダ』農林統計協会、2011年
後藤玲子・新川敏光編『新・世界の社会福祉 第6巻 アメリカ合衆国／カナダ』旬報社、2019年
新川敏光編『多文化主義社会の福祉国家――カナダの実験』ミネルヴァ書房、2008年
岩﨑利彦『カナダの社会保障――医療・介護・年金』財形福祉協会、2008年
一圓光彌・林宏昭編『社会保障制度改革を考える』中央経済社、2014年
本間正明監修『医療と経済』大阪大学出版会、2016年
武田信子『社会で子どもを育てる――子育て支援都市トロントの発想』平凡社、2002年
パム・オルゼック、ナンシー・ガバマン、ルーシー・バリラック編『家族介護者のサポート――カナダにみる専門職と家族の協働』高橋流里子訳、筒井書房、2005年
鈴木良『脱施設化と個別化給付――カナダにおける知的障害福祉の変革過程』現代書館、2019年

❖教育・言語・文学・文化

小林順子ほか編『21世紀にはばたくカナダの教育』東信堂、2003年
平田淳『カナダの「開かれた」学校づくりと教育行政』東信堂、2020年
ジム・カミンズ、マルセル・ダネシ『新装版 カナダの継承語教育――多文化・多言語主義をめざして』明石書店、2020年
児玉奈々『多様性と向きあうカナダの学校――移民社会が目指す教育』東信堂、2017年
岡部敦『高等学校から職業社会への移行プログラムに関する研究――カナダ・アルバータ州の高校教育改革』風間書房、2020年
関口礼子・浪田克之介編『多様社会カナダの「国語」教育――高度国際化社会の経験から日本への示唆』東信堂、2006年
上杉嘉見『カナダのメディア・リテラシー教育』明石書店、2008年
矢頭典枝『カナダの公用語政策』リーベル出版、2008年
Sylvain Detey, Jacques Durand, Bernard Laks, Chantal Lyche 編『フランコフォンの世界――コーパスが明かすフランス語の多様性』川口裕司・矢頭典枝・秋廣尚恵・杉山香織編訳、三省堂、2019年
矢頭典枝『あなたの知らない世界の英語』「カナダ」アルク(EJ新書、電子書籍)、2020年
神田外語大学×東京外国語大学 英語モジュール「カナダ英語」▽http://labo.kuis.ac.jp/module/module/en_ca.html#/jp-00, 東京外国語大学言語モジュール「カナダ英語」▽http://www.coelang.tufs.ac.jp/mt/en-ca/dmod/
コーラル・アン・ハウエルズ、エヴァ=マリー・クローラー編『ケンブリッジ版 カナダ文学史』日本カナダ文学会訳、彩流社、2016年
藤本陽子『新カナダ英語文学案内』堤稔子・中山多恵子・馬場広信編、彩流社、2017年
長尾知子『英系カナダ文学研究――ジレンマとゴシックの時空』彩流社、2016年
小畑精和『ケベック文学研究――フランス系カナダ文学の変容』御茶の水書房、2003年
真田桂子『トランスカルチュラリズムと移動文学――多元社会ケベックの移民と文学』彩流社、2006年
山出裕子『ケベックの女性文学』彩流社、2009年

山出裕子『移動する女性たちの文学――多文化時代のジェンダーとエスニシティ』御茶の水書房、２０１０年
立花英裕、真田桂子編訳『ケベック詩選集――北アメリカのフランス語詩』彩流社、２０１９年
『カナダ婦人宣教師物語』編集委員会編『カナダ婦人宣教師物語（改訂版）』東洋英和女学院、２０１９年
村岡恵理『アンのゆりかご――村岡花子の生涯』新潮社、２０１１年
ルーシー・M・モンゴメリ『ストーリー・オブ・マイ・キャリア――「赤毛のアン」が生まれるまで』水谷利美訳、柏書房、２０１９年
溝上智恵子『ミュージアムの政治学――カナダの多文化主義と国民文化』東海大学出版会、２００３年
上智大学アメリカ・カナダ研究所編『北米研究入門――「ナショナル」を問い直す』ＳＵＰ上智大学出版、２０１５年
上智大学アメリカ・カナダ研究所編『北米研究入門２――「ナショナル」と向き合う』ＳＵＰ上智大学出版、２０１９年
小畑精和『カナダ文化万華鏡――「赤毛のアン」からシルク・ドゥ・ソレイユまで』明治大学出版会、２０１３年
宮澤淳一『グレン・グールド論』春秋社、２００４年
宮澤淳一『マクルーハンの光景――メディア論がみえる』みすず書房、２００８年
マーシャル・マクルーハン、クエンティン・フィオーレ『メディアはマッサージである――影響の目録』門林岳史訳、河出書房新社、２０１５年
国際演劇年鑑 ▽ https://iti-japan.or.jp/yearbook/
ジュノー賞公式サイト（英語） ▽ https://junoawards.ca/

❖カナダ研究誌

日本カナダ学会『カナダ研究年報』（年刊）
日本カナダ文学会『カナダ文学研究』（年刊）
カナダ教育学会『カナダ教育研究』（年刊）
日本ケベック学会『ケベック研究』（年刊）

上智大学アメリカ・カナダ研究所『アメリカ・カナダ研究』（年刊）

❖その他、カナダ関連のウェブサイト

日本カナダ学会　▽http://www/jacs.jp/
日本カナダ文学会（公式ブログ）▽https://blog.goo.ne.jp/kanadabungakukai84burogudayo
カナダ教育学会　▽https://www.jaces.website/
日本ケベック学会　▽http://www.ajeqsite.org/
カナダ研究国際協議会（ＩＣＣＳ）（フランス語／英語）▽https://www.iccs-ciec.ca/
在日カナダ大使館　▽https://www.canadainternational.gc.ca/japan-japon/
カナダシアター（カナダ観光局）▽https://www.canada.jp/
The Globe and Mail 紙（英語）▽https://www.theglobeandmail.com/
Le Devoir 紙（フランス語）▽https://www.ledevoir.com/

執筆者紹介

平田　淳（ひらた・じゅん）[46]
佐賀大学大学院学校教育学研究科（教職大学院）教授。教育行政学。主な業績に『カナダの「開かれた」学校づくりと教育行政』（東信堂、2020年）など。

広瀬健一郎（ひろせ・けんいちろう）[16]
鹿児島純心女子大学人間教育学部准教授。教育学（教育史・比較教育学）。主な業績に日本社会教育学会編『アイヌ民族・先住民族教育の現在』（共著、東洋館出版社、2013年）など。

福士　純（ふくし・じゅん）[コラム4]
岡山大学大学院社会文化科学研究科教授。カナダ史。主な業績に『カナダ商工業者とイギリス帝国経済――1846～1906』（刀水書房、2014年）など。

細川道久（ほそかわ・みちひさ）[24]
鹿児島大学教授。カナダ史。主な業績に『カナダの自立と北大西洋世界』（刀水書房、2014年）、『駒形丸事件』（共著、筑摩書房、2021年）など。

本田隆浩（ほんだ・たかひろ）[28]
浦和大学専任講師。比較憲法、情報法。主な業績に「カナダにおける性別二元制への挑戦――出生証明書の性別変更制度を素材として」（『法学新報』126（7・8）、2020年）など。

松本郁子（まつもと・いくこ）[コラム9]
東洋英和女学院史料室職員。文化資源学（文化経営）。主な業績に『カナダ婦人宣教師物語』（分担執筆・共編、東洋英和女学院、2010年）など。

溝上智恵子（みぞうえ・ちえこ）[47、58]
筑波大学図書館情報メディア系教授。教育政策。主な業績に『ミュージアムの政治学』（東海大学出版会、2003年）、『世界のラーニング・コモンズ』（編著、樹村房、2015年）など。

水戸考道（みと・たかみち）[49、コラム12]
関西学院大学法学部教授。国際政治経済学、北大西洋研究（アジア・北米）、国際教育政策。主な業績に『総合研究カナダ』（共編、関西学院大学出版会、2020年）など。

宮澤淳一（みやざわ・じゅんいち）[57、コラム16、コラム17]
青山学院大学総合文化政策学部教授。音楽学、メディア論、文学研究。主な業績に『グレン・グールド論』（春秋社、2004年）、『マクルーハンの光景』（みすず書房、2008年）など。

山口未花子（やまぐち・みかこ）[19]
北海道大学文学研究院准教授。北米先住民研究、人類学、動物論。主な業績に『ヘラジカの贈り物――北方狩猟民カスカと動物の自然誌』（春風社、2014年）など。

山田　亨（やまだ・とおる）[コラム1]
明治大学文学部准教授。人類学、法社会学。主な業績に『応援の人類学』（分担執筆、青弓社、2020年）、『ハワイを知るための60章』（共編、明石書店、2013年）など。

高橋流里子（たかはし・るりこ）［45］
元日本社会事業大学教授。社会福祉、ソーシャルワーク。主な業績に『改定 障害者の人権とリハビリテーション』（中央法規出版、2008年）など。

高村宏子（たかむら・ひろこ）［22］
元東洋学園大学教授。アメリカ史・カナダ史。主な業績に『北米マイノリティと市民権――第一次大戦における日系人、女性、先住民』（ミネルヴァ書房、2009年）など。

立川陽仁（たちかわ・あきひと）［17］
三重大学教授。社会人類学。主な業績に『カナダ先住民と近代産業の民族誌――北西海岸におけるサケ漁業と先住民漁師による技術的適応』（御茶の水書房、2009年）など。

堤　稔子（つつみ・としこ）［コラム3、コラム15］
桜美林大学名誉教授。カナダ文学。主な業績に『カナダの文学と社会――その風土と文化の探究』（こびあん書房、1995年）、『日本とカナダの比較文学的研究――さくらとかえで』（共著、文芸広場社、1985年）など。

時田朋子（ときた・ともこ）［48］
実践女子大学人間社会学部専任講師。社会言語学。主な業績に「国際結婚家庭に育つ子どもの言語選択――会話参加者の存在が及ぼす影響」（『英語英文学研究』第24号、2018年）など。

富井幸雄（とみい・ゆきお）［27］
東京都立大学法科大学院教授。公法学。主な業績に『憲法と緊急事態法制　カナダの緊急権』（日本評論社、2006年）、『海外派兵と議会――日本、アメリカ、カナダの比較憲法的考察』（成文堂、2013年）など。

友武栄理子（ともたけ・えりこ）［60］
関西学院大学国際教育・協力センター非常勤講師。フランス文化、カナダ文化。主な業績に『カナダを旅する37章』（分担執筆、明石書店、2012年）、『総合研究カナダ』（分担執筆、関西学院大学出版会、2020年）など。

仲村　愛（なかむら・あい）［35、39］
ECC国際外語専門学校大学編入コース専任講師。政治学。主な業績に『間文化主義（インターカルチュラリズム）――多文化共生の新しい可能性』（共訳、彩流社、2017年）など。

丹羽　卓（にわ・たかし）［25］
金城学院大学キリスト教文化研究所教授。社会言語学、ケベック研究。主な業績に『母語干渉とうまくつきあおう』（共著、彩流社、2019年）など。

原口邦紘（はらぐち・くにひろ）［21］
元外務省外交史料館編纂委員。日加関係。主な業績に「第二次世界大戦直後に日本に『送還』された日系カナダ人のその後」（分担執筆、JICA横浜海外移住資料館『研究紀要』11号2016年度、13号2018年度、14号2019年度）など。

執筆者紹介

木野淳子（きの・じゅんこ）［31］
東京外国語大学、東洋英和女学院大学、大妻女子大学講師。カナダ史。主な業績に『カナダの歴史を知るための50章』（分担執筆、明石書店、2017年）など。

木村裕子（きむら・ゆうこ）［コラム7］
関西学院大学非常勤講師。カナダ外交政策、カナダ政治、日本カナダ関係。主な業績に『総合研究カナダ』（分担執筆、関西学院大学出版会、2020年）など。

栗原武美子（くりはら・たみこ）［43］
東洋大学経済学部教授。国際経済学。主な業績に『現代カナダ経済研究——州経済の多様性と自動車産業』（東京大学出版会、2011年、カナダ出版賞受賞）など。

古地順一郎（こぢ・じゅんいちろう）［32、コラム5］
北海道教育大学函館校准教授。政治学。主な業績に「カナダ政治における執政府支配の展開——ハーパー保守党政権を中心に」（『日本比較政治学会年報』第18号、2016年）など。

近藤野里（こんどう・のり）［52］
名古屋外国語大学准教授（2021年度より青山学院大学准教授）。言語学。主な業績に『フランス語をとらえる——フランス語学の諸問題Ⅳ』（分担執筆、三修社、2013年）など。

佐々木奈緒（ささき・なお）［コラム14］
白百合女子大学ほか非常勤講師。ケベック文学。主な業績に『ケンブリッジ版　カナダ文学史』（共訳、彩流社、2016年）、『ケベック詩選集』（共訳、彩流社、2019年）など。

佐藤アヤ子（さとう・あやこ）［53］
明治学院大学名誉教授、翻訳家。カナダ文学・英語圏文学。主な業績に『またの名をグレイス（上・下）』、『洪水の年（上・下）』（ともに翻訳、岩波書店、2018年）など。

真田桂子（さなだ・けいこ）［54］
阪南大学教授。フランス語圏文学、カナダ・ケベック地域研究。主な業績に『トランスカルチュラリズムと移動文学——多元社会ケベックの移民と文学』（彩流社、2006年）など。

下村雄紀（しもむら・ゆうき）［コラム13］
神戸国際大学前学長、名誉教授。日系カナダ移民史、国際コミュニケーション。主な業績に『コミュニケーション問題を考える——学際的アプローチ』（共編、ミネルヴァ書房、2004年）など。

白井澄子（しらい・すみこ）［55］
白百合女子大学教授。英語圏児童文学（特にカナダ児童文学）。主な業績に『赤毛のアン』（シリーズ　もっと知りたい名作の世界 10、共編、ミネルヴァ書房、2008年）、『英米児童文化 55のキーワード』（共編、ミネルヴァ書房、2013年）など。

高橋俊樹（たかはし・としき）［42］
国際貿易投資研究所 (ITI) 研究主幹。米国・カナダ経済、国際貿易論。主な業績に『カナダの経済発展と日本』（明石書店、2005年）、『日本企業の FTA 活用戦略——TPP 時代に向けた指針』（共編、文眞堂、2016年）など。

犬塚典子（いぬづか・のりこ）［29、30］
田園調布学園大学教授。教育学、ジェンダー。主な業績に『カナダの女性政策と大学』（東信堂、2017年）、『アメリカ連邦政府による大学生経済支援政策』（東信堂、2006年）など。

岩﨑利彦（いわさき・としひこ）［44］
元皇學館大学准教授、日本カナダ学会名誉会員。社会保障、医療経済。主な業績に『カナダの社会保障』（財形福祉協会、2008年。生活経済学会より2008年度推薦図書賞受賞）など。

岩﨑佳孝（いわさき・よしたか）［18］
甲南女子大学准教授。北米先住民史。主な業績に『アメリカ先住民ネーションの形成』（ナカニシヤ出版、2016年）、『アメリカ先住民を知るための62章』（分担執筆、明石書店、2016年）など。

榎本　悟（えのもと・さとる）［40］
共立女子大学ビジネス学部教授。国際経営、経営戦略。主な業績に『海外子会社研究序説――カナダにおける日・米企業』（御茶の水書房、2004年）など。

大岡栄美（おおおか・えみ）［8］
関西学院大学社会学部准教授。移民政策と社会統合。主な業績に『総合研究カナダ』（共編、関西学院大学出版会、2020年）など。

岡田健太郎（おかだ・けんたろう）［33］
愛知大学法学部准教授。カナダ現代政治、旧英領諸国の比較政治。主な業績に「カナダの解散権――連邦制と立憲君主制のはざまで」（『生活経済政策』280号、2020年）など。

岡部　敦（おかべ・あつし）［コラム11］
札幌大谷大学社会学部地域社会学科准教授。教育制度。主な業績に『高等学校から職業社会への移行プログラムの研究』（風間書房、2020年）など。

嘉納もも（かのう・もも　Momo Kano Podolsky）［59］
元トロント大学ムンク研究所エスニシティ研究課程事務局長。社会学（エスニシティ研究）。主な業績に「国際移動する子どもたちの異文化体験」（『教育と医学』62巻8号、2014年）など。

河原典史（かわはら・のりふみ）［23］
立命館大学文学部教授。歴史地理学。主な業績に『カナダにおける日本人水産移民の歴史地理学研究』（古今書院、2021年）、『カナダ日本人移民の子供たち――東宮殿下御渡欧記念・邦人児童写真帖』（編著、三人社、2017年）など。

神崎　舞（かんざき・まい）［56］
同志社大学グローバル地域文化学部助教。演劇学、カナダの舞台芸術。主な業績に「ロベール・ルパージュ演出『カナタ』の上演をめぐる論争の意義」（『演劇学論集』70号、2020年）など。

岸上伸啓（きしがみ・のぶひろ）［5、6、13、14、15］
人間文化研究機構理事、国立民族学博物館教授（併任）。文化人類学。主な業績に『捕鯨と反捕鯨のあいだで』（編著、臨川書店、2020年）など。

編集委員／執筆者紹介

〈編集委員紹介〉（[　] 内は担当章）

佐藤信行（さとう・のぶゆき）[26、34、コラム6]
中央大学法科大学院教授、中央大学副学長。1989年に日本カナダ学会に入会して以来、事務局員、理事、副会長等を経て、2018年4月から会長を務める。1997年「日加平和友好交流計画（第1回）」で在外研究（オタワ大学）。専門は、英米カナダ公法学、憲法学、情報法学、法情報学。主な編著に『憲法理論の再構築』（敬文堂、2019年）、『はじめて出会うカナダ』（有斐閣、2009年）など。

矢頭典枝（やず・のりえ）[7、コラム2、36、50、51]
神田外語大学教授、日本カナダ学会副会長、カナダ研究国際協議会日本代表理事、日本ケベック学会理事。社会言語学。単著に『カナダの公用語政策』（リーベル出版、2008年）、『あなたの知らない世界の英語』（アルクEJ新書、2020年）。共編訳に『フランコフォンの世界――コーパスが明かすフランス語の多様性』（S・ドゥテ他編著、三省堂、2019年）。共訳に『多文化社会ケベックの挑戦』（G・ブシャール、C・テイラー編、明石書店、2011年）など。

田中俊弘（たなか・としひろ）[38、コラム8]
麗澤大学外国語学部教授、日本カナダ学会副会長。カナダ史研究。主な業績に、『カナダの歴史を知るための50章』（分担執筆、細川道久編、明石書店、2017年）、「『カナダの良心』J・S・ウッズワースの孤立主義と平和主義」（『カナダ研究年報』第31号、2011年）など。共訳書にシルヴィア・ヴァン＝カーク著『優しい絆――北米毛皮交易社会の女性史1670–1870年』（麗澤大学出版会、2014年）など。

大石太郎（おおいし・たろう）[1、2、3、4]
関西学院大学国際学部教授、日本カナダ学会副会長、日本ケベック学会理事。人文地理学。主な業績に、『総合研究カナダ』（共編、関西学院大学出版会、2020年）、『ツーリズムの地理学――観光から考える地域の魅力』（分担執筆、二宮書店、2018年）、『移民社会アメリカの記憶と継承――移民博物館で読み解く世界の博物館アメリカ』（分担執筆、学文社、2018年）、「カナダにおける二言語主義の現状と課題」（『E-journal GEO』第12巻第1号、2017年）など。

〈執筆者紹介〉（五十音順。総監修者・編集委員は各紹介欄を参照。[　] 内は担当章）

荒木隆人（あらき・たかひと）[37]
岐阜市立女子短期大学国際文化学科准教授。政治学。主な業績に『カナダ連邦政治とケベック政治闘争――憲法闘争を巡る政治過程』（法律文化社、2015年）など。

飯笹佐代子（いいざさ・さよこ）[9、10]
青山学院大学総合文化政策学部教授。多文化社会論。主な業績に『シティズンシップと多文化社会――オーストラリアから読み解く』（日本経済評論社、2007年）など。

池上岳彦（いけがみ・たけひこ）[41]
立教大学経済学部教授。財政学。主な業績に『分権化と地方財政』（岩波書店、2004年）、『アメリカ合衆国／カナダ（新 世界の社会福祉 6）』（共著、旬報社、2019年）など。

〈総監修者紹介〉（［　］内は担当章）

飯野正子（いいの・まさこ）［11、20］
津田塾大学名誉教授・理事・元学長、マギル大学客員助教授、アカディア大学客員教授、カリフォルニア大学バークレー校客員研究員、ブリンマー大学招聘教授などを歴任。日本カナダ学会名誉会員、日本カナダ学会会長（1996～2000年）。1998年、カナダ研究国際協議会（ICCS）より国際カナダ研究カナダ総督賞受賞。主な編著書に『日系カナダ人の歴史』（東京大学出版会、1997年、カナダ首相出版賞受賞）、『もう一つの日米関係史――紛争と協調のなかの日系アメリカ人』（有斐閣、2000年）、『津田梅子を支えた人びと』（共編著、有斐閣、2000年）、『日本の移民研究　動向と文献目録』（IおよびII）（共編著、明石書店、2007年）、『カナダを旅する37章』（共編著、明石書店、2012年）、『エスニック・アメリカ――多文化社会における共生の模索（第3版）』（共著、有斐閣、2017年［初版1984年］）など。

竹中 豊（たけなか・ゆたか）［12、コラム10、エピローグ］
元カリタス女子短期大学言語文化学科教授。日本カナダ学会顧問、日本ケベック学会名誉会員、元在カナダ日本国大使館専門調査員。元慶應義塾大学・津田塾大学などの講師。主な著書・監修などに『カナダ　大いなる孤高の地――カナダ的想像力の展開』（彩流社、2000年、カナダ首相出版賞受賞）、『ケベックの生成と「新世界」』（ジェラール・ブシャール著、監修、彩流社、2007年、カナダ首相出版賞審査員特別賞受賞）、『新版　史料が語るカナダ』（日本カナダ学会編・共著、有斐閣、2008年）、『ケベックを知るための54章』（編・著、明石書店、2009年）、『多文化社会ケベックの挑戦――文化的差異に関する調和の実践』（ジェラール・ブシャール、チャールズ・テイラー編、共訳、明石書店、2011年）、『ケベックとカナダ――地域研究の愉しみ』（彩流社、2014年）など。

〈編者紹介〉

日本カナダ学会
(Japanese Association for Canadian Studies / L'Association japonaise d'études canadiennes)
カナダに関する学術研究の促進と日本におけるカナダ研究の振興を目的とする学術団体。1977年に日本カナダ研究会として発足（翌年、現在の名称に改称）して以来、1981年にはカナダ研究国際協議会（ICCS）の創立メンバーとなるなど、日本を代表する総合的なカナダ地域研究学会として活動している。会員の研究・活動領域は、社会・人文科学をはじめ、自然科学、さらには教育・ビジネス・公共政策の実務にも及ぶ。また、若手研究者の育成に積極的に取り組み、学生会員を広く受け入れて、研究活動を支援している。主要な活動として、年次研究大会（例年9月）、機関誌『カナダ研究年報』発行、ニューズレター発行、地区研究会、学会賞授賞等がある。
学会ウェブサイト　http://www/jacs.jp/

エリア・スタディーズ　83

現代カナダを知るための60章【第2版】

2010年11月22日　初　版第1刷発行
2021年　3月10日　第2版第1刷発行

総監修者　飯野正子
　　　　　竹中　豊
編　　者　日本カナダ学会
発 行 者　大江道雅
発 行 所　株式会社 明石書店
〒101-0021 東京都千代田区外神田6-9-5
電　話　03-5818-1171
FAX　03-5818-1174
振　替　00100-7-24505
http://www.akashi.co.jp/

装　幀　明石書店デザイン室
印刷／製本　日経印刷株式会社

（定価はカバーに表示してあります）　ISBN978-4-7503-5167-4

エリア・スタディーズ

1 **現代アメリカ社会を知るための60章**
明石紀雄、川島浩平 編著

2 **イタリアを知るための62章【第2版】**
村上義和 編著

3 **イギリスを旅する35章**
辻野功 編著

4 **モンゴルを知るための65章【第2版】**
金岡秀郎 著

5 **パリ・フランスを知るための44章**
梅本洋一、大里俊晴、木下長宏 編著

6 **現代韓国を知るための60章【第2版】**
石坂浩一、福島みのり 編著

7 **オーストラリアを知るための58章【第3版】**
越智道雄 著

8 **現代中国を知るための52章【第6版】**
藤野彰 編著

9 **ネパールを知るための60章**
日本ネパール協会 編

10 **アメリカの歴史を知るための63章【第3版】**
富田虎男、鵜月裕典、佐藤円 編著

11 **現代フィリピンを知るための61章【第2版】**
大野拓司、寺田勇文 編著

12 **ポルトガルを知るための55章【第2版】**
村上義和、池俊介 編著

13 **北欧を知るための43章**
武田龍夫 著

14 **ブラジルを知るための56章【第2版】**
アンジェロ・イシ 著

15 **ドイツを知るための60章**
早川東三、工藤幹巳 編著

16 **ポーランドを知るための60章**
渡辺克義 編著

17 **シンガポールを知るための65章【第4版】**
田村慶子 編著

18 **現代ドイツを知るための67章【第3版】**
浜本隆志、髙橋憲 編著

19 **ウィーン・オーストリアを知るための57章【第2版】**
広瀬佳一、今井顕 編著

20 **ハンガリーを知るための60章【第2版】** ドナウの宝石
羽場久美子 編著

21 **現代ロシアを知るための60章【第2版】**
下斗米伸夫、島田博 編著

22 **21世紀アメリカ社会を知るための67章**
明石紀雄 監修　赤尾千波、大類久恵、小塩和人、落合明子、川島浩平、高野泰 編

23 **スペインを知るための60章**
野々山真輝帆 著

24 **キューバを知るための52章**
後藤政子、樋口聡 編著

25 **カナダを知るための60章**
綾部恒雄、飯野正子 編著

26 **中央アジアを知るための60章【第2版】**
宇山智彦 編著

27 **チェコとスロヴァキアを知るための56章【第2版】**
薩摩秀登 編著

28 **現代ドイツの社会・文化を知るための48章**
田村光彰、村上和光、岩淵正明 編著

29 **インドを知るための50章**
重松伸司、三田昌彦 編著

30 **タイを知るための72章【第2版】**
綾部真雄 編著

31 **パキスタンを知るための60章**
広瀬崇子、山根聡、小田尚也 編著

32 **バングラデシュを知るための66章【第3版】**
大橋正明、村山真弓、日下部尚徳、安達淳哉 編著

33 **イギリスを知るための65章【第2版】**
近藤久雄、細川祐子、阿部美春 編著

34 **現代台湾を知るための60章【第2版】**
亜洲奈みづほ 著

35 **ペルーを知るための66章【第2版】**
細谷広美 編著

36 **マラウィを知るための45章【第2版】**
栗田和明 著

37 **コスタリカを知るための60章【第2版】**
国本伊代 編著

38 **チベットを知るための50章**
石濱裕美子 編著

エリア・スタディーズ

39 **現代ベトナムを知るための60章【第2版】**
今井昭夫、岩井美佐紀 編著

40 **インドネシアを知るための50章**
村井吉敬、佐伯奈津子 編著

41 **エルサルバドル、ホンジュラス、ニカラグアを知るための45章**
田中高 編著

42 **パナマを知るための70章【第2版】**
国本伊代 編著

43 **イランを知るための65章**
岡田恵美子、北原圭一、鈴木珠里 編著

44 **アイルランドを知るための70章【第3版】**
海老島均、山下理恵子 編著

45 **メキシコを知るための60章**
吉田栄人 編著

46 **中国の暮らしと文化を知るための40章**
東洋文化研究会 編

47 **現代ブータンを知るための60章【第2版】**
平山修一 著

48 **バルカンを知るための66章【第2版】**
柴宜弘 編著

49 **現代イタリアを知るための44章**
村上義和 編著

50 **アルゼンチンを知るための54章**
アルベルト松本 著

51 **ミクロネシアを知るための60章【第2版】**
印東道子 編著

52 **アメリカのヒスパニック＝ラティーノ社会を知るための55章**
大泉光一、牛島万 編著

53 **北朝鮮を知るための55章【第2版】**
石坂浩一 編著

54 **ボリビアを知るための73章【第2版】**
真鍋周三 編著

55 **コーカサスを知るための60章**
北川誠一、前田弘毅、廣瀬陽子、吉村貴之 編著

56 **カンボジアを知るための62章【第2版】**
上田広美、岡田知子 編著

57 **エクアドルを知るための60章【第2版】**
新木秀和 編著

58 **タンザニアを知るための60章【第2版】**
栗田和明、根本利通 編著

59 **リビアを知るための60章【第2版】**
塩尻和子 編著

60 **東ティモールを知るための50章**
山田満 編著

61 **グアテマラを知るための67章【第2版】**
桜井三枝子 編著

62 **オランダを知るための60章**
長坂寿久 著

63 **モロッコを知るための65章**
私市正年、佐藤健太郎 編著

64 **サウジアラビアを知るための63章【第2版】**
中村覚 編著

65 **韓国の歴史を知るための66章**
金両基 編著

66 **ルーマニアを知るための60章**
六鹿茂夫 編著

67 **現代インドを知るための60章**
広瀬崇子、近藤正規、井上恭子、南埜猛 編著

68 **エチオピアを知るための50章**
岡倉登志 編著

69 **フィンランドを知るための44章**
百瀬宏、石野裕子 編著

70 **ニュージーランドを知るための63章**
青柳まちこ 編著

71 **ベルギーを知るための52章**
小川秀樹 編著

72 **ケベックを知るための54章**
小畑精和、竹中豊 編著

73 **アルジェリアを知るための62章**
私市正年 編著

74 **アルメニアを知るための65章**
中島偉晴、メラニア・バグダサリヤン 編著

75 **スウェーデンを知るための60章**
村井誠人 編著

76 **デンマークを知るための68章**
村井誠人 編著

77 **最新ドイツ事情を知るための50章**
浜本隆志、柳原初樹 著

エリア・スタディーズ

78 セネガルとカーボベルデを知るための60章
小川了 編著

79 南アフリカを知るための60章
峯陽一 編著

80 エルサルバドルを知るための55章
細野昭雄、田中高 編著

81 チュニジアを知るための60章
鷹木恵子 編著

82 南太平洋を知るための58章 メラネシア ポリネシア
吉岡政德、石森大知 編著

83 現代カナダを知るための60章【第2版】
飯野正子、竹中豊 総監修 日本カナダ学会 編

84 現代フランス社会を知るための62章
三浦信孝、西山教行 編著

85 ラオスを知るための60章
菊池陽子、鈴木玲子、阿部健一 編著

86 パラグアイを知るための50章
田島久歳、武田和久 編著

87 中国の歴史を知るための60章
並木頼壽、杉山文彦 編著

88 スペインのガリシアを知るための50章
坂東省次、桑原真夫、浅香武和 編著

89 アラブ首長国連邦（UAE）を知るための60章
細井長 編著

90 コロンビアを知るための60章
二村久則 編著

91 現代メキシコを知るための70章【第2版】
国本伊代 編著

92 ガーナを知るための47章
高根務、山田肖子 編著

93 ウガンダを知るための53章
吉田昌夫、白石壮一郎 編著

94 ケルトを旅する52章 イギリス・アイルランド
永田喜文 著

95 トルコを知るための53章
大村幸弘、永田雄三、内藤正典 編著

96 イタリアを旅する24章
内田俊秀 編著

97 大統領選からアメリカを知るための57章
越智道雄 著

98 現代バスクを知るための50章
萩尾生、吉田浩美 編著

99 ボツワナを知るための52章
池谷和信 編著

100 ロンドンを旅する60章
川成洋、石原孝哉 編著

101 ケニアを知るための55章
松田素二、津田みわ 編著

102 ニューヨークからアメリカを知るための76章
越智道雄 著

103 カリフォルニアからアメリカを知るための54章
越智道雄 著

104 イスラエルを知るための62章【第2版】
立山良司 編著

105 グアム・サイパン・マリアナ諸島を知るための54章
中山京子 編著

106 中国のムスリムを知るための60章
中国ムスリム研究会 編

107 現代エジプトを知るための60章
鈴木恵美 編著

108 カーストから現代インドを知るための30章
金基淑 編著

109 カナダを旅する37章
飯野正子、竹中豊 編著

110 アンダルシアを知るための53章
立石博高、塩見千加子 編著

111 エストニアを知るための59章
小森宏美 編著

112 韓国の暮らしと文化を知るための70章
舘野晳 編著

113 現代インドネシアを知るための60章
村井吉敬、佐伯奈津子、間瀬朋子 編著

エリア・スタディーズ

114 ハワイを知るための60章　山本真鳥、山田亨 編著

115 現代イラクを知るための60章　酒井啓子、吉岡明子、山尾大 編著

116 現代スペインを知るための60章　坂東省次 編著

117 スリランカを知るための58章　杉本良男、高桑史子、鈴木晋介 編著

118 マダガスカルを知るための62章　飯田卓、深澤秀夫、森山工 編著

119 新時代アメリカ社会を知るための60章　明石紀雄 監修　大類久恵、落合明子、赤尾千波 編著

120 現代アラブを知るための56章　松本弘 編著

121 クロアチアを知るための60章　柴宜弘、石田信一 編著

122 ドミニカ共和国を知るための60章　国本伊代 編著

123 シリア・レバノンを知るための64章　黒木英充 編著

124 EU（欧州連合）を知るための63章　羽場久美子 編著

125 ミャンマーを知るための60章　田村克己、松田正彦 編著

126 カタルーニャを知るための50章　立石博高、奥野良知 編著

127 ホンジュラスを知るための60章　桜井三枝子、中原篤史 編著

128 スイスを知るための60章　スイス文学研究会 編

129 東南アジアを知るための50章　今井昭夫 編集代表　東京外国語大学東南アジア課程 編

130 メソアメリカを知るための58章　井上幸孝 編著

131 マドリードとカスティーリャを知るための60章　川成洋、下山静香 編著

132 ノルウェーを知るための60章　大島美穂、岡本健志 編著

133 現代モンゴルを知るための50章　小長谷有紀、前川愛 編著

134 カザフスタンを知るための60章　宇山智彦、藤本透子 編著

135 内モンゴルを知るための60章　ボルジギン・ブレンサイン 編著　赤坂恒明 編集協力

136 スコットランドを知るための65章　木村正俊 編著

137 セルビアを知るための60章　柴宜弘、山崎信一 編著

138 マリを知るための58章　竹沢尚一郎 編著

139 ASEANを知るための50章　黒柳米司、金子芳樹、吉野文雄 編著

140 アイスランド・グリーンランド・北極を知るための65章　小澤実、中丸禎子、高橋美野梨 編著

141 ナミビアを知るための53章　水野一晴、永原陽子 編著

142 香港を知るための60章　吉川雅之、倉田徹 編著

143 タスマニアを旅する60章　宮本忠 著

144 パレスチナを知るための60章　臼杵陽、鈴木啓之 編著

145 ラトヴィアを知るための47章　志摩園子 編著

146 ニカラグアを知るための55章　田中高 編著

147 台湾を知るための60章　赤松美和子、若松大祐 編著

148 テュルクを知るための61章　小松久男 編著

149 アメリカ先住民を知るための62章　阿部珠理 編著

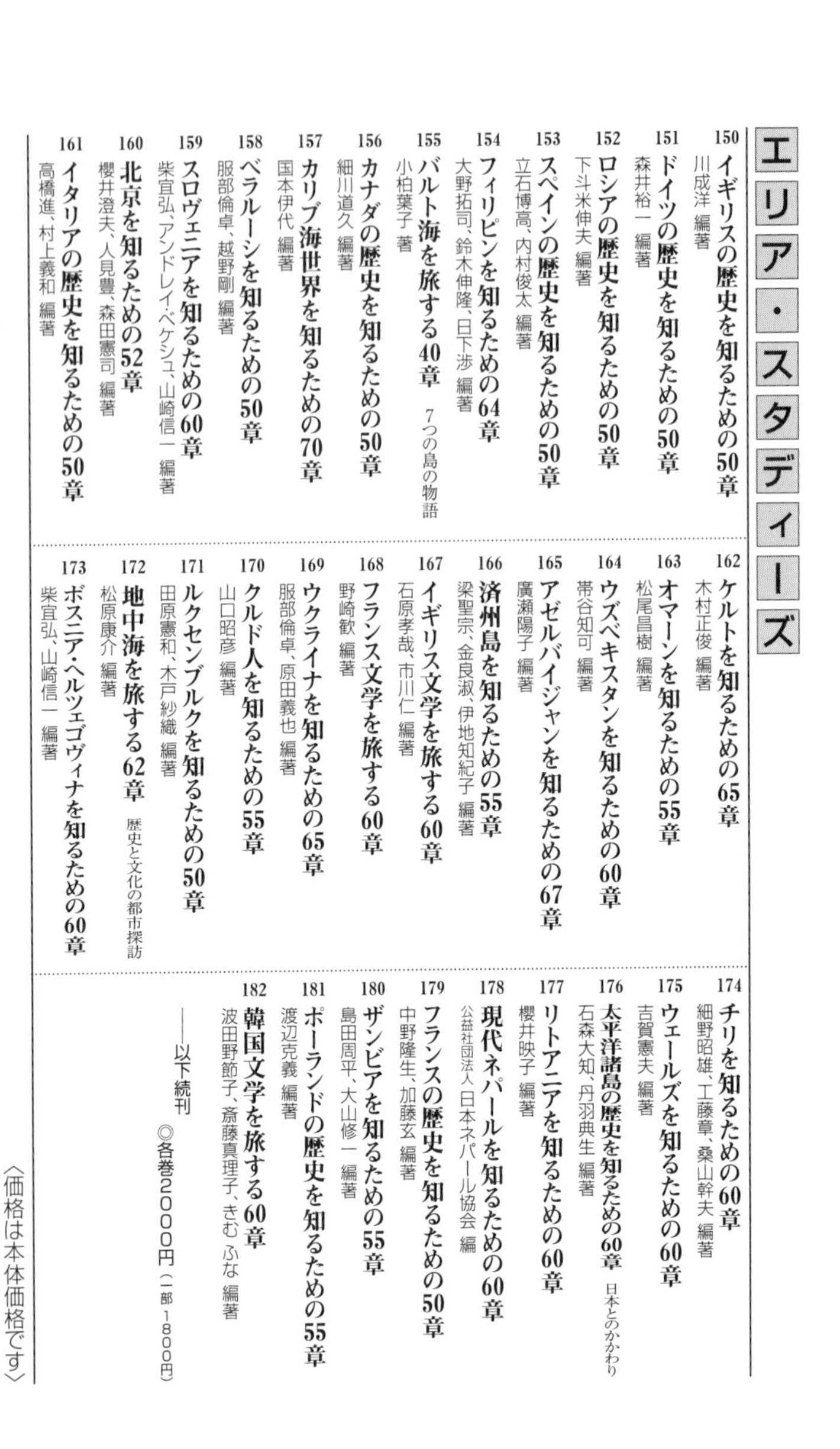

エリア・スタディーズ

- 150 **イギリスの歴史を知るための50章** 川成洋 編著
- 151 **ドイツの歴史を知るための50章** 森井裕一 編著
- 152 **ロシアの歴史を知るための50章** 下斗米伸夫 編著
- 153 **スペインの歴史を知るための50章** 立石博高、内村俊太 編著
- 154 **フィリピンを知るための64章** 大野拓司、鈴木伸隆、日下渉 編著
- 155 **バルト海を旅する40章** 7つの島の物語 小柏葉子 著
- 156 **カナダの歴史を知るための50章** 細川道久 編著
- 157 **カリブ海世界を知るための70章** 国本伊代 編著
- 158 **ベラルーシを知るための50章** 服部倫卓、越野剛 編著
- 159 **スロヴェニアを知るための60章** 柴宜弘、アンドレイ・ベケシュ、山崎信一 編著
- 160 **北京を知るための52章** 櫻井澄夫、人見豊、森田憲司 編著
- 161 **イタリアの歴史を知るための50章** 高橋進、村上義和 編著
- 162 **ケルトを知るための65章** 木村正俊 編著
- 163 **オマーンを知るための55章** 松尾昌樹 編著
- 164 **ウズベキスタンを知るための60章** 帯谷知可 編著
- 165 **アゼルバイジャンを知るための67章** 廣瀬陽子 編著
- 166 **済州島を知るための55章** 梁聖宗、金良淑、伊地知紀子 編著
- 167 **イギリス文学を旅する60章** 石原孝哉、市川仁 編著
- 168 **フランス文学を旅する60章** 野崎歓 編著
- 169 **ウクライナを知るための65章** 服部倫卓、原田義也 編著
- 170 **クルド人を知るための55章** 山口昭彦 編著
- 171 **ルクセンブルクを知るための50章** 田原憲和、木戸紗織 編著
- 172 **地中海を旅する62章** 歴史と文化の都市探訪 松原康介 編著
- 173 **ボスニア・ヘルツェゴヴィナを知るための60章** 柴宜弘、山崎信一 編著
- 174 **チリを知るための60章** 細野昭雄、工藤章、桑山幹夫 編著
- 175 **ウェールズを知るための60章** 吉賀憲夫 編著
- 176 **太平洋諸島の歴史を知るための60章** 日本とのかかわり 石森大知、丹羽典生 編著
- 177 **リトアニアを知るための60章** 櫻井映子 編著
- 178 **現代ネパールを知るための60章** 公益社団法人 日本ネパール協会 編
- 179 **フランスの歴史を知るための50章** 中野隆生、加藤玄 編著
- 180 **ザンビアを知るための55章** 島田周平、大山修一 編著
- 181 **ポーランドの歴史を知るための55章** 渡辺克義 編著
- 182 **韓国文学を旅する60章** 波田野節子、斎藤真理子、きむ ふな 編著

——以下続刊

◎各巻2000円（一部1800円）

〈価格は本体価格です〉